日本活性化論

「令和」新時代への提言。日本ならではの国づくりを!

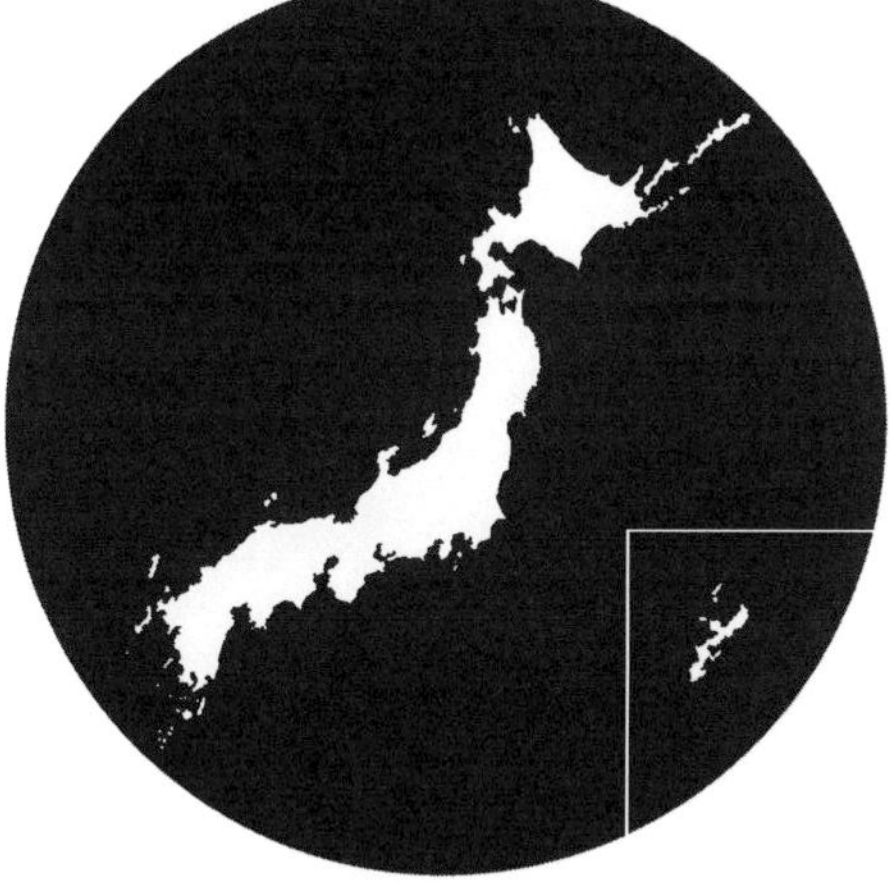

大山哲人
OYAMA Akihito

文芸社

はじめに

我が国は二〇一八年「近代国家幕開け（明治維新）」から一五〇年を数え、二〇一九年四月に現上皇が退位され五月には新天皇が即位され、元号も「平成」から「令和」の時代に変わりました。

これを機（時代の節目）に、国民の努力により世界に冠たる国家になった「日本の今後」について、『日本活性化論』と題して「国を一段と元気にし、劣化させないため」問うべき「基本的課題」は何かをまとめることにしました。

第一の課題は「今後、どのような国」を目指していくのか、第二の課題は「唯一の資源・人材の開発」にどう取り組むのか、についてです。いずれの課題につきましても「原点」に立ち返り考えてみたい。目前にある多くの国の課題の解決も「基本的課題」との関連の中にあると思います。

グローバルな時代、世の中の動きは複雑で変化は激しい。現状の国際情勢を見れば明らかです。この中で今後国として盤石な「理念・基本的考え」のもと、世界に伍して行く必要があります。

幸いなことにいまだ我が国の「国力」は総体としては世界の中で上位にあり、有する「底力」も世界が認めるところだと思います。が、国際統計上「弱くなりつつある事項」や国際的視点から「遅れている事項の指摘」も多々あります。このままでよいのか。また、官・民問わず指導者の基本的姿勢はいかにあるべきかなど、種々問うには良い機会だと思います。

「国際情勢」は今後ますます厳しさを増すと思われます。それゆえに「国全体を活力ある姿」にしなければなりません。それには、**世界から一目置かれる「日本ならではの国づくり」**が求められる、と思います。これは「国民全体が共有すべき課題」ではないでしょうか。

第一の課題は、いわゆる「国の姿」＝「国家像」についてです。

国の有する機能は多様です。何々国家・何々立国など「国の繁栄（安定と発展）」を目的としたさまざまなとらえ方があります。だからシンプルには言えないとは思いますが**「国の基盤（国家存立・繁栄の土台＝ベースとなるもの）を何に置くのか、何に重点を置き、良い意味での国力を維持・発展させるのか」**は議論に値しましょう。「未来を見据えた国内外の動向、国益、国民性」などを判断要素としてこの命題を「長期的視点」から問うことにします。

国としてこれを「盤石にする」ことはきわめて重要な課題です。国を左右する要因は多岐にわたり、特に自国のみでは対応が難しい外部要因は日常茶飯事。しかし、いかなる事態に遭遇しようとも**「こうしていく、という不動の考え・自立姿勢」**があれば心強い。国民にこの「基本的考え方」が明示され、これを「国民」が共有、理解・意欲を示し、その実現に力を結集、持てる能力を十分に発揮できればそれに優るものはない。今後の難しい時代に対応しうる原点になると思うところです。

「国の姿」はさまざまですが、我が国は何を目指すべきか。本論では**「科学技術国家」（それも「（超）高度科学技術国家」）を目指したらどうか**、としました。

これからはますます「（超）高度な科学技術」が世界を先導していく時代、そのような社会になることは自明です。ただ、今後求められる科学技術は「人類平和への貢献、人間の尊厳の尊重、地球の持続性（サスティナビリティ）と自然との調和の維持・確保、真の豊かさの追求」など、「高邁《こうまい》な哲学・理念が前提」になります。

「科学技術を国力の重点にする」ことになりますが、理由は、

①「今後の世界の動向（ますます科学技術がモノを言う世界になる）に資する」とともに、

②「科学技術力を介して国の経済力を維持・発展させ、経済的繁栄を実現することにより国家活動の源泉（健全

で豊かな国富）を確保」し、さらには、

③「日本ならではの国民性」が活かせるからです。

日本人は先に指摘の「哲学・理念に馴染む国民」であり、「頭脳と技術・技能（特に緻密で繊細なモノづくり）に優れ、穏やかな気質で勤勉にして努力家」とは世界が認めるところです。この良さを活かさないでは「もったいない」。日本にとって取り組み次第で「持てる力」をますます発揮しうる時代になるのではないかと思います。

これらを「未来社会の展望」のもと、今後の科学技術の「意義」を問いつつ「何を具体的に目標とし、どのように展開していくべきか」を論じます。また、この「国の姿」のもとに「国・政府と民間（その組織と指導者）の役割」は何かを問います。

国・政府の役割は「妥当な政策構築、民間活動の環境づくり（自由性の確保、非効率な業務・ムダの排除）」など多々あります。民間は民間で「チャレンジ精神」を忘れず活躍することが求められます。また指導者はどうあるべきか――「理想・理念のもと私欲を捨て利他の精神で身命を賭し事を成す気骨ある人物たるか」――これら基本的課題を問います。

次に、第二の課題は「人材開発（発掘・育成・活用）」についてです。

国・世の中・社会を構成する原点は、すべて「人」にあると思います。あらゆる資源（ヒト・モノ・カネ・時間・情報など）に付加価値をつけるのはすべて「人」です。この「**人」をいかに活性化するかが、**課題です。「人の活かし方」は重要な課題、第一の課題に関連しても、もちろんのことすべてに重要な視点です。

日本は人的資源には恵まれているし、「唯一の資源」（「日本ならでは」の要因）でもあります。しかし国全体からみて「真の（多様な）人材」を発掘・育成・活用しているのか、潜在している人材を「顕在化」させるに問題なき制度・仕組み・運用になっているのか、議論する必要があります。

　まずは「人材開発の基本となる人材観、是正すべき人間評価観」は何かを問います。

「人間は誰しもが天与のものとして無限の能力を有し、開花する時期は人それぞれだ、これが人材開発の基本」と思います。特に今後の世界・世の中・社会に思いを致すとますます重要になる人材観でしょう。

　それゆえに「真の（多様な）人材」を得るためには、「社会的な固定観（カテゴライズによる）」に基づく外形的評価は是正すべき人間観と思います。偏見と狭い了見に基づく古びた人間観など時代遅れです。すべて「個人の本質的能力・人物」に基づくべきです。この基本的考えが前提として重要です。今後国・社会にとって重要であろう人材像についても問いたい。

　次に「課題多き現行の教育制度」について考えます。「初等教育」については基本的な教育内容・方法の是非（人材開発の基本を踏まえて問題はないか）を問い、「高等教育」については世界を相手に「一段と質的強化が必要（教育・研究体制と人材の選抜方法について問題はないか）」との観点から論じたい。

　また、人口減少・（超）高齢化問題などもあり、今後は「国民の総力」が重要です。「人材の発掘・育成と活性化にどう取り組み、国民全体が活躍できる社会をどう構築するのか」について問います。

　国家・社会は多数の人間により構成されます。この個々人の「全員」が活力を失わずおのおの有する「かけがいのない能力」を十分に発揮し役割を果たしていける社会に「平和」は生まれます。人材の活用については、年齢・男女・学歴などを問わず「開かれたもの」すなわち「意思と能力を有する者」については「全員参加が原則」と思います。

　この二つの課題について、基本的考えに立ち返り（なぜそうなのか、どうあるべきか）論じたい。すべては「基本が重要」、これを看過し現象のみに右顧左眄《うこさべん》すると、問題の本質的解決を先送りし後顧の憂いを残すことになると思います。したがって論調はやや迂遠《うえん》なアプローチにはなります。例えば「そもそも国とは、人とは、企業とは何か」などを、簡単にではありますが問うことにしたい。

この二つの課題は「今後の我が国にとって重要な基本的視点」だと思うところです。これらがきちんと論議され良い方向で具現化されれば、国・社会自体と国民の活性化につながるのではないかと思います。いずれの課題も「政治・科学（自然科学・社会科学とも）・人のあるべき姿」を念頭に考えたい。これら三要素が個別ないしは複合的にきちんと機能すれば国力は盤石になり、国民の活力を生み出すのではと思っています。

二〇二〇年に入り「新型コロナウイルス感染症」で世界が恐怖に陥れられています。

歴史を振り返れば、人類は「自然の脅威」と向かい合い戦い、それを克服することにより文明を構築してきました。前提には人類の永遠の課題である「生命の維持・生存願望（死に対する恐怖）」がありましょう。ウイルスも細菌も自然の産物。人類はペスト・コレラ・スペイン風邪・アジア風邪・新型インフルエンザ・マーズ・サーズなど世界を揺るがす感染症と戦ってきました。中には世界の歴史を変える要因にもなったものもあります。人類の「最後の戦い」は核兵器などによる国家間の戦争ではなく、次々と姿を変え人類を悩ますウイルスや細菌との戦いになると警告する識者もいます。今後一段と強毒のウイルスが発生するやも知れません。果たしてこれらを克服しうるものは何か。「人類の英知」でしかありません。これは「高度な科学の力」（この場合は、自然科学として医療科学技術と関連する社会科学全般）と、それにより裏付けされた適正な国家政策――国民を安心・安全たらしめる「政治の的確で時宜を得た判断力・決断力による政策」次第です。それに理解と協力を惜しまない「人々（国民）の力」がモノを言うのではないかと思います。

「政治・科学（自然・社会の両面）・人のあるべき姿」が試されることになります。今回の「コロナ問題」にとどまらず、今後の世界を展望しますと、「国家のあり方、人材の開発」にとって、この三視点は個別ないしは複合的にますます重要になると思います。「政治」については国家的責任、「科学」については正しい知見、「人」については前向き（活力ある）の思考・行動が問われます。

　筆者は大学院（修士課程）で「外交・国際政治学」を専攻し（若かりし頃、政治家を志していた）、国の「浮沈」が国力・国家の政策によること大であり、内容いかんにより国自体が「劣化・脆弱《ぜいじゃく》化し、国民が路頭に迷う」ことにもなりかねないことを学びました。

　国の「政治」はいかなる場合（想定がきわめて困難な場合）でも事態を想定外とすることは許されません。国の指導者には、常時「国民への思い」を馳せた「国家の存立・繁栄と平和維持」のための「危機意識・責任意識」が必要なのです。

　指導者の良否は「国民の大多数が納得する善政」をなしうるかどうかにかかっています。「国のあり方」「人材の開発」のいずれも基本は同じです。善政には、「クールな頭脳（科学的判断力）」とともに「現地・現場の実状にも通じる温かいこころ・情」が必要です。

「新時代」、これを機に日本の「良き国民性」を活かし、世界が一目置く「日本ならではの国づくり」を目指すべきです。今は「コロナ問題」での「有事」、この解決が第一ですが、「国づくり」の課題は平時・有事を問わず国・国民の重要課題、むしろ有事の時こそ考えてみる価値があるのでは、と思います。

　本拙著は全体を通し、これらの基本的考えを前提にしています。内容は「放談（話したいことを話す）」ですが、話を「より親しみやすくする」ため、「国・社会への問題意識が高い『若者』」と、「年老いてもなお世の中への関心が深く万巻（？）の書に囲まれ勉学を怠らない『老学者（自称）』」の「二人を想定・仮定」し「若者と老学者の対話」という形で展開します。もちろん、「若者（問いかける）」も「老学者（答える）」も同一主体＝

筆者自身です。

令和三年（二〇二一年）一月吉日

大山　哲人

目　次

第一話

「今後、どのような国」を目指すのか（「国の存立・繁栄」の基盤を何に求めるのか）

——世界が一目置く「日本ならではの国」を目指そう——
「基盤」を明確にし、盤石なものにすることがきわめて重要だ

第一章　「国の姿」の基盤とは

「今後何を基盤にどのような国」を目指すのかを、論じる理由

若者　大先輩、相変わらずお元気そうですね。お年にもかかわらずに今なお日夜勉強をされ、「平和国家・日本の今後」について何か言い残したいとのこと。

日本も二〇一八年、近代国家幕開けの明治維新からちょうど一五〇年を数え、二〇一九年五月には新しい「令和」の時代になりました。それに二〇二〇年になり「新型コロナウイルス感染症」に文明社会が翻弄されています。

大袈裟に言いますと、人類・国・社会のあり方がためされているのではないか、また何が重要なのかを問い直し「基本に戻れ」と諭されているのでは、とも思います。「世界観」が変わるかもしれません。論じるには良い機会です。

老学者　大先輩でなく「爺さん」でよい。市井（まち）の素朴な老学者（社会科学全般&人間学？）の「つもり＝気持ち」で毎日勉強をしている身ではあるがいつの間にかいい年になった。年も年なので論じたいテーマはヤマとある。だが今一番話したいことに的をしぼりたい。

内容は経験（重工業会社に四十年勤務し、人事・労務業務に長く従事してきたことなど）を踏まえ、自己の「人生のテーマ」としてきた「国家と人材」についての社会評論だが、具体的には国・社会とそれを構成する人々が「活き活きする」にはどうあらねばならないか——に関連するものだ。国も国民も「活力」がないと「平和」にはならない。それについての思いを述べたい。

僕は「いつも元気に明るく生きる」をモットーにしている。社会的分類では老人・高齢者だが、外山滋比古先生がその著『老いの整理学』で言われる生き方の一種（主旨は「前向きに生きる」）を志向しているのかも。

今、世界を悩ませている「新型コロナウイルス感染症問題（以下「コロナ問題」と言おう）」も、これの克服は人類・国・社会の「活力」いかんによると思う。「活力」があれば自然とさまざまな「英知」が生まれる。人類はそのようにできていると信じたい。

「世界観」の話だが、あまり大層にとらえることはどうかと思う。むしろ、これを機に種々の課題に関し科学的見地（自然・社会の両面）から今後どうあるべきか、何をなすべきかを分析的・選択的に考えるのが現実的だ。今はまさに「有事」。まずは「コロナ問題」の有効な対応と克服が第一ではあるが、平時・有事を問わず「国をいかに活性化するか」を問うことは、国・国民の重要課題。むしろ、このような状況であるからこそ考えてみる価値がある。

まずは「論じる」意味だが、内容は自分の「人生で得てきた考えのまとめ」ではあるものの、この種の議論が国レベルでなされるとか、話の内容に関連する仕事に就いておられる方々やこの類《たぐい》の話に興味をお持ちの方々の目に触れた場合、「参考意見」になれば光栄、ということでもある。年も七十代の半ばを数える。世の中の各界リーダーも大半は僕よりは若いはずだ。僕は単なる一市民にすぎないが「年齢として」少しはモノを言う「資格アリ」と思っている。

話の展開は極力「基本に立ちかえる」ことにしたい。最近、この基本を忘れたテクニカルな議論が多いような気がする。「基本を忘れるといつかは何らかの問題が起きる」と思っている。いずれにせよ、自称「市井の善良なる老学者」の国・社会に対する素朴な「思い」をベースにした「活性化論」だ。「大胆（？）な思い」も話すが、国・社会の将来を考えてのことと理解されたい。

若者　わかりました。まず「第一話」からです。「今後の国の姿」の話ですね。

老学者　そうだ。これは今後、我が国は「**どのような国を目指すのか**」、**そのために**「**何を立国の主たる基盤（『国家存立・繁栄』の土台＝ベース、コア＝核になるもの）としていくのか**」についての理念・基本的考えの話になる。現実を踏まえ「**国力の維持・発展の要素を何に求めるか**」を問うことにする。

何をおいても「国の存立と平和を維持」するには、「国の繁栄（安定と発展）」が重要だ。このためには国の有する「基盤となる独自（得意とする）の力（国力の要素）」を前提に、国を安定的に運営し、さらに発展させるとともに、世界に貢献していくことが必要になる。

この命題のもと、あるべき国の「姿」を問うことになる。今までもそうであったろうが、今後は「ますます」その国の「独自性・独自の力」が重要になる時代になる。

そこで目指すべきは、「**日本ならでは**」**と世界から一目置かれるような国になる**ことだ。それには、外交・国際政治の面からみても「国際協調」を高める一方、「国の特性」に鑑み「国の存立基盤」をなお一層盤石のものにしなければならない。

先進国はもとより各国が成長し「国力」のレベルがグローバルに均質化していく。各国の力の増大に伴い国際協調主義の反面「自国主義」もますます台頭してくる。これは国際政治の歴史が示していることだ。それだけに「一国の基盤なるものいかに」と、その「国の独自性」が一段と問われる時代になる。

「国力は総合的」なもの、一要素だけではかれるものではない。国力とは「国の勢い、特に経済力をいう」とある（『広辞苑』）。抽象的・概括的な定義（個別構成要素の定義はない）ゆえ、具体的に思いつくもの（主観的要素も入る？）を列挙してみる。

国の有する高邁《こうまい》な哲学・思想、伝統・歴史、文化、外交力、国際性、経済力、科学技術力、地理的条件、資源

（種類・量・質）、国土面積、自然条件、国土（陸・海洋）の量・質、風土、国民性、国民の知的水準（識字率）、学術・研究水準（ノーベル賞受賞数・世界が認める質の高い論文数）、国全体に溢《あふ》れるダイナミズム、人口（数・構成）、為政者（政治家・官僚・経営者等）の資質、行政の質、財政力、防衛力、危機対応力（平時・有事問わず）、金融力、通商・貿易水準、各産業の生産性や現場力・技能力、医療・健康水準、平均寿命、防災等国土の安全保障内容、国際平和貢献度、諸制度の整備内容、スポーツ力、国民的課題の多寡等、構成要素は多数ある。指標としてはＧＮＰ（国全体・一人当たり）などが考えられる。これらの集積された総合的力が「国力」であろう。

すべてのアイテムが重要であるとは思うが、このなかでも国家として「特に着眼すべき構成要素」は何か。何をもって「永続的な国力の『基盤』」とすべきかを問うことは、国家運営上「国の存立・繁栄と平和の維持」「その国ならではの国にする」ためにはきわめて重要な視点になると思う。

この着眼点は単にそれに注力するにとどまらず、それにより他の構成要素にも良い意味で波及・影響していくのであり、その重要性はきわめて大だ。すべてヨシにこしたことはないし、そのための努力は継続すべきだが、「国の姿」を論じるには「重点論議」が重要だ。ここではそれを問う。

若者　爺さんが学生時代に研究した「外交・国際政治」の見地からも重要ということですか。「国の姿」とは「国家像」について考えるということであり、「国の存立・繁栄と平和維持」の重要視点ということですね。

若い世代も「国が今後どうなるのか」よく理解はしていないと思います。何か「柱になるもの・柱とするもの」が明確であれば安心です。「何となく生きている」感じで、ある意味では幸せなのでしょうが、どうもスッキリしません。

若かりし頃「政治家」を志し、そのために大学院で外交・国際関係の学問をされた爺さんのこと、当然いろいろ勉強し考えたのでしょうね。

老学者「政治家」にはなら（れ）ず平凡な一企業人で終わったが、関心・思いはいまだ継続している。難しく言うと「国家像（かくなる言葉が学理的にあるのかどうか？）」についての話になる。

このテーマについては、特に大学院生の時代（二年間の修士課程）、勉強し考えたものだ（修士論文は別のテーマだったが）。大変重要な課題だと思う。

当時の外交・国際政治学は「バランス・オブ・パワー（勢力均衡）論（各国の力の均衡が、国際平和維持の原理とする考え）」が盛んなりし時代であり、著名なる米国・国際政治学者のハンス・J・モーゲンソーも論文のなかで「国力」について論じている（同氏著『国際政治』第八章から第十章）。

同氏は、国力の要素を比較的安定的な要素と常に変化する要素とし、九つの要素（地理・天然資源・工業力・軍備・人口・国民性・国民の士気・外交の質・政府の質）について論じている。時代は随分変化している（米ソ冷戦の終結など）が「基本的視点」は普遍的であろう（ただし、我が国については軍備ではなく防衛力・自衛力になる）。

また「平和論」については、国際政治学と「一体」であり、平和研究・平和学・平和科学として論議がなされた時代でもあった。「平和」については後（第二章の二）で若干触れたい。

「勢力均衡論」についての議論は多々あるがそれは一応おくとし、またここでの話はそれを前提にはしないが「国力」を論じる中で「国の基盤」いかんを論じ明確にし、それを国民と「共有」していくことは大変重要だ。

明治時代や太平洋戦争後は、結果としての評価（良し悪し）はさまざまであるが「このような国にしていく」というものがあった。現今はどうか。国が高度に成熟しているので致し方ないともいえるが、国力の要素別ではなく（これは個々別々にはある）重点主義に立脚し、「全体方向」として「成熟国」にあってもよいのではないか。

なお、念を押しておくが、この種の話をすると「国家主義」云々《うんぬん》ととらえる人もいるが、ここでは全く違う、もっと素朴な意味で「国の将来を考える」話だ。


若者 国（政府）はいつの時代もその時々に応じて諸政策を企画し具体的展開をしています。それらの評価は内容（結果いかん）によりさまざまです。長い歴史のうちに良き評価を生む内容のものもあるし、いつのまにか忘れ去られるものもあります。個別に課題を内包しているとしても、全体として「国・社会自体や国民の活力を生み出す」ものであってほしいですね。

これには、政策の「基盤」が「盤石」でなければならないと思います。その国の「力の源泉」はここにあり、という「基盤になるもの」です。これが確保されていれば、多くの国民は特段煌《きら》びやかでなくても「地についた幸福」を感受できると思います。確保されていないと、短期的な幸福感受で終わりかねない、長期にわたる幸福は得られないことになるのでは、とも思います。

これは、常に問うべき大きな「国家的命題」――国の諸政策が有効にして長期的に維持しうるかどうか――をも左右するのではないかと思います。

老学者 そうだ。国の諸政策は、眼には見えない「土台がある」からこそ打ち出せるのだ。
現在、国（政府）は政策の柱とされる「経済三政策（金融・財政・成長政策）」を展開中だ。これは経済学者ポール・A・サミュエルソンの論じた「ポリシー・ミックス」でもあり、現代資本主義国家として常に問われる政策であって「成長政策」は特に重要。「国の姿をどうするか」との相関性が高い上、「国民の日常の協力・努力」がないと実現できないし、持続性が求められる。

なお「金融政策」「財政政策」は、どちらかと言えば短期的で行政中心でなしうるが、「金融政策」は即効性はあるものの、場合により市場の混乱を招く危険性も有している。

また、今後十年にわたる「日本再興戦略」も策定されているし、さらには「強い経済・GDP六〇〇兆円の実現、子育て支援（希望出生率を一・八に）、社会保障政策（介護離職をゼロに）」が出され、また「働き方改革」についての諸政策も打ち出された。これは「労働政策」であるとともに、広い意味での経済政策（成長政策）でもある。幼児教育無償化政策の導入や経済活動の活性化促進を目途《もくと》に、二十六兆円の経済対策予算が組まれたり、次から次へと政策が打ち出されている。

いずれも政策としては実現すべき内容であり、実現には「国民全体の打って一丸となる」理解と協力が必要だが、政策の展開期間の長短にかかわらず「国の基盤」があってこそ実現しうる内容でもある。特に長期的課題はなおさらだ。なお、二〇二〇年の菅新政権発足により、今後これらの政策がどのように引き継がれるのかはわからないが。新政権も「グリーン社会」の実現、デジタル改革（「デジタル庁」の設置）など、新政策を打ち出しつつある。今後「国民を幸福」にする政策推進を心底願うところだ。

一般的には、これら一連の政策はその時々の「国情」に応じて打ち出され、実施されていくものだが、本来背景として国民と共有しうる相応の「国家観」があってしかるべきだ。そうでないと「時の政権」「与党」（入れ替えがありうる）により内容が大幅に変動したり消滅したりし、国民の失望を招いたりする。

やはり「国の政策」は「『あるべき国の姿』と連動しその内にあること」が望まれる。特にそれが「不動のもの」であれば、大きな展望のもと国民に問いかけ協力を得ることができ、政策展開も力強くなろう。

現状、国際的には政治・経済情勢は複雑化し流動的で変化もきわめて激しいし、国内に目を転ずれば財政問題・高齢化問題・少子化問題・巨大地震・風水害などの自然災害問題、それに降って湧いた「コロナ問題」など重要課題が山積だ。これらに対応するには短期的対応も含め「長期の視点」が必要。国は腰を据えて「基本的かつ大きな視点」からこの「国をどうしていくか」を考える必要があるのだ。悲観論は無用、「前向き」にとらえていくべきだと思う。

若者　そう思います。国家は「多面的要素で構成」されていますので「これでいく」とシンプルに言い切ることは難しいとは思いますが、議論すべきです。

老学者　多面性を承知の上で「国力の重点を何に置くのか」を問うことは、「国家の存立・繁栄（安定と発展）と平和維持」にはきわめて重要。その内容いかんにより「国民が、安心して生活できるとともに豊かに暮らせる」ことになる。国は常にこの「国民的課題」を持続的になしうるかどうか——を問われているのではないのか。これらをなしえないと世界における役割も果たせないし世界貢献もできない。

これは国の「政治」のベース論議でもある。「政治」は個別事項に思いを致しつつもこれを超えた「全体（より多数）の益の実現」を目指す世界……その目的とするところは「最大多数の人間の幸福実現＝先に話した『国民的課題』の実現」……これこそ政治の最高課題であり、国を維持するための基本思想だ。

この思想の実現こそ国と国民との「暗黙の契約」であり、民主主義＝ｄｅｍｏｋｒａｔｉａ（ギリシャ語……ｄｅｍｏＳ（人民）とｋｒａｔｉａ（権力）の合成語）はその実現の基本原理になろう。多数の人間を対象にする政治の根本をなす「民主主義」の本質はここにある。もちろん、少数なりとも質的に重視すべき考えはある。これを政治に反映させることを懈怠《けたい》してはいけない。多数論との調整をどうするか、政治の難しいところだ。

いずれにせよ、個と全体のバランスをとりながら理性的に、時に情緒的にこれをなすとともに、理想を求めつつも現実との全体的調和をはかることに政治の原理・役割がある。「基盤」の話もこれが前提だ。

「高度科学技術力」がカギを握る

若者　「全体（より多数）の益の実現」を念頭に議論するわけですが、何を「判断基準」に「基盤」論議をするのですか。

老学者　切り口はさまざまだとは思うが、現実主義に立ち、

①**「世の中の動き（国内外）」**を読み取り、それにいかに対応していくべきか。

②**「国の繁栄を生み出しうるもの」**なのかどうか。

③**「国の強み・得意分野（その国ならではの要素）を活かしうるもの」**なのか。

この三つの大きな観点が判断基準になる。

これらを明確にして国の運営をはかれば安心だし、それをバックに「多面的に他の力」も生まれてくる。国内外、今後どのような「国難」が発生するかわからない――今回の「コロナ問題」もその一つだ。言えることは、いかなる場合でも「基盤」がしっかりしていれば「何とか克服できうる」ということだ。

若者　三つの観点からの総合的判断になりますが、爺さんとして「思い描く姿」は何ですか？　結論を先に聞くようですが。

老学者　それを判断するについては、三つの大きな観点のうち、特に③に着目すべきだと思う。「日本人の得意とする能力・独自の力・気質」を前提にした考えだ。①は予測に基づく客観的状況――どうなるかはわからない要素、②は目標・願望・結果（を期待する）であり、努力いかんにより違いが出る要素。それに対し、③は歴史が証明する事実としての「日本ならでは」の特異性を前提にした要素だ。

そこで、よくよく考えるに、**日本人は「科学技術に馴染む国民」だし「経済的思考・行動にも関心の深い国民」ではないか、ということだ。**

科学技術については「高度な応用科学技術（ハイ・テクノロジー）」を前提とした「モノづくりやサービス提供」を得意とすることは、国内外誰しも承知するところ、これを忘れてはいけない。最近、この認識が薄れつつあるのではないかと大いに危惧している。

この分野は単に「匠《たくみ》の世界」の優れた生産行為だけでなく、広く開発・設計はもちろんアフターサービスという一連の流れと、これらを総合したシステム全体の運用、ならびにこれらを前提とする種々のサービス業務についての高い能力を意味する。したがってこの得意分野を「基盤とする国づくり」を今後は「一段と強化」し、その「産物（コト・モノ）」を世界に発信・供給し貢献をしていけばよいと思うのだが。

今まで「何とはなしに」そういう国でやってきたわけだが、今後はこれを「国の姿」として「不動のものにし、一段と高めていく」旨、「国の歩む方向性」として「明確」にできればよいと思う。

国際協調の時代といえど、イザとなれば各国とも「ナショナル・インタレスト（国益）」が第一になるのが現実。最近とみにこの現象が見られるが、この場合でも「不動のもの」があれば国として切り抜けられる。また、国際的難題解決のために国の壁を超え他国と協力・協調していくにも（今後はますますそうあるべきだが）、まずは「自国がしっかり」していないといけない。

若者　一言で言えば、我が国は「科学技術力を基盤」とすべきであり、立国（国の姿）論としては「科学技術国家たるべし」ということになりますか。

老学者　そうであればいいなと思う。「科学技術国家」も、これからは「高度科学技術国家」、さらに「超」をつけてもいい。

新天皇も国の産業・技術の発展を重要視されておられる。国民として素朴な意味で、お応えできればと思う。「国力」のうち「科学技術力」に着眼し、それを「基盤」とする国ということになる。厳密に言えば科学と技術は区別すべき概念ではあるが、ここでは相互に関連づけ、一つの言葉としてとらえ、使用したい。

いわゆる国家像については、いろいろ類型分類があると思うが、曽野綾子さんは「技術的国家（職人国家）・政治的国家（親分国家）・経済的国家（商人国家）」というとらえ方をされている。曽野さんは、日本は政治的国家・経済的国家いずれでもない、まさに「技術的国家」でしかないと言われている（『日本の論点・２０１２』文藝春秋編）。

また、この「徳性」について、「今その部分が腐敗しかけて、国家全体の屋台骨を危ういものにしている」とも指摘されている（同氏著『国家の徳』）。「基盤」を論じる観点からはまさにそのとおりだと思う。

ところで日本はいろいろ言われてはいるものの、幸いにして最近に限ってみてもノーベル医学・生理学賞に輝くｉＰＳ細胞の再生医学や新治療薬開発、ノーベル物理学賞の青色ＬＥＤや（スーパー）カミオカンデによるニュートリノ研究に代表される宇宙理論、二〇一九年のノーベル化学賞のリチウム・イオン電池、世界最速のリニアモーターカー（時速六〇三キロメートル）、世界初の地球外小惑星探査機「はやぶさ」の小惑星「イトカワ」からの生還と、それに続く「はやぶさ２」の小惑星「リュウグウ」の探査と生還、世界初の市販ＦＣＶ（燃料電池自動車）、世界の最先端をいく炭素繊維、計算速度世界第一位（二〇二〇年六月に記録）のスーパーコンピューター「富岳」（「京」の後継機）、固体燃料ロケット・イプシロン、世界を席巻《せっけん》しているスマホ搭載の小型製品・部品、各種ロボットなどなどに象徴されるように、「今のところ」は世界に冠たる「科学技術大国」なのだ。またノーベル賞の理化学部門での受賞者数は、二十一世紀になってから米国に次いで二番だ。

我が国は「海洋国家」とか「通商国家」、また「経済大国（最近、関連指標が落ちてきているが）」とも言われている。現にそうだし、今後ももちろん目指してしかるべき国の姿ではあるが、これも「科学技術国家」を前提にした「国の姿」と言えるのではないか。

科学技術力があるから海洋への進出もできるし、通商・貿易も成り立つし、強い経済力も維持できる。二〇二五年には大阪万博が開催される。ここでも「日本の科学技術力がモノを言う」未来の夢を語ることになろう。これも「科学技術大国」なるがゆえの話だ。

だが、ここで留意を要するのは、現状がかくあっても、これは「我が国の将来の科学技術力」を担保するものではないということだ。二〇一九年度・政府発行の科学技術白書は日本の「基礎研究に関する世界的な存在感の低下」を指摘、「大きな岐路に立っている」旨述べている。国としてのきわめて重要な課題認識であり、「国の姿」「基盤」を論じるについて看過できない指摘だ。

「立国論」はさまざまだが

若者　よくよく認識を新たにしないといけません。ところで、日本はすでに「複数の立国論」の一つとして「科学技術立国」を目指してきています。最近は「観光立国」に一段と力を入れつつありますし、また「金融立国」なんて話もありますが「科学技術国家」とは違う世界です。これについてはどうなんですか？

また、「立国」を論じる前に、国の基本的位置づけをどうするかの問題があります。「国家」についてはプラトンに始まりヘーゲルの一元的国家論とかラスキの多元的国家論などいろいろ学術的には語られてきています。また政治的論議としても「大国主義でいくべきか、小国主義でいくべきか」の論もあります。さらに「科学技術と人間社会の関係（果たして人間社会を幸福にするのか否か）」をどうとらえるかについても「国の姿」を考えるには重要な視点です。これら諸点についてはどうですか。

老学者　本来、国の基本的位置づけ（いわゆる政治学でいう「国家論」）の議論をすべきではあろうと思うが、この議論は学術的で難しい抽象的論議になる。例えばヘーゲルの『法の哲学』に記された国家論は難解だし、論議する価値は大いにあるとしても衒学的《げんがく》（ペダンティック）で必ずしも現実的ではない。

少し紹介すると、同著には「国家は、実体的意思の現実性であり、この現実性を、国家的普遍性にまで高められた特殊的自己意識のうちにもっているから、即時かつ対自的に理性的なものである……」とある。この一文だけでも容易には理解し難い。よってここでは具体的に政策にはね返るような「立国論」を前提に話したい。

ただ、後でも少し触れるが、国家の機能・目的から言えば、国はいつの時代も国民を大事にし平和を希求すべき存在だと思うし、その意味でも「人間の共同生活の最高にして一般的な統制組織として欠くことのできない存在」（矢部貞治著『政治学』）であるべきと思う。また大国主義か小国主義かについては、何をもってそうとらえるかにもよる（元総理大臣の石橋湛山氏は、戦前の話だが国の拡張主義を否定した「小国主義」で著名だ）。

一般的には国力が盛んな国を大国（そうでないのを小国）と言うようだが、国としては大小を云々するよりも「国力に相応《ふさわ》しい国にすべき」だと、僕は思う。また、科学技術と人間社会との関係は重要な論点だ。これについては、第三章の一で触れることにしたい。

いずれにせよ、現実的命題として具体的「立国」いかんについて「今こそ議論すべき」と思うので、この観点からの話にする。

「立国」という言葉の意味だが、これは「国の繁栄」を意味する。だから「〇〇立国」などといろいろの切り口が考えられる。多面的に立国を目指すのは、国の繁栄を生み出す限り大いに結構なことだと思う。それぞれの分野で頑張ることになるから、国全体に活力がみなぎり素晴らしい。もともと国は種々の機能を有しているから、可能な限り多面的に活動すべきではあろう。

ただ、バラバラにあれもこれもでは中身が濃くならないと思うし、重要なことは財政資金・人材など「立国」のための資源が無限ではなく有限であるということだ。今日の財政難・人口減少などを考慮すれば自明だ。

それにグローバル化が進み、他国との比較論でも重点化を考えなければなるまい。となれば、国として何に立国の「重点」を置き「基盤」とすべきか、という問いになる。

「〇〇立国」についての語らいをみてみると「科学技術立国」については、一九九五年に「科学技術基本法」が成立したときにその旨の考えが出され、その後国としてそのための様々な政策が展開されてきていることは承知している。これについては後で触れるが、その内容はここでテーマとする「強固な国家像」というより、多様な国の姿の一つとしての位置付けであり、国民が認識を共有し口を揃えて「かくなる国にしていくのだ」という確固たるものではないと思う。

「観光立国」について言えば日本は要件に恵まれている。四季折々の素晴らしい風景、神社・仏閣などの文化的遺産、繊細な和食、歌舞伎・能などの芸能などなど、たくさんの要素が観光の対象になる。もちろん自負してしかるべきだし、大いに親しんでもらえる内容だと思う。

しかし、この観光についても「よりよい科学技術が背景」にあればさらに充実できる。例えば、観光推進のための「インフラ整備」、また日本人の苦手とする語学（ヒアリングと会話）についても、増大する外国人相手の「通訳ロボット」とか「自動翻訳機」などの技術開発がなされれば大いに結構ではないのか。さらには外国人観光客の関心事の個別フォローをピンポイントで実施し、観光拠点開発につなげるシステム開発など種々考えられる。

また、細かいことを言うなら、技術・技能自体も観光に大いに寄与すると思う。日本の伝統的技術・匠の技と言おうか、酒・味噌・醤油・和紙・金属製品・着物などを作る技や製品、工芸品など、これらも観光の対象になる。現に外国人観光客の人気商品は、精密で高品質の包丁・タオル・文房具とのことだ。秘伝については見せられんだろうが。また、秋葉原の高品質の電化製品ショッピング、今はやり（？）の工場夜景見学なども科学技術と関連する観光資源じゃないのかね。

国は「二〇二〇年に観光客数四〇〇〇万人、二〇五〇年には六〇〇〇万人」の目標を掲げるが、「ＡＩ・ＩＴ技術」などをどんどん駆使してサービスをさらに向上させれば達成は可能であろう。現状三〇〇〇万人を超えたようだから、科学技術力を駆使すればもっともっと増えると思う。

「世界経済フォーラム」によれば、現在、日本は観光国としての世界的順位（旅行・観光競争力）は、スペイン・フランス・ドイツの欧州勢に次いで第四位だ。これもインフラの整備度など科学技術の貢献すること大、今後もこれを駆使していけばもっと上位にもなれる。要は「科学技術立国」を基盤に展開ができる立国概念でもある。

この件について僕の本音は、競争力向上もさることながら、日本を訪れる外国の方々が「和、幽玄、もののあわれ、わび、さび、無常観、繊細なる美意識」など、穏やかにして平和な日本の文化（科学技術が進歩すればするほど重要になる）を理解し、自国に持ち帰り世界平和に少しでも貢献していただければいいな、と思う次第。ただ、今度の「コロナ問題」で観光業は大変な被害を被っている。観光地のアチコチで閑古鳥が鳴いている。この業界にとって滅多にはない事象ではあろうが、かくなる状況では「弱い」のも事実だ。

「金融立国」についてはどうか。「金融」は国家として重要な産業であり、大いに活躍してもらいたい産業ではあるが、これも前提となる「強い産業があってこそ」盤石・強固なものになる。「お金だけで動く世界」などはない。「強い産業」を代表するのが「科学技術力を財産にする産業」でもあることを認識すべきだ。

関連する話として、元大蔵省官僚（国際金融局長・財務官）の榊原英資さんは金融の権威（〝ミスター円〟）だが、「国として足場を置くべきはバーチャルな金融の世界よりも実体経済であり、そこでの主役はやはり技術であり知識なのではないでしょうか」と言っておられる（同氏著『日本は没落する』）。

ここで「技術」を評価されていることは大変重要なことだし、傾聴すべき見解だ。この金融の世界もやがては「ＡＩ」により経営の姿が変化していくものと思われる。科学技術の進歩を前提に、運営の中身も経営者像も変化していくはずだ。

若者「観光立国」について、なるほどそうですね。日本の誇るべきものです。ただ、今回のような問題（コロナ問題の類）はありますね。「金融立国」は、前提となる産業などの育成・発展あってのことでしょうね。

老学者　観光も金融も重要な産業、これらの育成にも力を入れていくべきだ。

ただ、そうはいえど次のことは重要だ。元経団連会長の御手洗富士夫さんは、

「日本は人口減少傾向にあるとはいえ（略）一億二千万人がいる過密な国で、なおかつめぼしい資源がない。金融や観光も注力すべき収入源ではあるが、輸出を中心としたモノづくりを柱に国を支えるしかないことは自明である。日本はこれまで以上に生産性をあげ、低賃金に頼らない高付加価値の製品を生み出していかなければならない（略）『モノづくり立国』の道を歩むべき」と言われている（『文藝春秋オピニオン・２０１５年の論点１００』）。「日本ならでは」論からも噛み締めるべき指摘だと思う。

今回の「コロナ問題」でもモノを言うのは「医療体制」だが「人工呼吸器・ＥＣＭＯ（人工心肺装置）・特効薬（未開発）・ワクチン（近々実用化される見通し）・さまざまな工夫をした高機能&ファッショナブルなマスク」などの医療科学技術をベースにした「モノづくり」が重要になる。

創薬（新薬開発）も先端生命科学技術の産物であり、ワクチンが感染症の病原微生物から製造される物質（モノの一種）であるのと同様、モノづくりの産物だ。「アフター&ウィズ・コロナ社会」は、モノづくりを含む「科学技術力」により支えられる社会でもある。

「グローバル化」といえど一国　一国が前提……「一つの国」としてしっかりせねば

若者　ただ、今後の「グローバル化」を考えると、「政治国家」的な「政治的逞《たくま》しさ」とか、「商人国家」的な「商人的知恵」も必要ではないですか。いくら科学技術的に素晴らしくても、それを「プレゼンテーション」する力や、それをビジネスに結び付ける「商い」のパワーも必要と思いますが。

老学者　もちろん必要だ。先に、日本人は「科学技術に馴染む国民」だし「経済的思考・行動にも関心の深い国民」と話した。後者の国民性の結果、有する「経済力」が世界でモノを言ってきた。「政治的逞しさ」を必要とする「外交」にしても、歴史を振り返れば日本の場合は「経済力が背景」にある。経済力（「商人的知恵」の産物でもある）があるから外交上、世界から一目置かれているとも言える。この重要要素があればこそ、国際会議の「重要メンバー」でもありうる。

この「経済力の背景には、科学技術力」がある。科学技術力が伸び悩み、経済力が低くなったときの日本はどうなるのか。極東の片隅に霞《かす》んでしまうかもしれない。それでもよいと、日本人が全員望むなら別だが。国として「基盤がきちんとしていれば」その結果、政治力・商人力も自然に得られると思うのだが。

プレゼンテーション力もあるに越したことはないが、科学技術そのものが物語るものがあると思う。何も「政治国家・商人国家たれ」とまでいかなくてもよい。すごい人というのは「他がマネできない（その人ならではの）何か」を持っている人だ。「国もそれと同じ」だ。常にそれを忘却することなく維持・発展させることが重要。それがないならともかく、日本には「素晴らしい科学技術力」がいまだ厳然としてある。ただ、認識次第では次第に低下していくことになる、これが問題なのだ。

また、「グローバル化」が叫ばれているが、これは「ある意味での脱・国家主義＝国際主義」ということだが、あくまで「国が前提」だ。国を超えた動きにいかに対応していくかという問題は多々あるが、それだけに国はしっかりしたものを保持していなければならない。一元的国家論（プラトンやヘーゲルなどの国家論）を強調するつもりはないが、「国という集団」はまだまだ存在しているからね。

もちろん、一国を強調しすぎることは「国際平和」の見地からもあまり好ましいことではないとは思う。本来目指すべきは世界政府・世界国家（僕の尊敬する「憲政の神様」と言われた政治家・尾崎行雄が唱えていた）になるのかもしれない。しかし、これは理想として描けても現実にはできていないし、残念ながら実現には今のところ程遠い。むしろ最近になり国際的「ローカリズム」が目立ってきているのではないか。

世界に対し自由を標榜するアメリカも、強烈な国家意識はある。トランプ大統領になり「アメリカ・ファースト」が強く叫ばれてきたが、もともと他の国と同様、国家意識は強い。大小問わず一国家である限り「ナショナル・インタレスト（国益）第一」は自然の論理だ。

国際政治学の中西輝政京大名誉教授によれば、アメリカの政治思想である二大思想としての「共和主義」と「自由主義」に関し、

「共和主義の伝統というのは、一言でいうと共和国の理想化である。（略）「リパブリカン」は共和的、共和主義的という意味だが、同時に「共和国」主義つまりそこに「国」「国家」という力点が含まれている」（同氏著『アメリカ外交の魂』）と言われる。

米国は依然として世界最強国だが、これは同国の最有力政治思想であり、普遍性を求める「自由主義」をもって世界を牽引してきたのと並行して、現実主義・一国主義に立って国益を大事にしてきた結果でもある。

グローバル化が進んでいるといえど、いまだ世界国家・世界政府はなく、約二〇〇にのぼる国により構成されているのが今日の国際社会だ。**「国際化」といえども、まずは「一つの国家」をどうするかが重要、「その国ならではの基盤を不動なものとすること」が問われる。**

第二章　世界に冠たる強靭な「高度科学技術力」を基盤にした国、「高度科学技術国家」を目指したらどうか。なぜそうあるべきなのか

若者　我が国は「科学技術力」を基盤とした「科学技術国家」を前提に「経済力のある国」とすべし、ということになりますね。今後目指すべき「国の姿」が見えるようですが、もう少し「掘り下げた話」が必要です。具体的に説明願います。

老学者　先に触れた三つの大きな観点についての話になる。

第一は、世の中の客観的状況についてだ。「予測」ではあるが、世界はますます「高度な科学技術」を必要とする社会になるだろう。「(近) 未来を予測」し、日本の科学技術力でそれに応えていくべきだ。結果「世界が求める今後の『高度な科学技術社会・夢』の実現に貢献できる」ということだ。これは今後の日本の世界における「重要な役割」になると思うし、そうあるべきだ。

第二の理由としては、目標・願望・結果（を期待する）の話で、努力次第でもあるが「国の繁栄」につながるからだ。すなわち、国の基盤を強固にすればするほど「国の繁栄」が得られ、結果、国の諸政策を推進させるための「源泉＝元手」を生み出しうるからだ。

「源泉＝元手」は「国富（経済力でもあり、ＧＤＰに表れる）」によるが、「国の政策展開の原資」となる「財政（租税収入に象徴される）」のベースになる。「国富」を強調すると抵抗感を持つ人もいるだろうが、重要なことだ。

これを得るには「経済的繁栄」「経済力」が重要だ。それには持続的で相応な「経済の成長」が必要だ。これ

を生み出す力は今後ますます「科学技術力」〈それも、高度・超がつく高度〉になるだろう。これが基本図式だ。

より豊かな「国富」の創造は、「国民所得の向上」とそれによる豊かな財政〈より多くの租税収入〈所得税・消費税など〉の確保〉につながり、それを投下する政策いかんで「安心で豊かな国民生活を生み出す」ことをも意味する。

第三の理由としては、先にこれを「最重視」し話を先行させたが、これを基盤にすることで「日本ならでは」の「国民性」が大いに活かしうるということだ。

一　世界はますます「高度な科学技術」を必要とする社会になる「(近) 未来社会を展望」し、日本の科学技術力でそれに応えていくべきだ

老学者　第一の理由について視点は二つある。

一つ目は、社会（世の中）の動向・変容だ。未来を形づくるものは「『夢の科学技術の現実化』であり『科学技術が社会を支える最大の要素』になる」ということ。

二つ目は、今後の「地球規模の大きな課題（人口増加対応策としてエネルギー・食糧・水などの確保、自然災害への対応、環境破壊への取り組み、今回の『コロナ問題』に象徴される世界的規模の病気の克服など）」もその「解決に『科学技術』がますますモノを言う」時代になるということだ。

もちろん、日本の重要課題（世界動向とは逆の人口減少・少子化、高齢化社会などの福祉的課題の増大、種々の自然災害への対応など）の解決にも「科学技術力」が大きく関与することは明らかだ。

「(超) 高度科学技術社会」が到来する

若者　夢のある話ですね。力が湧いてきます。ところで、(近) 未来といえど何年先を展望するか、「一〇〇年」先といってもピンときません。「五十年」先くらいですか。

老学者　日本の歴史を振り返ってみても、「五十年」ピッチでの変容は目を見張るものがある。例えば一八〇〇年くらいから始めると、一八〇〇年の少し前頃は江戸時代、松平定信の寛政の改革の時代、一

八五〇年頃はペリーの来航、一九〇〇年前後は日清・日露戦争、一九五〇年頃は太平洋戦争終戦後、二〇〇〇年前後は東西世界の消滅や経済のバブル崩壊を経て二十一世紀の始まり、というように大いなる変容を遂げてきた。しかし「五十年単位」で見るのもよいが、今は変化の激しい時代だ。五十年は先すぎる。ここ十年から二十年先くらいかな。この間に「社会の姿」がどうなるのかだ。

人間社会は「狩猟・農耕・工業・情報社会」と変遷してきており、今後は「脱工業社会」「高度情報社会」「AI社会」とか「超スマート社会」などとも言われている。これを「第三次あるいは四次産業革命時代」などと称するとらえ方もある。過去も踏まえ、今後「社会構造・経済構造・産業構造」がどうなるのか、さらっと考えてみよう。

国際政治学者のE・H・カーは「歴史は過去と現在の対話にある」と論じた。未来は過去と現在の延長線上にある（もちろん、断絶されるものもあろうが）。前提は人間の限りない「進歩を生み出す、向上心」だ。これは現状を「よりよくしようとする欲求」であり、人間が本来有するものだ。例えば具体的言葉として「より便利さ・より快適さを求めて」ということになる――これは幸福感を生み出すことにもなる――「社会変動」のベースだ。

「社会構造」については多様な切り口がある（多義だ）。米国の社会学者タルコット・パーソンズは、社会を構成する諸要素を「組織・制度面」からとらえ、それら要素間を調和・統合・相互依存による「均衡体系」「社会システム」としてとらえて機能的に分析している。

同氏の指摘するこの体系・社会システムの基本は歴史を踏まえてみても、今後もそう簡単には変わらないとは思うが、それを動かし支える「手段・運用システム」などの技術的事項がさまざまな面でどんどん変わっていくと思う。これは、今指摘した人間の求める「便利性・快適性」などの追求の産物としてだ。それもデジタル化の促進などに象徴される「先端科学技術（『AI』や『IT』など『〈超〉高度』がつく科学技術）により大幅な進歩」を遂げると思う。結果、人間にとって「社会との関わり方」がその「方法論」において変わっていくと思われる。

「経済構造」（財貨・サービスの生産・流通・消費など経済全体の相互関係）はどうなるか。これについても歴史を振り返れば、資本主義社会を前提とする限りは全体の枠組みの基本はそう簡単には変わらないとは思う。が、「全体・相互間と各仕組みを動かす手段・運用システム」は社会構造同様、先端科学技術を軸にして大きく変わっていくだろう。具体的には「人間」でしかできないもの以外は人工知能などによりコト・モノなどが動く経済社会だ。これも「便利性・快適性」などの追求の産物だ。

要は、立法・司法や外交、防衛、警察・公安、文教・教育などの行政行為などの国家活動（自治体活動も含む）、経済活動（通商貿易・金融・交通・運輸・建設・農林・水産・企業運営など）、医療、芸術（絵画・音楽・彫刻・写真……）、芸能、スポーツなどについて、「人の頭脳と心と体」でもってでしかなされえない活動以外については「代替機能を有する高度科学技術」によるシステムによりなされる時代が来る、ということだ。

さらには「人」によらざるをえない活動ですら「展開手段・運用システム」が人工知能でなしうる時代になる。そういう「技術的仕組み」を有する社会になり、それも加速度的に進歩していく。まさに「手塚治虫の世界」だ。

若者「産業構造」についてはどうですか。全体として、労働集約型産業から知識集約型産業への移行はわかりますが。コーリン・クラークの分類はどうなりますか。また、アダム・オズボーンによれば、現在は「第二次産業革命期」にあると言います。

老学者「産業構造」は「経済構造」のうちの主として「生産」に象徴される重要な構造だ。クラークの分類（産業を第一次・二次・三次に分類）については今でも生きてはいるし、今後も維持されるだろうが、産業の展開方法はもちろんのこと、その内容が新規分類の発生など質的に変化していく、ということになる。

オズボーンの変革としてのとらえ方では、第一次産業革命は、ワットの蒸気機関に始まり現代の電力や原子力などのエネルギー革命として継続してはいるが、いずれも「オールド・エコノミー」であり、現在の革命はこれとは視点が「がらり」と変わり「『ＩＴ革命と環境保全』による産業構造の転換」になるとする。

とにもかくにも現今の「産業構造」は分類・変革いずれの見方に立つにしても大きく変化しつつあり、十年～二十年後はもちろん、数年後ですらかなりの変貌を遂げると思われる。今後は「リーディング産業（主導産業）」も、それを構成する「裾野産業」も変わるだろう。「トリガー（変わる引き金）になる産業」は何になるのか。変化が速いがゆえ予測も難しい面があるくらいだ。

ただ、ベースは人間の有する「向上心」だ。「便利・快適」も含め「これまで以上の豊かさ・楽しさ・スピード感・安心・安全・未知への探求心」などなどの「人間としての願望の充足」を、より実現しうる産業構造を希求することになろう。

分類上のとらえ方はさまざまだが、日本についてみれば、節目の「二〇〇〇年」に二十五年後（現時点では五年後）を目途に政府「産業構造審議会」が提示した産業構造の姿は、「サードウエアー産業（情報家電・ロボットなど）、フロンティア産業（海洋資源・人工衛星など）、高齢社会産業（介護・家事代行業など）、環境産業、感性産業（ゲーム・アニメなど）」が活躍している、となっている。

民間の研究で言えば、例えば三菱総合研究所の『全予測２０３０年のニッポン』（現時点では十年後）では「生態・生命・感性・場の技術と産業社会」を予測、「従来とは違う産業のとらえ方」をしている、柔軟で鋭い予測だ。

ほかにもさまざまな指摘がなされているが、産業構造が質的に変化していくことに間違いはない。ベースになる科学技術は「飛躍的進歩」を遂げることになる。その内容については後でも触れるが（第三章の三）、このような産業構造を国として展望し、関連産業を育成・発展させていく必要がある。

若者　三つの「構造」について、いずれも大きく変化していくということですね。関連する話として「企業形態も経営内容」も変わるでしょうね。また「家庭生活」も変わりますね。先ほど指摘のあった人間行動の基本（向上心理）から言えば当然のことでしょう。

老学者　企業形態は「科学技術中心」のベンチャー的・スモール企業が大きく躍進するだろう。より「豊かさを生み出す」と判断すれば、だ。

経営内容については「より便利さ・安心・安全・迅速性など」を求めて、第二次産業の製造業はモノの生産が全工程「ロボット」によりなされているだろうし、第三次産業のサービス業については「プラットホーム型（サービス機能の集約）企業」になっているだろう。

企業における働き方も「便利・快適・自由性・迅速性・効率・ムダの排除・古い慣習の除去など」を求めて、科学技術の進歩を媒介に変化していく。デジタル化が進めば必ずしもオフィス内での業務でなくても仕事は可能だ。書類重視&不要な上役押印（ハンコ）中心のデスクワークは見直されよう。テレビ会議、リモートワーク（テレワークによる在宅勤務・オフィス外勤務など）もどんどん進む。日常的業務はＡＩ中心で実施、創造的業務は何もオフィスでなくてもよく、在宅でもどこでもいいのだ。考え方を変える必要がある。

現状、オフィスのデスクが仕事場という固定観念が支配している。見直すと存外ムダな仕事の仕方があるものだ。オフィスワークも自由自在の勤務スタイルで、デスクの意味も従来の部門固定・上下型ではなく縦横自由型になろう。電子化でどこでも可能な業務スタイルでよいからだ。

営業も電子商取引（ＢｔｏＢ、ＢｔｏＣ）が拡大される。勤務形態も時間拘束のない裁量労働・見なし労働が増え、時差出勤＆フレックス・タイムの活用や隔日勤務の推進、週休制のさらなる拡大（完全週休三日が常識）など柔軟になろう。

賃金も、拘束労働時間数との相関性が少ない成果主義が進み、成果による能力差が賃金に反映することになる。憲法に規定の最低生活保障賃金は必要ゆえ各組織が担保すべきだが、状況により「ベーシックインカム論」が台頭しよう。

勤務形態などの先進的労働問題については、随分前から相当数の企業が労使交渉を経て制度導入に合意し、就業規則・労働協約に規定され運用可能になってはいたが、現実の運用はまだまだであったところ、今回の「コロナ問題」を機に大きく前進することになる。ワークライフ・バランス（仕事と家庭生活の両立）が推進され、結果ダイバーシティー・マネージメント（女性の高ステータス就任）も促進されるし、男性の育児休暇も進むだろう。このような内容が進めば、おのずからグローバル人材の獲得にもつながると思われる。

要するに、従来からの「働く」という概念について基本は不変ではあるが、その「方法」が「科学技術」により大きく変わっていく。

普通の家庭生活についても、「衣食住」の基本は変わらなくても「過ごし方の方法」は変わるだろうな。「快適・便利さ」がますます重要視される。

例えば「食」について言えば、食料の在庫管理のもと、それを前提に家族の一人一人にとって栄養・美味しさ・好み・健康状態に合わせたベストの料理がシステムとしてロボットにより提供されるとか、「住」については「パッシブ・ハウス」としてシステムホーム機能のもとに住環境が整備され、仕事も在宅勤務が推進されるとともに、医療についても医師とのコンタクトがきめ細かい情報通信手段により在宅でできるとか、ＡＩの活用により従来の「住」についての概念が変わることにもなろう。

電気も太陽光による自家発電が進み「技術の粋を集めたエコ」が普及し、掃除・洗濯・整理整頓・買い物などの日常生活についてもロボットの活用が予想される。電子決裁が日常になる。まあ、予想しだすとキリがない。

「社会構造・経済構造・産業構造の手段・運用システム」「産業構造内容」の高度科学技術による大変化により、「世界的大競争時代（高度技術を競う）＝メガコンペティションの時代」が到来、その変化たるや急速に地球規模で拡大していくことになる。ますます「イノベーティブなる思考力（想像・創造的思考力）が重要視される社会」が到来し、「科学技術力がものすごくモノを言う経済・産業社会」になっていくと思う。「パラダイム・シフト（ものの見方の転換）」を柔軟にしないとその動向に対応できなくなる。

また、社会・経済・産業構造をはじめ世の中全体の変化を支える「情報も5Gないしそれ以上の時代」がすでに到来しており、今後も大きなインパクトを有し、結果ますます「異次元のスピード」でモノゴトが変化していく時代になる。

これに現在開発中の「量子コンピューター」なるものが加わると、想像もつかないくらいの「（超超）高度情報管理社会」にもなる。大袈裟にかつ象徴的に言えば、「AIの、AIによる、AIのための社会」になりつつあるとも言える。これをコントロールするのも「AI」となる（そこまでいくかどうかはわからないが）と「人間の存在たるものは一体何なのか」、という命題に向き合う時代・社会になり、これをどう考え位置づけるのか、難しい哲学的課題に取り組むことになる。ある意味では「恐るべき時代」が到来しつつあるとも言えるのだ。

このような社会の到来に関し、寺島実郎さんは、その著『日本再生の基軸』で、「受け身でDXに飲み込まれるのではなく、『人間の顔をしたDX社会』実現という問題意識が大切になる」と言われる。DXとはデジタル・トランスフォーメーションであり、同氏が「令和日本の三つのメガトレンド」として指摘される一つで（他はアジア・ダイナミズムと高齢化社会学の挑戦）、AIなどを取り込む社会のことだ。

要は「人間的な哲学的視点」をもって科学技術社会にのぞむべきということだ。また同氏は「生身の人間の機械を超えた『全体知』が問われる」とも言われる。

丹羽宇一郎さんは、その著『令和日本の大問題』で、人間は「ネガティブリストで働けばＡＩに勝てる」、と言われる。ネガティブリストとは、「やってはいけないこと以外は何をやってもよい」ということだ。指示により動く機械では判断が不可能な人間の自由性に基づく考えだ。いずれも「ＡＩ」社会に対する「人間のあり方」を問う鋭い指摘であり、そのとおりだと思う。

日本も「かくなる時代」に遅れることなく、むしろ「先頭を切ってそういう社会を、英知をもって国内外に創造・発進していかなければならない」と思うし、日本はそれができる国柄だ。世界も「今のところ」それをなしうる国と「期待している？」とも思うが。それには、時代を見通した基本的考えを構築しておくことが重要だ。

以上が「科学技術」をして「国の姿の基盤」とすべき「第一理由の一つ目」になる。

人類や社会の、また我が国の有する「課題解決」にも、科学技術がモノを言う

若者　哲学的課題はきわめて重要ですが別の機会にし、第一の理由の二つ目「課題解決の視点」からはどうなりますか。いろいろ権威筋から課題となる予測が出てます。重点事項について概要を話してください。

老学者　この視点については、十年後か三十年後くらい先の話がよいかもしれない。巷間《こうかん》で語られているものを総合するとおおよそ次のようになるかな。

世界について。国連推計によると、「人口」は日本の傾向とは逆に七十三・五億人から八十五億人（二〇三〇年）くらいに増加（『未来の年表』河合雅司著）。「エネルギー、食料、水を含む環境問題などなど、人間の生活の基本に関わる事項」が大きな問題になってくる。中でも食糧問題は厳しくなる。

二〇五〇年の話ではあるが、世界人口（推計九十七・三億人）を賄うためには、二〇〇〇年比で食糧生産量を一・五五倍に引き上げる必要があるとする（前述『未来の年表』）。今から世界的視野での対応策をきちんと考えておかないと深刻な問題になっているだろう。

「水」も、日本は豊富だが世界でみると「どのようにしてこれを得るのか」大変だ。なんと世界広しといえど「水が飲める国」は約二〇〇カ国中、日本を含め十五カ国にすぎないのだな。

「エネルギー」は、いかにローコストで安定的にかつ安全にこれを常態的に得るか、政治的問題も絡み大きな問題だ。以前からの国際的課題ではあるが、世界情勢の変化が激しくなればますます不安定さが増す。

「環境」は、つとに地球単位での警告がなされているとおり、「温暖化」を巡り今後は大変だ。「自然災害」問題もこれとの関連にある。人間もさることながら、北極の白熊、オーストラリアのコアラなど大変だ。

また、人口・環境・食料・災害などすべてに関連する「生命・健康・医療問題」がある。特に開発途上国については問われる。今回の「コロナ問題」のように全く予想されえない事態（環境破壊との相関性もあるといわれているが）も発生しうる。

若者　日本もいろいろの問題を抱えています。人口減少＝少子化と高齢化社会の労働福祉問題（労働力確保問題や高齢者の健康・医療）対応、多発する大型自然災害対応、その関連である公共インフラの劣化解決、にもかかわらず厳しい財政状況にあるなど大変です。

人口は世界動向と違い一億人以下に減少、六十五歳以上の老齢者人口は二〇三五年には三人に一人、七十歳以上が五人に一人になるようですね。一番大きく変わるものは「人口形態」です。総数の減少・少子化による老若の人口構成の変容が大きいことによる問題のみならず、逆現象の世界人口の増大はエネルギー・食糧・環境など日本にも影響が出てきます。これらの解決にも「科学技術」がモノを言うことになりますか。

老学者　そうなる。世界について少し例示してみると次のとおり。

「エネルギー問題」……安心・安全・確実確保を目指し、「再生エネルギーを中心にした多様で低コストのクリーン・エネルギー開発」に科学技術がモノを言う。

「食糧問題」……人口増対応に「自然食物の品質改良や栽培方法の改革による確実確保、人工食物の開発による増産」など科学技術によらざるをえない。

「環境問題」……いかによりよい状況を生み出すか、「原因物質の低減・除去・有益物質への転換や発生物質の付加価値的応用処理」など、科学技術力による。

「健康・医療問題」……日常的問題にプラス、今回のような予期せぬ感染症対策に先端的医療科学技術力（薬・医療機器など）がモノを言うこと大だ。

日本についていえば、

「人口減少問題」……労働力確保が重要だが、「AI革命・ロボット活用」による代替機能の開発がカギを握る。

「自然災害（最近特に目立つ）への対応」……気象予測・防災避難方法・防災技術（土木・機械・建築・都市工学）などを総合した科学技術力が頼りになる。「食」の確保もこれに関連するが、そもそも低自給率（カロリーベースで三十七パーセント）向上が課題ゆえ、世界同様の対応が必要になるが、自然災害との関連では、例えば「米」については最近の自然現象を前提に「強風や猛暑」に強い米が作られたりしている（しかも美味しい）。科学技術の進歩の成果だ。

「世界に誇る長寿・超高齢者社会への対応」……医療技術が高度化し、長寿・健康を支える診察方法・検査機器・治療薬・治療機器・治療方法・再生医療・人工臓器も発達しているだろう。

僕も栄養の摂り過ぎ（?）で心臓を患ったが、心臓治療について言えば、最近「低出力衝撃波治療法」というのが東北大（下川教授）で開発されたようだ。バイパス手術とかカテーテル治療などのような、体にメスを入れたり血管に管を通したりしなくてもよい治療法だ。入院中に担当の先生に「先進的治療法を開発して、ノーベル賞をとってくださいよ」と話していたものが開発されつつある。

また、心臓機能を再生させる「細胞」も開発されつつあるようだ。関連する治療法として「細胞スプレー法」というのが阪大（澤教授）で開発されたようだ。元気な人の幹細胞を心不全などの虚血性心筋患者の心臓に直接ふきつけ、心臓を元気にする方法だ（新しい血管ができる）。これらは従来の医療技術概念の転換例だろう。「癌」についても手術・放射線・抗がん剤治療に次いで、最近は「免疫療法」が台頭してきた。この関連でオプジーボ（新薬）誕生につながった「免疫機能抑制受容体ＰＤ－１」の発見をされた日本の本庶佑・京大名誉教授が二〇一八年ノーベル賞（医学・生理学賞）を受賞された。癌検査についても血液・尿・唾液などにより短時間に高精度で初期ステージジレベルの発見ができるようになりつつあるようだ。

医療全体について、京大の山中伸弥教授のｉＰＳ細胞をベースに一段と治療技術の向上がはかられよう。患者とドクターの「問診」についてもＡＩにより可能になり、在宅治療（高齢者にとって医者通いは大変だ）にもつながる。これらが、日本の長寿社会を支えることになろう。

国内外を問わず「問題解決」に科学技術の進歩が大いに貢献することになる。

冒頭でも触れたが、「人類が最後に戦う相手はウイルス・細菌」とも言う。今回の「コロナ問題」でも治療薬・ワクチン開発などでも世界の医療界は大変ご苦労をされているが、次から次へと姿を変える個別ウイルス対策でなく、将来はいかなるウイルスにも対抗できる「万能ワクチン」が開発されればこれを克服しうると夢みるのだが。後で話すが、米国は世界の流れを制する今後の戦略として「医療技術」を情報技術・生産技術・資源管理技術とともに重要視している。参考にすべきだ。

生活に卑近な例を出したが、とにかく社会のあらゆる分野が「科学技術を軸」に長足の進歩をしてきたし、今後もする。人類の「課題解決」の方法もこの中にある。

ただ、科学技術がいかに進歩しようとも、それを活かす「政治の力（制度・仕組み・個別政策など）」と「人の理解・協力」がないと、解決が遅れたりタイミングを外したり解決が不可能になったりする。特に為政者は留意すべきだ。先に話した『令和日本の大問題』の「第四章」で丹羽さんは、「避けられない危機のうえに日々暮らしていることを忘れるな！」と題し大地震、食料確保、水資源問題などについて厳しい警告をされている。そのとおりだ。国民全体もさることながら指導者に問う必要大いにアリだ。「想定外」ではすまない。

とにかく歴史が示すがごとく「人類の知恵」で課題を解決し社会は進歩するが、今後は何事もますます「高度科学技術」によりコトの対応がなされていくこと大と思う。これを「日本ならでは」「日本人の力」で先導したらどうか。また、そうあるべきとも思うのだが。

これが「国の姿」の「基盤」とすべき第一理由の二つ目だ。

さらに付言すると

老学者　この第一の理由に関し別の視点から付言すると、日本はうかうかしておれない、ということだ。今後は現在の先進国は相対的に力が低下し、ＢＲＩＣsをはじめ「開発途上国」が相当力をつけてくる。これはこれらの国が「科学技術力を一段と飛躍させる」ことをも意味する。
特に力を増すのは現実主義国家の中国だ。現に中国は陸・海両面から世界的視点に立った政治・経済政策（「一帯一路政策」とか）を打ち出している。政策展開の背景には「科学技術力のものすごい進歩」がある。その象徴的企業としてファーウェイがあり「デジタル技術」で世界を席巻しつつあり、そのパワーたるや国際的に目がはなせない存在だ。

インドも優秀な国民ゆえ、国の政策次第では相当な力を有するだろう。米国に多く留学しているエリートが帰国し近代化（科学技術力などの強化）を促進していく。現に「宇宙開発」においても中国と並んで「月の裏側」を探査しうる科学技術力に達している。

総合的に見て、米・欧・日だけでなく相当な国が強い国に成長してくる。東南アジア圏の国、中でも経済力（科学技術力も含み）向上に努力中の国（シンガポール・韓国・台湾・タイ・マレーシア・ベトナム・インドネシア・フィリピンなど）は、内政が安定していれば相当伸びてくる。

日本はこれらの国々に対応していかねばならない。そのためにも世界の先陣を行く「高度な科学技術力」が必要。為政者はその重大性を充分認識せねばならないし、国際情勢について鋭敏な感性を必要とする。

概要を印象的に言えばこんな感じだが、とにもかくにも「科学技術が常に問われ一段と科学技術力がモノを言う社会に世界全体が大きく変化していく」ということだ。展望もさることながら、むしろこのように「つくりあげていく」という意思・ウィルが重要だ。

とにかく「『日本の科学技術力』が問われ、かつそれが発揮できる状況がますます増えていく」ということ、これに「応えるべき」ではないのか。

二　「国の繁栄（国の平和維持の重要要件）」につながる「国の政策推進」の源泉を生み出し、「国民生活」を豊かにする

二の一　国の「政策推進」について、国民にとって「国と、その政策」とは

若者　第二の理由として「国の繁栄」につながるということですね。国は国民のため種々の政策を実施していますが、それには「政策実現の原資・元手」が必要です。これを「確保・維持し拡大」させていくには「科学技術を基盤」にした「経済力のある国」として「国の繁栄」が前提になる、ということですか。今回の「コロナ問題」でも、多くの苦境にある企業などを救済するには国として「元手」が必要、現実が物語っています。

予算について言えば、二〇二〇年度（二〇二一年三月末まで）は約一〇〇兆円強（さらに「コロナ問題」対策費用として二次にわたる補正予算積み上げでプラスされる）にものぼる額を準備しての政策実施です。「財政収入」が潤沢でないと緒政策は推進できません。

財政収入は増加してはいるものの、二〇一九年度は六十兆円弱、政策実現には不足です。不足分を国債で賄うことは手法としてはありますが、これは借金ですからあくまで一時的な便法にすぎません。本来は「租税収入」によるのが財政の本道です。租税収入は時の「経済状況」に左右され、常時期待する額が確保されるとは言えません。よりよい国民生活を維持・向上させるため、国としていかに収入を得るか、そう簡単ではありません。国の基盤をきちんと維持していかないと大変なことになりかねません。

老学者　その前提として「国と、その政策」は国民にとっていかにあるべきか、国民としてしっかりと基本的認

識をする必要がある。

国を定義するのは難しい。国家とは、学問上の定義により、社会契約国家（国民との間の契約により国が運営される＝起源説と言われる）、有機体国家（細胞の集合体・生き物として国をとらえる＝本質説と言われる）、近代市民国家（原始でもなく封建国家でもなく市民平等の国というとらえ方をする＝歴史説と言われる）、福祉国家（国民の福祉を考えるのが国の役割ととらえる＝機能説と言われる）などと分類されている。いろいろ考えはあろうが、どの「説」も国の性格をとらえており、目指すべきあるいは認識すべき国の姿と言える。

いずれのとらえ方にせよ、一般市民としては「国家は『国民の生活を保障する存在、そのために〝力のある存在・頼れる存在〟でなければならない」、これは国民との「暗黙の契約」ではないのか。その上で「どのような国を目指し何をなしていくか」、具体的輪郭を国民に対し提示・理解してもらうとともに、協力を求めていくことになる。

これは国民との一種の「有形の契約」だ。この契約のもと、種々の具体的な契約＝「政策」が展開されることになる。経済＆産業政策・科学技術政策・社会福祉政策・教育政策・治山治水政策・国防政策・治安安全政策などなど多数にのぼる。いずれも重要であり、これを履行していく責任が「国」にある。特に今後の日本は国内に限定してみても難題山積は先に話したとおりだ。いかに対応していくのか、政策次第で国民が幸福にもなるし不幸にもなる。国は「国民にとって、より有益な政策展開」を求められている。これが「国と政策」の位置づけだ。常識だが。


国の政策遂行には「健全で豊かな国富」が必要……それには「経済」が重要だ

若者　国民との一種の「契約」をきちんと履行する、これが「善政」です。

老学者　国は「国民のための契約履行者＝政策遂行者」として「健康体」でなければならない。そうでないと種々の政策は展開できない。それには国は豊かでなければならない。「豊かな国富」をどのように生みだすかを常に問う必要がある。

「国富」とは、「カネ・カネ」の金の亡者や投機的マネーを求める人たちの富では全くない。ここで言う「国富」とは、国民の勤労等により得られた「健全にして正当な富」を意味し、拝金主義的な過剰で強欲な資本活動によるものなどは全く意味しない「国民のためになる、社会の発展の源泉＝元手になる財力」のことだ。

人間は「奇麗事」では生きていけない。仙人でもあるまい、カスミを食しては生きられない。俗っぽくとらえるのではなく「健全で豊かな国富」としてそれを得るべく「真正面から堂々ととらえ取り組むべき」だ。現在の「資本主義国家体制」では重要課題、資本主義国である限り「国富」がないと「国民の安心も豊かさ」も現実論として確保が難しいし、知と心の産物でもある「文化」の創造・維持・発展も容易には具体化できない。

「豊かな文化国家」も大いに推進せねばならぬが、高邁な精神性だけでなく経済的支えも必要だと思う。歴史（ルネッサンスなど）がそれを語っている。「国富」は国の活動すべての前提、「平和確保のベース」でもある。あらゆる政策を展開するには「先立つもの」が必要、理想だけ唱えるというわけにはいかない。今問われている「コロナ問題」の現実が物語っている。

若者　わかります。ギリシャ時代には「何もいらない、太陽と向かい合うだけでよい」という「樽」の中で暮らした哲学者もいたようです。精神論としては尊重すべきでしょうが、現実はそうもいきませんよね。これは個人の生き方の話ではありますが、個人はもちろん、国も生き物である限り同じことが言えますよね。

老学者　ディオゲネスの話だな。哲人の「樽」の中での生活を「民」に求めるわけにはいかない。国自身も精神論だけでは存在しえない。

アダム・スミスは『国富論』にて、自由市場における需給は「神の見えざる手により調整される」と説いた。十八世紀のことではあるが、自由主義経済のはしりの原理としてはそうだったかもしれない。が、今や需給のいずれの側も複雑な要素が絡み合う社会である。この中にあり「国富を生み出し維持発展」させていくには神ならぬ人間の「意思（ウィル）」として相応の哲学・理念・ビジョン・方針（背景となる理論）とその実践がなければならない。

高名なる経済学者・ケインズは「長期的にみると、人間は皆この世から去る」旨の言葉を残している。当然の話だがケインズが言わんとしたことは、経済は放任してはいけない、自然体でなく意思をもって取り組まないと取り返しがつかなくなる（衰亡・死滅する）、ということだ。

国は、今後もいかにして「豊かな国富」を生み出しどのような「良き政策」に投じていくのか、それにより「さらなる豊かさ」をどのように創造していくのか、この「循環的課題」に明確な意思のもと真剣に取り組んでいく必要がある。

若者　今の日本、全体としては経済的な意味での「貧乏という言葉」をあまり耳にしません。しかし国もいつ貧困状態になるかわかりません。日頃この点についてきちんとした思いを持っていないとダメですね。今のところは大丈夫なのでしょうけれど。

老学者　格差社会と言われ相対的貧困が拡大しつつあると思うが、それでも「今のところ」は全体的には「飽食の時代」、飢餓意識がきわめて薄い。ただ、戦後何年間かを経験した人なら「貧乏の何たるか」はよくわかる、肌身でわかっている。爆弾（焼夷弾）の落ちた跡、瓦礫《がれき》の山、家ならぬホッタテ小屋、裸電球・停電、スイトン、配給米、ツギハギだらけの衣服・靴下などキリがないね。貧乏であることがいかに厳しく大変なことであるか、この層はよく知っている。僕らの幼少時代の話だ。

国・国民は貧乏であってはいけない、豊かでなければならない、と思う。この種の「貧乏論」から言えば、現状「国全体」としてはそれほど貧しくはないと思うが。

問題は「今後はどうなるのか」だ。国民を豊かにすべく、国が種々の政策を実行していくには、何をおいても先立つものがなければ何もなしえない。そのためには、国を常時「繁栄させる必要」がある。国の財政論では「歳出」が増えていく限りそれを賄う「歳入」が必要になるわけだが、これが不足しておれば歳入欠陥になり赤字国債の発行となり国としての借金は増えていく。この借金を返すために歳出予算の一部がそのために使用されることになり「負の循環」が続く。これを基本的に解決するには「健全な国富」を地道・着実に増やすしかない。これをどうするかだ。

日本の場合、このまま国債発行という借金を増加させていくと、財政学（理論）上やがては「国家破産」ということになりかねない。現在なんと日本の借金は約一二〇〇兆円になる。一人あたり約九六〇万円を超える負担になる、おそるべき数字だ。どうするのか。今後も年に三十兆円ずつ増加するようだ。

国は財政健全化（期間をかけて少しでも借金を減らす）を目指し、まずは「プライマリー・バランス（基礎的財政収支）」の均衡（赤字ゼロ）実現とは言うが、二〇二〇年度予算をみても難しい、税収が不足しているからだ。これは「経済成長」が実質一パーセントくらい（名目二パーセントくらい）にすぎないからだ。このような状態が続くと財政の健全化どころかやがて「経済的繁栄」が得られなくなり、国自体が衰弱していく。これは平時の話だが、有事になればなおさら厳しい。今回の「コロナ問題」、有事だ。終息時期にもよるが、長引けば長引くほど「経済的厳しさ」は一段と増す。

一方、財政学的にみれば、世の中の進歩につれ国家の諸活動が活発になると、おのずと国の経費は増大していく、「経費膨張の法則」だ。法則とまで言えないなら「経費膨張の傾向」と言うべきか（木村元一著『近代財政学総論』、井藤半彌著『財政学』）。国として「真に必要なものは何か、ムダを無くす」など、よほど心得て財政運営に取り組まないと大変なことになりかねない。「国富の蓄積とムダの排除」の両面が求められている、大丈夫か。

識者のなかには、国の財政を複式簿記でとらえ、「負債」に均衡するかたちで「資産」があれば安心という見方もある。日本は個人資産も含め資産大国ではある。政府資産については六〇〇兆を超えるといわれている。理屈としてはそのとおりだろうが、負債は無いに越したことはない。

この資産についても、増税する前に不要な資産を売却して負債を減らすべしという考えもあるし、イザというときに備えるべしという考えもある。財政当局は増税との関連もあるのかどうかはよく知らぬが、この資産についてはあまり触れない。

国債については「暴落」があるのが恐ろしい。日本経済が信用を失い、海外の投資家が国債を見放せば暴落だ。財政の権威筋は、国債を発行すれど国家財政は大丈夫だしハイパー・インフレにもならないと言う。そうであることを望むし信用したいところだが。

いずれの解釈に立つにしても、常時「健全で豊かな国富の蓄積」、そのための「経済力の維持向上」は「きわめて重要」な国家的課題だ。世の中の「国富の定義」にはイコール「経済力」とするのも意味ありと思う。

若者　国債（公債）の発行は、財政法上は「建設国債」が原則（第四条）ですよね。「赤字国債」は、毎年その年ごとの特例法により発行されることになります。あくまでも特例公債です。これが常態化（特例にならない）しているのが日本の財政状況です。健全財政主義からみてどうなんですか。

ケインズは「民の活性化を第一に、財政でその基盤を強固にすべきである」と言いました。公共投資はこの基盤づくりの手段になり、この論理でＴＶＡ計画などを実施、国家の危機が回避されたのが一九二九年の恐慌時代の米国でした。古い話ですが「有効な投資」が国富を生み出すために必要であることは今でも同じだと思います。我が国の「建設国債」も、このような公共事業など将来にわたり国の基盤になる事業に投じるために使用しうる財政手段です。国債（公債）の存在意義はかくあるべきで、本来でない「赤字国債」などに頼ることなく「健全で豊かな国富」を求める政策が重要であることは論じるまでもないと思います。

ところで「国富」の現状を示す「指標」はどうなってますか。

老学者　ここでは「国富」を平易な意味で使っていくつもりだが、そもそも「国富」とは「国家の富、国全体の富力、一国の経済力」を意味し（『広辞苑』）、また「国の財力であり、財力とは経済力」ともある（『明鏡国語辞典』）。

「経済力」を定義の前提にした場合、指標の代表としてはＧＤＰ（国内総生産額）――内閣府・経済社会総合研究所作成――がある。国の「経済的規模」と「経済成長率＝伸び率」を知る統計データとして国際的に最も使用されているもので、「ある一国内で一年間に生産されたモノ・サービスの付加価値の和＝総計」とされ、イコール国内総支出額でもある。

二〇一七年度では、日本の場合、約五〇〇兆円になる。支出面でとらえると、構成は民間需要が八十パーセント、残り二十パーセントが公的需要だ。このＧＤＰは世界で第三位（少し前までは第二位であったが、承知のとおり中国に抜かれた）だが、一人当たりでは第二十五位だ。

「一国の経済力」を示す数値として「生産」された「付加価値額」は、企業・家計の「所得」や税金など国の収入として「分配」され、消費・投資などの形で「支出」される。この三つ（生産・分配・支出）はイコール（三面等価の原則）で「国家の経済活動」を表している。常時それが確保され、かつ多いほど望ましいことは言うまでもない。経済活動力が豊か（結果、国が豊かである）であることを意味する。「政治」は常にこれを目指す必要がある。

参考までに、以前は「国民」が稼いだお金全部を意味するGNP（国民総生産額）が使用されていたが、GDPはこれから国外で稼いだ分だけ差し引いた額を言う。最近はさらにGNI（国民総所得）が「国民経済計算」では使用されている。いずれをとるにしても「経済力」を意味する「国富」の指標であり、「国家政策を履行する源泉となる財力＝国家予算執行の財源、財政上主として税収の元手」となる。なお、GDPは今回の「コロナ問題」でここ一、二年は厳しい状況になろう。

若者「GDP」については、三面のうち「生産」がまずは第一、これがないと「分配も支出」もできません。この巨額の付加価値、誰が生み出しているのですか。

老学者「国民」だ。この稼ぎは主としてすべての産業に携わる「生産主体・サービス提供主体」＝「事業体と、それを構成する人」により稼ぎ出されている。第一次産業である農林水産業事業体とその従事者、第二次産業である製造業事業体とその従事者、第三次産業であるサービス業事業体とその従事者により「生み出されたモノと、提供されたサービス」に対する「対価として獲得された財（付加価値額）」だ。まさに「『タミ』としての国民の汗と涙の産物」だ。これが財政の基礎をなす税収の源泉にもなり、それを元手に予算の執行、すなわち各政策が展開されていくわけだ。

唐津一さんは『産業空洞化幻想論』で、

「日本に輸入する鉄鉱石は一トンわずか二〇〇〇円である。これを鋼材に吹きあげると一トン四万円になる。これでエンジンや自動車をつくると一トン一〇〇万円から二〇〇〇万円になる。このようにモノをつくることから生まれる付加価値が日本の経済の原点だということを忘れないでほしい。札束はいくら転がしても付加価値が増えるわけがない」と言われる。数値は以前の内容だが、基本的考えとして重要な指摘だ。

すなわち一トンの鉄の値段を一とした場合、その鉄を高度な科学技術を結集して何かの製品にすれば何十、何百倍もの付加価値を生み出せる。この一と付加価値の差、これが貿易収支差とか、個別企業の得た利潤になり、これによる税金納付で「国富」が得られる。日本が戦後急速に高度経済成長を成し遂げ、今日に至るまでに巨大な富める国になったのはこのメカニズムによるのだ。国民の稼ぎと、国の収入の流れの基本的な話だ。この流れこそ「事業体の科学技術力による付加価値の創造と、それによる国富の蓄積」を意味している。


若者　稼ぎの「元手」となる事業体、これは主として「企業」になりますね。そうなれば、大事にしなければ。大企業・中小企業とも汗をかき大いなる稼ぎをしてます。数量的には、中小企業の占める割合の方がはるかに多い。事業所数の九十九・七パーセント、従業員数の七十パーセントをしめています。国の政策上、大・中小間の格差はなくさなければ。大企業への施策もさることながら、中小企業も大事にしなければなりません。国を陰ながら支えているのです。

「コロナ問題」でも随分苦労しています。中には廃業する企業も出ています。国として救済すべきです。そうしないと「元手」を少なくすることになりませんか。また、救済策として大企業が有するとされる内部留保（約四六〇兆円あるとされる）、これを社会的責任として拠出することも必要ではないかとも思います。困窮時の相互扶助、国としてワン・チームでしょう。拠出・分配の方法いかんにより国全体の再活性化にもつながります。

「分配元・先の極端な偏在」はいけません。もともと内部留保は各企業においての努力の産物。使用内容は自由にしても、ただため込むだけでなく当該企業の人材育成投資、先端事業投資、生産性効率向上設備への投資等「活かした使い方」をしないともったいないのですが、今こそ国家的見地に立ち「同胞の救済に使用することこそ生きたお金（再分配）」になるのでは？　社会的責任とも思います。企業の財務担当に「余計なことを言うな」と怒られるかもしれませんが。

国家財政も、源泉は税金（直接税の所得税、間接税の消費税など）、予算不足をカバーする国債（国の借金）も返済に税金が使用される。源泉は「国民の、それも事業者の汗と涙の結果、得られたお金」――この稼ぎがないと、国はいくら高邁なことを弁じても何もできない――「元手を大事にすることが基本」です。

老学者　そのとおり。「国富の源泉の確保・維持・向上」をどうしていくのかが「すべての始まり」になる、国として常時そのため何をなすべきかが問われているわけだ。「国民の生活優先」「国の福祉充実」などと言っても、この議論を素通りしていては課題の解決にはならない。課題を唱えるのは大いに結構なことではあるし大いに議論すべきと思うが、よくよく考えれば、その議論ができるのは国民が稼いだ結果が「現にある」からだ。

ただし、これが「永続するかどうか」の保障はない。世の「分配論」、家計に資する所得向上について議論は絶えないが、この「分配の源泉をどうするのか」、この議論を忘れてはならない。国民に「より多くの分配」がなされ、所得が向上・平準化することは、格差をより縮小して無くし「一人一人の安心と豊かさ」を生み出すとのみならず、消費を向上させ、結果として「経済成長」にもつながる。「分配が重要なるがゆえにその『前提がもっと重要』」ということだ。

それには国として「各事業体がそれを得るためのよりよき政策を編み出す」ことが必要、国民はその政策のもと日夜皆努力することになる。皆「一隅を照らし」ながら国・社会に「陰ながら貢献」をしていくわけだ。真面目に一生懸命働く人々は皆「疲れる」。だから、夜になると東京で言えば新橋・八重洲などの界隈が賑わうのだろう。お酒を飲む気持ちもわかってもらわないと、世の中のオジサンたち（だけではないが）が可哀想だな。

若者　わかります。理想を掲げることはよいが、それをどう実現するかです。やはり「経済」を重要視しなければいけません。若手の経済学者・飯田泰之さんは、
「経済も、成長政策、安定化政策、再分配政策の三つが揃っていることで、政策から得られる果実は大きくなる」と指摘されています（同氏著『日本がわかる経済学』）。国を維持する経済面からの基本的視点です。

老学者　この三政策を今後も維持・拡大していくことはそう簡単ではない。そのためには、ますます世界的視野で事をなす必要がある。国全体を視野に入れ、世界を相手にできる「得意分野（科学技術）」を事業体を介して一段と強化・充実していくことが必要。これが「しっかりした一国のベースを形成し、健全な国富を得る」要素になる。ただし、今後は「持続可能社会」という視点が大いに重要、この認識がないと元も子もなくなる。この点が今までとは違う。あと（第三章の一）で詳しく触れたい。

いずれにせよ「科学技術力」とそれをベースにする「経済力」、この両者は我が国の維持・発展にはきわめて重要だ。今後も「経済重視か」との反論はあるだろう。しかし「国家財政」からも「経済重視社会」は避けては通れない。今後の国民の最大課題である「福祉・医療・介護など」の「社会政策」を展開し「より平和な国・社会を維持」するには「財政力」が重要だ。これを稼ぎ出しているのは「国全体が有する経済力」じゃないのか。

この背景には特に日本の場合、重要要素として「科学技術力」がある。このことを素直に認めるべきと思う。

「経済」と言うと「金儲け」をイメージしやすく、それゆえに嫌う人もいる。しかし「経済」とは「人間の共同生活の基礎をなす、物質的財貨・サービスの生産・分配・消費の行為・過程、ならびにそれを通じて形成される人と人の社会関係の総体」（『広辞苑』）であり、「人間の生存・生活のベースをなすもの」だ。理想としては「経国済民（世の中を治め民の苦しみを救済する）」を意味するものでもある。

この意義をきちんと認識し正確にとらえる必要がある。「経済力」による「健全な国富」は「上滑りの口先だけの奇麗事」で得られるものではない。国民の地道な汗と涙による貴重な産物なのだ。国はこのことに常に思いを致さないと十分な政策展開（「国富」の還元）ができなくなる。

若者　今回の「コロナ問題」も、つまるところ「医療対策と経済回復」とのせめぎ合いです。もちろん「人の命」が第一であることは論じるまでもありませんが、人間社会にとって「経済」が重要であることの証《あかし》でもあります。

貧困では医療対策はもちろん、経済対策（企業救済）も充分にはなしえません。一国の経済を地道に支える人々の生活保障もその人々の命にかかわる問題です。経済の諸活動にブレーキがかかった状況を目の当たりにして誰しもがその寂しさを味わい、復活することの喜びを大いに感じ分け合う、「経済がいかに重要であるか」を説明を要せずに物語っていると思います。

老学者　経済の重要性については昔から語られている。世情に鋭い眼力をもっていた勝海舟も、近代国家創成期に「経済が政治の土台」であると説いた（『氷川清話』）。日本資本主義の元祖である渋沢栄一（今度新しく発行予定の一万円札に登場）も「貨殖の道は経世の根本義である」（『論語と算盤』）と説いている。主旨は「政治の基本には経済力が重要」「世の中を治めていくには財が重要」ということになる。そのとおりだ。渋沢は経済の本道（正当なる経済行為）を論じた人であり、今日でいう投機的行為を否定した人でもある。要するに正当な経済行為で富を求め、国の繁栄を得、世の中を運営すべき、ということになろう。強欲資本主義はいけない。これでは一時的繁栄は得られても、結局は元も子もなくなる。渋沢哲学でいくことだ。

神谷秀樹氏は在米日本人投資家の経験を通してその著『強欲資本主義　ウォール街の自爆』で、人間の心を看過し金にのみ価値を求め資産運用ゲームに走る強欲・傲慢さに警告を発し、日本人の価値観による世界経済の手本となる新な資本主義を期待したいと言っておられる。

言葉として妥当かどうかはわからないが、これからは「ヒューマン・キャピタリズム（人間的資本主義）」が求められるのではと、僕は思う。この考えのもとでの「経済」であり「国富」である。『保守の心得』著者の倉山満さんは、近代経済学の父、アダム・スミスや、日本の経済成長の元祖でもある池田勇人元総理大臣の例を示しながら、「財政は国の礎」と指摘される。いずれにせよ、まずは我が国として「一国の礎」を確固としなければならない。その上で、国際関係においては「経済的安全保障（セキュリティー）（軍事を前提にしない平和的安全保障）」が問われるこの時代、国際協調主義を軸に「一国主義」を超えて各国と団結していくべきだ。「和」に代表される「日本ならでは」だ。

日本人は良い意味で「経済」に馴染みやすい国民でもある。ローマ史に詳しい塩野七生さんもその著『日本人へ　リーダー篇』の中で「乱世を生き延びるためには」と題して、

「日本人だけで解決できる問題に、われわれのエネルギーを集中してはどうであろうか。（略）そしてそれは、経済力のさらなる向上、以外にはない。（略）経済と技術の向上となれば、日本人にとっては、『自分たちだけでやれること』になるからである」と述べておられる。全く同感だ。

二の二　「国」の「経済的繁栄」「経済力」「経済成長」および「国の平和」について

「経済の成長（経済力のベース）」について

若者「経済力」が維持・発展するには「経済成長」がモノを言いますね。経済が縮小すればその「力」は得られません。経済成長が「国富」を生み出し、それが経済成長を生み出すという関係でしょう。これは今後も維持されうるのでしょうか。停滞したりストップしたり後退したりしませんか。

経済成長については、ハロッド、ドーマー、シュンペーターが学問的には著名です。成長要因としては「人口（労働人口）、資本、技術革新、貿易」などが考えられていますが、特に「技術革新」についてのシュンペーターの考えは有名です。成長の核になるものはやはり「革新（イノベーション）」、特に「技術革新」になると思います。これがあれば、成長は維持される、と期待したいところですが。

老学者　成長については停滞・鈍化・後退・ストップ・高度・急進・微速度などさまざまな局面がある。現象としては山谷アリだが、**長期的に成長の要因自体に目を向ければ、科学技術が「最重要要因」になってきたと思う。成長とは「進歩」を意味し「革新がキーワード」だ。これを「継続させる」中心はやはり「科学技術力」と思う。**

経済成長論については、僕の学生時代、時代が時代なので論議は盛んであった。「経済原論」では、ウォルト・ロストウの経済成長五段階説（当時は五段階目の高度大量消費時代）があり、成長を量的成長・質的成長と区分し、量的には資本蓄積、質的には科学の進歩・生産技術の改善などが関連することが論じられた。ケインズの「一般理論」を発展させたハロッド＝ドーマーモデルなどについても学んだ（『経済学入門』千種義人著、他多数の関連書あり）。

また、関連する「経済政策論」では時代も影響してか「成長論」は重要テーマであった。学生時代に読んだ専門書『経済政策の理論』（館龍一郎・小宮隆太郎著）では、ケネス・ボールディングの考えを紹介、経済政策の目的は変化はするものの「経済的進歩」を「経済的安定、経済的正義ないしは公正、経済的自由」とともに目的としてきわめて重要課題としている、と述べている。

また『経済政策原理』（熊谷尚夫著）も紐解《ひもと》いたが、要約すれば経済発展（経済成長ととらえられるが一応区別）は「長期的見地からみた経済の質的進歩」であり「本質的なことは、経済的資源の利用方法における進歩」とし、シュンペーターの「革新（イノベーション）」の概念と近いとらえ方をし、新商品の導入・既存製品の生産技術の変化・新販売市場や原料供給源の開拓などなど「経済生活の領域において『ちがったやり方でことを運ぶこと』が革新のエッセンス」だと述べ、学理上の重要テーマとして短期的視点でなく長期的視点でとらえている。いずれも「経済成長（経済発展・経済的進歩）を経済政策の重要課題」ととらえている。

学理的にも重要視されてきた成長論ではあるが、このような経済政策が「国の意思として維持される社会」が続く限り経済成長は重要課題であり続けると思う。課題の実現をいかにするかが問われることになる。また国の経済成長を実質的に生み出す「企業」にとって成長は基本だ。著名なるP・F・ドラッガーも「イノベーション」を経営において最重要視している（『経営論集』（ドラッガー著）他、多数の著作あり）。

イノベーションを起こす機会として産業内部・外部の計七つの機会「人口構造の変化・認識の変化・新知識の獲得・予期せぬことの存在・ギャップの存在・ニーズの存在・産業の構造変化」を提示している。これらは進歩・発展を目指す企業人の着眼点だが、国の経済成長の要因でもある。現在でも「成長理論」として、二〇一八年のノーベル経済学賞受賞者のポール・ローマー教授（現ニューヨーク大）の「内生的経済成長論」があり「技術革新が持続的経済成長を生み出す」と論じ、「知」（知識とアイディアの集積）が成長要因と説いている。物質はなくなるが「知」は永遠だと言うことだ。

学理上のいずれの成長要因も「科学技術」に集約ないしは関連するのではないか。そもそも「**成長は永続的かどうか**」**だが、人類史をみる限り**「**肯定的に解釈してよい**」と僕は思う。ただし長期的視野に立つ限り「質的・量的な違い」はケース・バイ・ケースであるだろう。

若者　歴史をたどれば経済成長を含む「社会全体の進歩」について、先人はいろいろ論じています。近代科学の生みの親であるコペルニクス、ガリレオ・ガリレイやフランシス・ベーコンなどは、「世界の無限性や成長」という概念を思考体系に導入しました。なお、フランシス・ベーコンは技術と科学の進歩についても語っています。これらは、経済の進歩の原点となる考えです。また「社会ダーウィニズム」と言われたハーバート・スペンサーの考えも参考になります。「社会有機体説」を唱え「社会の成長」を説きました。

近代科学も社会と並行して進歩してきました。ニュートンに始まりニュートンを超えた進歩を見せています。十九世紀には技術開発を生み出した「熱学や電磁気学や光学」、二十世紀に入ると「生命科学・高分子科学・量子理論・電子工学・コンピューターなどなど」続々と続いています。科学が技術を技術が科学を、相互に関連し合い社会を進歩させているわけですよね。これが経済成長をも生み出します。

老学者　そういうことだ。経済成長は歴史的にも社会の成長・科学技術の進歩とともに実証されてきており、国の重要政策でもあり続けてきた。これらの進歩を邪魔するものは「人間の驕《おご》り」であろうが、そのようなものがない限り人間社会は何らかの形で「永続的に進歩する」と僕は思う。むしろ「進歩したいと常に思う」のが人類ではないのか。それこそ人類共通の遺伝子に組み込まれた「本能的なもの」じゃないかと思うのだが。

これの「経済的側面を取り出せば『経済成長』」になるわけだ。これが現実論として財政の基盤をつくってきたし、今後もつくる源泉になる。

若者　されど、世の中には成長に関しさまざまな意見があります。成長は望めない、シンプルにはいかないとか。また、「格差問題」との関連でも論じられています。

老学者　進歩の遅速や質的・量的違いはあろうが「進歩はし続ける」と思う。確かに日本のような先進国は昔のような高度成長はないとは思う。しかし、これは「量的な意味」においてだ。現在の状況は量的には「微成長」という表現になるのだろうが、「質的」には今後も高度成長はあると思う。わかりやすく言えば先の話にはなるが、地球は有限だから次は「宇宙を前提とした経済社会」が展開されよう。これは「質的に高度な成長」を生み出すのではないか。僕が宇宙に関心が深いから言うのではないが。

シンプル云々については「リニア・モデル」といわれる政府誘導の成長策についての話だろうが、日本も池田勇人内閣の高度成長策を支えた「下村理論」がある。政府の政策が成長に直結することになるのだが、今後はこのように単純にはいかないとは思う。成長要因が民間の動向、市場性とかいろいろ複雑に絡み合うものがあるからだ。ただこれは成長内容の問題であり、成長自体を否定することにはならない。

最近話題を呼んだトマ・ピケティ氏の『21世紀の資本』は、格差拡大の問題を論じている。数式では「r＞g」と表され「資本収益率」が「経済成長率」を上回ると格差が生じるとする。これを放置すると二十一世紀には格差が拡大しかねないゆえ、この解決には「意図的な対策が必要」と説く。

この書の訳者である山形浩生氏は、ピケティ氏の格差是正案を「世界的な累進資本課税」だけでなく、はっきりした示唆として「まずは経済成長率をあげること」「これでまず分配のパイができ、資本所得の一人勝ちがなくなる」と指摘される（『文藝春秋オピニオン・２０１５年の論点１００』）。

ピケティ氏自身も訳者・山形氏も成長の重要性を説いておられると思う。こと格差問題に関しても成長が必要とのことだ。そのとおりだと思う。

『革新する保守』の著者・寺崎友芳氏は、経済成長の重要性を「簡単な数値シミュレーションでみる成長の意義」と題し「成長率別の将来の経済水準」を数値で示される。経済水準は国民生活の豊かさの指標でもあるが、これによれば成長度合いによりいかに水準が違ってくるかが明確だ。

経済成長を「生産性向上」との関連でとらえる考えもある。この観点からは、長期的経済成長の基本的要素を「物的資本の増加」「人的資本の増加」と「技術の進歩」の三つとし、「技術の進歩」が最も大きい要因（半分）とする。今日的に言えば、「ＩＴ」が象徴であり、これらによる生産革新を伴う成長に着眼している。いわゆる「ニューエコノミー」と呼ばれる経済の大きな変化だ（ティモシー・テイラー著、髙橋璃子訳、池上彰監訳『スタンフォード大学で一番人気の経済学入門』参照）。

いずれの観点にせよ、「成長」についての考えは、今日に至っても維持されている。僕は「**成長は人類の夢でもあり、また知恵の産物として何らかの形で永続する**」と思うし、そうあるべきとも思うのだが。

若者　成長は「生み出すもの」でもある。それを人間が否定したり放擲《ほうてき》したりせずに、そうあるべきと意識する限り永続するもの、ととらえてよいですね。

老学者　「**意思・ウィル**」**の問題**でもあると思う。**そうでないと**「**夢**」**のない話になる。**鉄腕アトム、ドラエモンの世界があるからこそ面白いのだ。そういう意味でも、アニメ・マンガ文化は素晴らしい。言うまでもなくここに描かれている世界は「夢の科学技術」だ。その夢もどんどん「現実化している」ではないか。「科学」と「技術」こそ成長の原動力だと思う。特に日本は資源のない国、「人」が資源だ。「人でないと生み出せないもの」、これこそ「科学と技術」。これは進歩に次ぐ進歩をする、これが「経済の成長」を生み出す。夢がある限り、科学・技術・経済・社会は進歩・成長する。

若者　いつも「夢」をもつことが重要ですね。ところで『里山資本主義』（藻谷浩介・NHK広島取材班著）という本があります。マネー資本主義に対する社会というか、昔の日本社会をイメージしている内容で、自然との共存のうちに暮らす、ということです。爺さんの「国富」「財」とか「経済力」「経済成長」にはあまり馴染まない話ではないですか。経済的視点でなくとも「平穏にして幸福な」暮らしはしうる、ということでしょう。着眼点としては興味深いですが。

老学者　今まで話してきた「経済論」とは違う考えだろう。内容は今後の社会のあり方、人の生き方の一つとして参考にすべきとらえ方だ。ここで指摘されている生活体系は、現に五十～七十年前までの日本の生活そのものであった。マキで風呂を沸かし、御飯を炊いていたのだ。

ただ、日本全体が今後こうなってしまうのはどうかとは思うが、経済主義の行き過ぎに対する見方と考えるべきだ。「持続社会」を前提の考えとして傾聴すべきと思うが、著者も指摘のとおり現代社会の「サブ・システム」（また、非常時の「バックアップ・システム」）という位置づけをもされているのでは。今日の資本主義社会を否定されているわけではない。ただ今後はこのような考えをも入れていかないと偏った資本主義社会（先にも話したマネーを追い求めすぎる社会）になる、という意味での「警告書」と、僕はとらえている。

人間はえてして毒されやすいので、こういう見方もしておかないといけない。「国の平和」はもちろん「経済それ自体」「経済的繁栄」を論じるにも必要な論点だ。また、後に話す（第三章の一）「科学技術の今後の意義」にも関連する。「経済論」と並行的に考えるべき話だと思う。別の視点になるが、里山・自然を求めて地方へ回帰することが推進されれば、特に中央に集中している人口を分散させ地方創生にもつながるし、違う意味での

「平和で豊かな生活」の実現にもなると思う。

なお、この生き方は「晴耕雨読」を日常生活の基本にし、自然に親しみ園芸を楽しむ僕の今の姿でもある。狭いながらも畑を耕し植物の生育をみるのは楽しいものだし、自然の力をおのずと感じる。

若者 自然に触れることは心も豊かしします。ところで「国富」が増大すれば国民の「幸福度」は低下する、という経済学者もいます。また、今回の「コロナ問題」で「成長の意味」を問う人もいますが。

老学者 「幸福」のとらえ方は種々あるから、そう考える人もいるだろう。考えが仮に精神的幸福感を重視するということなら理解するし、それは重要ではあるが、物質的にも豊かであることも重要ではないか。「全体の経済的パイがより大きい」に越したことはないし「全体（より多数）の益」の実現には必要だ。むしろ幸福感の高低は国の政策、分配論・社会政策により違ってくるのではないかと思う。

幸福度が総体的に低下するのは、それがうまく機能せず富が偏在しすぎる場合じゃないのか、もちろんこれは良くない。「平和の享受（幸福の実現）」は、国民の皆にとってより平等であるべきだ。物質的豊かさを口にすると「物質主義的」と解釈されやすいが、社会のための「正当な経済的行為で得られた富」を前提にした話だ。

関連することとして、同じ資本主義でも「日本としてのそれは何か」という問いかけも必要だ。日本古来の倫理観・道徳観を前提に、「世界の範たる資本主義制度」を今後具体的にどのように展開していくかも国・国民として考える必要がある。これを前提にするなら幸福のとらえ方も違ってくる。「コロナ問題」との関連で言えば、これを契機に立ち止まり考えることは重要だ。経済の動きが短期的（？）ではあろうが「動から静」になり、コトの本質に触れることができるからだ。

ただ僕は、今まで話してきた「基本」は「コロナ問題」があろうと変わらないと思うが、数量に支配されやすい成長論が「質的な内容をより重視」する論に変化していく機会にはなると思う。

若者　わかります。「基盤」とすべき第二の理由をまとめてみます。

国は「国・国民のための政策」を実現しなければならない。そのためには、前提となる「健全で豊かな国富＝財政の源泉・元手（租税収入など）」が必要。それには「経済の繁栄」「そのための相応なる経済力・経済成長」が必要。どのようにそれを実現していくのか「国の姿とその基盤」を明確にすることが重要。そこで強靭な「高度科学技術」を「国力の基盤」とし「高度科学技術国家を目指す」。これが「日本ならではの国づくり」になり、先の「命題の解決」とともに「平和国家日本の維持」にもつながるのではないか、「全体図式」はこうなりますね。

老学者　そうなる。原理はシンプルだが、実行・実現は大変だ。これを実効あらしめるには国全体が「ワン・チーム」で真剣に取り組まなければならない。究極は「国の平和実現と維持」ということだ。「経済論」を唱えると「平和論」と矛盾するととらえる人もいるが、それは違う。

そこで「国の平和」について、国際政治学との関連で簡単に触れておこう。

哲学者・カントは理想主義に立った「国際政治学」の元祖でもあるが、平和の実現には「国際平和維持のため国家間の連合・連盟の創設、各国民間の友好関係の樹立・推進の他に、各国民の真の共和体制の形成が必要」と論じた（『永遠（永久）平和論』）。

これは、人間の本性に基づく戦争を排除するのはもちろん、「どのように平和を実現たらしめるかの積極論」だ。このうち「共和体制（社会はその構成員の共同利益のためにある）」の形成実現には「自由・平等・共同法の遵守」が要件となる、とする。前提には各国の「共通の理性」と国を超えた「共同体」への思いがある。カントは十八世紀から十九世紀にかけての学者だが、この考えは普遍的だ。

今日的にみれば、この要件を充足させるには「国が自由にして民主的で政治・経済・社会的に安定している」ことだ。そのためには「国の繁栄」（特に経済的・社会的側面）が重要。これは歴史が示すところでもあるし、ある意味では常識でもあろう。国が経済的・社会的に「貧困」であると「国民生活の不安定・法秩序の乱れ」が生じ「非民主的・独裁制のもと不公正・不平等社会」を招き、結果、争い・戦い（国内外を問わずに）が起きる。争い・戦いの原因は、人間の本性という考えもあるが、仮にそうだとすればなおさら積極的平和論が重要になる。『カント　永遠平和のために』の著者・萱野稔人津田塾大教授は、カントが「商業精神」の重要性を説き「国力」のうち最も信頼できる「財力」により、国は「高貴なる平和」を促進せざるをえなくなる、またその前提には人間の「自然の傾向を知り」「社会の仕組みや制度を考えていく必要がある」旨述べている、と指摘される。今流に解釈すれば、「人間の関心の強い経済力による国の繁栄を生み出す仕組みが平和を担保する、これがあれば無駄な戦争行為には至らない」ということではないか。「国の繁栄」が「平和確保」にいかに重要であるか、これを維持するには国・内外の争いを回避する必要がある。「人間尊重」を説いたカントのことだ。このための基本的取り組みをいかになすか、国は常に思いを致す必要がある。

若者　わかります。カントが平和論との関連で「商業」「財力」に触れているとは興味深いです。哲人ながら「現実」を踏まえていますね。一国の経済論でいえば、相応の「経済力」の維持・向上を目指す、ハデさはなくても「地味でも確実な流れがあればよい」、結果それなりに「国が繁栄」し「財力」を蓄積しよりよい政策が推進されれば「国民は豊かになり平和にもなる」、ということです。

今のところ日本は「まずまず平和」と言っていいのですかね、何をもって「平和」とするかにもよりますが。

老学者「貧困」との関係でみれば格差問題（相対的貧困率の拡大）、子供の貧困（七人に一人）などさまざまな課題はあるものの、総じて表面現象としては「平和」（「平和ボケ」）だ。これは国民のたゆまぬ努力により今話した「全体図式」を特に構えることもなく地道・ひたむきに実現させてきた結果だと思う。

問題は、これを「今後も維持・発展させることができるのか」ということになる。「国家としての意思（政策に反映される）」が問われるのだ。「絶対的貧困（食に困窮する）」が語られるようになれば平和ではなかろう。そのような国にしてはいけない。

二の三　「経済成長」の原動力たる「科学技術の波及力」について
科学技術の有する「波及力」とは

若者　ところで今までの話は「科学技術」が根底にあります。ここで「科学技術」の有する力、その「波及力」の話を聞きたいです。地味ながら「経済力を支える重要なポイント」になります。

老学者　科学技術は「良い意味でより広く活用される」ことに価値があり、活用の過程で進歩を生み出す。活用の象徴的な場は、産業・事業だ。今日科学技術をもって対応すべき課題は山とあるが、解決は「研究室」における理論構築だけでなくこれらを具体化すること、「産業化・事業化する」ことが重要になる。

「産業」とは「生産を営む仕事であり、自然物に人力を加えてその使用価値を創造しまたはこれを増大するため、その形態を変更もしくは移転する経済行為。農業・水産・牧畜・工業・商業・鉱業・貿易をいう」（『広辞苑』）とある。「生産を営む仕事」、この経済行為は「モノの活用価値を維持するとともにさらにその価値を進化させる」ことにある。これにより科学技術は社会で有用となり普遍化する。科学技術は産業・事業の中で育ち、産業・事業は科学技術で充実する。ゆえに「その中身」が常に問われる。

世の中の進歩につれモノゴトは陳腐化するが、これを解決するのが産業・事業を介して「新しい付加価値」を生み出す「科学技術力」だ。これは「科学技術の波及力」と関連が深い。科学技術力は「縦・横」に「波及」する過程で磨かれ「より付加価値」がつく。「技術革新」も一技術の範囲に終始することなく「ひろがりを持つ」ことにより、より素晴らしさを増す。

「技術波及」と「産業波及」について

若者　産業構造全体・各産業・各事業を俯瞰《ふかん》し、科学技術をどう関連づけていくかです。

老学者　一技術を単なる一技術で終わらせず、種々の「波及効果」により技術を大きく活かしていくということが重要だ。波及力については「技術波及」と「産業波及」の二つがある。「技術波及」は「経済規模の拡大」につながり「産業波及」は「生産性の向上」につながる。これらはいずれも「経済成長」をも意味する。「技術波及」は、開発を通じて生まれた新技術や新システムが、他の分野において新たな製品を開発する技術や手法になったり、新産業の創出につながったりすることを言い、源泉は「開発技術」だ。一方「産業波及」は、量産技術を主軸にしたある分野での産業活動（主として生産活動）が、他の分野での産業活動につながっていくことを意味する（いずれも『現代用語の基礎知識』による）。

「技術波及」と「産業波及」の概念は違うが相互に関連している。これらの「波及効果を先行分析」して、特にどのような先端科学技術について拡大していくかが重要だ。「波及が技術向上」を生み「技術向上が波及に影響」する。この循環が「全体のレベルアップ」を生み「高度科学技術国家」づくりの重要要因にもなるとともに、相互に関連しながら付加価値を生み出し「国富」につながることにもなる。

若者　科学技術の「広がり」をより大きくする必要があります。「産業の活性化」につながります。まず「技術波及」について説明してください。

老学者　僕が勤務先で接した「『航空宇宙事業』における技術」を例にしよう。先の『現代用語の基礎知識』によれば次のとおりだ。

「航空機産業」は知識集約型産業の典型であるが他産業への技術の波及効果として、例えば「自動車産業」における制動技術（自動車のブレーキシステム）の他、カーナビゲーションなど、また「鉄道産業」へは、新幹線のディスクブレーキに反映されている。さらには材料開発されたアルミのもつ耐久性・鋳造技術は、アルミサッシに代表される「住宅産業」に波及、「産業機械産業」のタービン（蒸気・ガスいずれについても）についても航空機のエンジン開発技術などが活用されている。他「医療産業」や「エレクトロニクス産業」にも波及している。ハード分野のみならず「ソフトウエアー分野」にも波及、例えばゲームソフトとか世界最長の吊り橋である明石海峡大橋に使用された構造解析ソフト・ＮＡＳＴＲＡＮも戦闘機に関する開発技術による。

今話した「明石海峡大橋」と「ガスタービン」については、勤務した企業が得意とした分野の一つでもあるが、『メタルカラーの時代』（山根一眞著）にも紹介されている。科学技術の有するすごさを感じるね。著者は有名な方だが僕と同様文科系の出身、しかし実によく技術の勉強をされておられる。

若者　航空宇宙技術は、印象的には専門的で難しく深く狭い領域かと思っていましたが、それだけではなく技術のもつ裾野の広さを感じます。

老学者　航空宇宙関係事業所の人事労務全般を担当したこともあるので話した。この事業所はきわめて優秀な技術陣と生産現場の人々の集まる組織であり、有名な「宇宙飛行士」も輩出している。若手との労使懇談会の場で立ち話だが、その人が僕に宇宙飛行士への夢を語っていたのを記憶している、もちろんチャレンジすることを勧めた。

勤務した企業は航空宇宙事業だけでなく、陸上機械＆陸上プラント、船舶・海洋構造物など陸・海・空にわたる製品を世に送り出しており、科学技術については「宝の山」だ。これを日本のあらゆる産業・事業の見地から俯瞰すればものすごい「科学技術パワー」が存在・潜在すると言ってよい。これらを「相互乗り入れ」で常時「縦横に大展開」すれば、素晴らしいものが生み出されることとなることは必至だ。

技術波及とはこれを意味し、個別技術をいかに「個別産業・事業の壁を越えて引き出し波及させ、これをベースにさらなる新技術を開発していくか」が問われる。以前、テレビで紹介していたが、代々木の国立競技場、これは日本の造船技術（鉄骨の組み合わせ）と橋梁技術（吊り橋）の技術波及の産物（両技術の組み合わせ）でもあるのだ。

僕の勤務した企業もかつては「造船」が経営の柱でもあった。見上げるほど（十六階建のビルの高さに相当）の何十万トンの巨大タンカー（これが船か、よく海に浮かんでいるなと思うほど大きい）を思い起こすと懐かしいが、この技術が応用・波及しているとは嬉しくなる。先ほどの「橋梁」も世界各地に大型構造・長大橋をはじめ種々建造・輸出している。この技術が別の構造物にも波及しているのかと感心する。

この例でもわかるように、「技術波及」により各産業・各事業の内容が広がりをみせ、結果「経済の規模」はおのずと拡大していくことになる。地味ながらも「経済成長」を生む大事な要因なのだ。

若者　わかりました。競技場のことは初めて知りました。科学技術は多くの波及効果を生み出すのですね。波及技術の広がりで産業・事業内容が進歩し、結果「経済の規模の拡大」に寄与していくことになるわけです。科学技術と言うと狭くとらえがちですが、そうではないことの共通認識を持つべきです。

次は「産業波及」についてです。

老学者　科学技術国家日本は「研究開発・設計」と、現場における「生産技術」「匠・生産技能」、これらがあいまって維持・発展している。「産業波及」技術は「生産技術による量産効果」に代表される「生産性向上（『工場の生産体制』の日常的課題)」を生み出す原動力になる。典型例は「自動車産業」などに代表される「工場の量産技術」だ。量産技術は生産現場の努力により日進月歩で向上しているのが実態だ。

僕も各事業所の人事労務の経験から、今話した航空宇宙事業分野だけでなく、陸上機械・船舶分野についての工場・現場に接する機会にもめぐまれ、このような「生産の素晴らしさ」を目の当たりにしてきた。「安全・衛生パトロール」もかねて常時現場に出て生産状況をみていたし、現場の人と会話をし生産技術について教授をしてもらってきた。したがって生産に関する技術的知識は興味も手伝い、文科系だが相応にあると自負している。

若者「工場の生産体制」といいますと、今後は各種「ロボット」による自動化・量産体制への取り組みがあります。産業波及の象徴・典型であり、今後生産の柱になります。

老学者 日本における量産技術による生産行為の向上には歴史がある。FA(ファクトリー・オートメーション)、これは工場(生産行為)の自動化運営で、事務所のOA=オフィス・オートメーションに対応するものだ。工場における「設計・製造」に「CAD・CAMシステム」の導入、さらに加工・組立に関し、「加工」については「MC(マシニングセンター)」がありこれは旋盤などの工作機能を持つ工作機械の万能選手、複合能力機械としてNC工作機械の中心的存在だ。早く・やすく・よいものを生産するためのオートメ化だ。また、「組立て」については多種のロボットがある。最後は、出来上がった製品の「保管と出荷」だ。「自動倉庫・自動搬送(オートスタック・クレーンなど)」がある。これら全体の生産システムが「FMS(フレキシブル・マニュファクチュアリング・システム……組立だけでなく搬送・検査・全体管理を含む)」だ。設計から保管・発送までについてのオートメ化についてだが、日本企業の工場生産は各業界とも相当なレベルに達している。生産性向上を目指すための「産業波及効果」の典型だ。

若者「産業波及」の究極は全国の工場「無人化」であり、夢ではないですね。

老学者「FA」をさらに進化させたものが「無人工場」だ。これは、機械加工・組立の完全システム化になる。コンピューター・コントロールによりロボットを完全制御し、全く無人で生産をする工場だ。人間は、グラフィック・ディスプレイにより端末の押しボタンを操作するだけ。機械加工・組立・搬送すべてロボットによるし、製品の検査もロボットでする。生産管理である工程・原価・在庫の管理や、短期・長期の生産計画もシミュレーション・システムにおいて実施するなど「夢工場」だ。

ここまでになっている工場が現状日本全国にどれほどあるか詳細は知らないが、「産業波及」によりやがては日本国中このような工場になる日が来る。人間はこのとき機械に支配されるのではなく機械を思うままにコントロールし、ゆとりある時間でアタマとココロを使う仕事をし、人間の手でしかなせない技を見せることになる。「人間の回復」がなされた生産現場の実現……「生産性の向上」の究極の姿だ。「経済成長」に寄与することは言うまでもない。

若者 ロボットについてですが。「産業用ロボット」については、日本の得意分野ですね。日本ではロボット元年といわれた一九八〇年から飛躍的に生産がのびてきています。産業用だけでなく、世界に誇る多種類のロボット大国だと理解していますが。

老学者 種類はいろいろあるが、使用目的から分類すれば「産業用・移動・宇宙探査・レスキュー・ウェアラブル・医療・福祉ロボット」などがあり、最前線のものとして「ヒューマノイドロボット」がある（木野仁著『ロボットとシンギュラリティ　ロボットが人間を超える時代は来るか』）。また、使用範囲では「汎用とその他」がある。

産業用としては、最近は自動溶接などの「多関節ロボット」と電子部品プリント基盤にのせる「電子部品実装機」に大別されている。制御情報入力方法の種類で分類すれば、「マニピュレーター型・固定シーケンス型・可変シーケンス型・プレイバック型」があり、ロボットアームの動きにより「円筒座標・極座標・多関節・直角座標型」などが分類される。

「ヒューマノイドロボット」は「人間的ロボット」として現に登場し、今後さらなる開発をされていくだろうが、「知能」を有し、視覚や触覚、聴覚（音声認識）という「知能知覚機能をもつ高級ロボット」だ。人間の身体機能に類似した柔軟な動作機能を持ち、人間の要求や命令に対してロボットの内部外部の情報を媒介に「自分で判断して作業をするロボット」だな。近い将来はこの種のロボットが産業をも支えることになろう。「次世代の産業革命」になる。これを先導できるかどうかが「国力を左右」することにもなろう。ロボットに国の科学技術のすべてが集約されることにもなりうるからだ。とにかくその進歩は目をみはるものがある。

日本は国をあげてこのロボットに代表される生産技術・量産技術の向上と、それ以外にも種々の分野への波及につとめる必要がある。高度付加価値を有するモノづくりは言うまでもなく、あらゆる分野の活動（人の日常生活・福祉活動・サービス産業の手段・教育手法などなど）に欠かせなくなるからだ。

これらは単に生産行為に限らない「産業波及」になる。波及過程で活用の広さが一段と求められ、さらなる量産技術の進歩がなされ、これがさらに波及効果を生み出す、科学技術の持つ素晴らしさだ。「量産技術」については「アジアの開発途上国の猛追」があり、うかうかできない。

これらのベースはすべて「基礎研究と技術開発」による。アウトプットされるモノは当然のことながら、「生産プロセス自体の技術」についても他の追随を許さない内容にどうやってするか、この視点での「研究・開発」

にも力を入れていく必要がある。国をあげて真剣に取り組むべきだ。

若者　話は飛びますが、「科学技術の波及」の話を通じて「国の経済的繁栄」の背景にある科学技術力の重要性を考えますと、今後は数理に明るく技術がわかり関心の高い人を政治家や官僚、企業経営者に登用しないといけないような気がしますが。

老学者　そう思う。僕は日本の「技術者（研究・開発・設計・生産技術を問わない）と現場生産技能者」は本当に優秀だと思う、あらためて敬意を表したい。日本の明日のためお互いに協力し合って大いに活躍していただきたいし、国として「もっと光を当てるべき」だし「もっと力を入れて評価すべき」だと思う。

行政府自身も技術者・技能者の採用を促進し優遇すべきだ。行政の幹部に文科系が多すぎるのではと思う。新藤宗幸著『技術官僚』によれば、明治時代以来のことではあるが、今後はどうなのか。さまざまな組織において技術者・技能者の「幹部登用」にもっと留意すべきだ。「科学技術の力」の素晴らしさを大切にし「波及力」にも思いを致すには必要な視点だ。

三　「国民性」が活かせる

三の一　「国民性」について

若者　「国のあるべき姿」の三番目の理由として「国民性が活かせる」とのことですが。日本人はそのような「国民性」を有していましょうか、話の論点は。

老学者　世界から一目置かれる「日本ならではの国」を目指す一番の要素でもある。「高度科学技術国家に馴染む国民性か」、と問われれば「大いに馴染む」と思うし「活かせる」ということだ。

冒頭でも少し触れたが、我が国は「科学技術国・科学技術的国民」「経済国・経済的国民（これは冒頭で話した商人的とは異なる意味だが）」と言ってよい。その「国民性とは」を考えるとともに、その証の一つでもある得意分野の「モノづくり＝日本ならではの象徴」についても触れよう――最近あまり語られなくなっている――これではいけない。

また、前提となる、国としての「ダイナミズム」についても考える必要がある。これがないと「国民性」が活かせない。

「科学技術」に馴染む国民性を有しているのでは

若者　「国民の特性（国民性）」についてですが、随分前に読んだ本、宮城音弥著『日本人の性格』によると、「国民性」には三つの異なる概念があり、

①その国民に多く見られる特徴（最頻性格＝モーダルパーソナリティー）
②父祖伝来の生活様式に代表されるその国民の文化
③その民族としてのきまった性格

とあります。これを前提に「具体的に何が」日本人の国民性と言えるかどうかです。

老学者「国民性」とは「その国に特有の価値観、気質、行動様式をいう」（『広辞苑』）が、国の歴史・気候・社会構造などの違いによるとされる。この研究は戦争相手国の事情を調査することに始まり、第二次世界大戦中に取り組まれた比較的新しい学問だ。日本について明確な定義がなされているのかどうか、それこそ日本人のルーツ（諸説がある）や遺伝子の研究なども必要だろう。

国民としての違いも明らかに違う場合もあるが、人類という視点に立てば各国に共通するものも相応にある。これは相対的な違いでみるしかない。また要素別でなく、それらを総合してみることもできるのではないかと思う。だから学問的定義は別にして、中身はその国民の歴史・現に存する文化・日常の行動内容からうかがい知れる「素朴な事実」・国内外の世間的評価内容からとらえてよいのではと思う。ある意味では「経験則」からの判断になる。「主観的」と言われるかもしれないが。あえて学理的に言うならば、指摘の①②③の総合ないしは定義の各要素の印象判断になるだろう。

僕が思うに、**日本人は「頭脳と技術・技能に優れ（特に緻密で繊細）、穏やかで勤勉（努力家）だ。また結束力（集団性）もある」のでは。これは「主観的」判断としても世界も認める「日本ならではの国民性」ではないのか。**この良さ（平凡ではあるが）は、先の要素で言えば頭脳は別として気質・行動様式ともいえよう。これは、いきなり結論を言うようだが「高度科学技術国家」を形成する重要要因になると思う。

「頭脳と技術・技能に優れ（特に緻密で繊細）」については、歴史と現実（先に実例で示したように）が証明している特質といえるのではないだろうか。論じるまでもないがあらためて言えば、頭脳面で言えばまずは科学技術教育も含め教育熱心であり、高等教育も普及している。制度・内容に問題はあるとしてもだ。国民の知的レベルは高いし知識欲も大いにある。もともと潜在的に知能水準も高いと思う。結果、今世紀に入ってからの理化学系・ノーベル賞も米国に次ぐ多さだ。

また、単に技術にとどまらずそれを活かして形作る頭脳の延長とも理解できる「技能」もきわめて高く、企業力がそれを証明している。例えば最近の「世界シェアナンバーワン74品目」のうち、製造に関する品目については後退してはいるものの世界第三位の位置にあり（日経　業界地図「２０２1年版」参照）、先ほど話した今を時めくロボットも、産業用については世界シェアを席巻している。このような例は種々ある。

気質・行動様式面からみた「穏やかで勤勉（努力家）」については、気候（温暖）も影響してか、世界に誇るものであり日本的価値観の産物でもある。「科学技術に専念」するには重要な要素だ。これらは過去・現在の日本人の諸行動様式にも反映されてきている。

歴史的にみて日本人は四方海に囲まれていることから、他民族との争いもなくおおよそ平穏に暮らしてきた。自然に恵まれ農耕を中心に穏やかな生活ができた。閉鎖的ではあったが「家族主義」で皆一緒に協力して「和の精神」で事を平穏に成してきた。皆平均的で一人の突出した人をあまり好まず「中庸・平和的」に歴史を刻んできたのではないか（下剋上の戦国時代・江戸末期から明治初期・太平洋戦争時代などの一時期を除いて）。四季を愛《め》でつつも「勤勉」に農耕にいそしんできた。「日本昔話」の挿し絵にあるあの風景がもともとの日本の原風景だ。地蔵さんの頭にカラス、鍬《くわ》を担ぎ野良仕事に出かける人々、というのんびり・ほのぼの風景だ。だがここに日本人の「力」が読み取れる。「平穏」にして「勤勉」ということだ。

この人たち、結構「働き者」。平穏だが五穀豊穣を願い毎日畑仕事に出る。朝早くから野に出て日が暮れるまで働きづめだ。汗をかくことに無上の喜びを感じる。もともとはこういう民族だ。現今はかくなる風景は少なくなったが、ほんのちょっと前まではこうであったな。これは一種の社会構造とも言えよう。「穏やかさ」は文化が示している。茶道・華道・ひらがな・和歌・盆栽・箱庭・自然を表現した美的感覚を伴う和食・和紙。わび・さびの心などなど数えきれない。欧米と比較しこの繊細さ（穏やかさを生みだす）はなかなかのものであろう。これらは、職人気質（大人しくひたむきにその道を究めていく）にも反映している。

若者　何となくわかります。ところで日本は「何かをなすときすぐに『打って一丸』となり燃える国、力を発揮する国」だと聞いてきました。典型的なのは、普段は「勤勉で平穏（大人しい）」ではありますが、豊穣を願いまた祝う「お祭り」では一丸となり「集団として燃え上がり」ます。まだすたれてません。これも気質としての重要要素ですね。

老学者「集団性」は日本の気質として言えるが人類共通のものでもある。ただ程度と内容の違いがあるだろう。欧米はどちらかと言えば良い意味での個人主義であり、自分のコトは自分でなす、他の干渉・関与を好まず独立性が強いとされる。

日本の「集団力」について農作に例をとると、年に何回かの「祭り」があり「祭り好き」だ。村の衆が集まり「一緒にヤロウ」という掛け声のもと、この時とばかりに神社で「燃え上がる」。オジイサン・オバアサンも含めてだ。町民・村人、ねじりハチマキで皆で歌い踊り、太鼓を叩き御輿《みこし》を担ぎ、水をかけ合い祝い酒に耽《ふけ》るのだ。この気質は、無関係のようだが、近代化とともに「国の発展に寄与してきた原動力」でもあろう。対象が農耕から工業に転じ、風景が農村から都市に変化してはいるが。

この国民性について全員に自覚があるかどうかは知らぬが、世の中の変化はあってもこういう気質が少なくなったとは思わない。豊作を願い・祝う「お祭り」は洋の東西、文明・文化の進歩の度合いを問わず世界共通、どの国にも見られるとはいえど、何か「機能的な仕事」をなすときでも「イザなさん」とその潜在的気質が自然と働き「お祭り的気分になれる（御輿を担ぐ）」「皆でやろうや、と家族主義的集団として取り組む」、これが日本的ではないのか。個人を中心とし尊重する西洋の合理的姿勢に比して、情緒的ではあるとは思うが。四方を海で囲まれた国ゆえに「周りを警戒せずに気安く一つ」になれる。他からの干渉もなく一つの町・村落で共同体として暮らしてきた農耕文化に由来するのかもしれない。これは他からの侵入を常に警戒せねばならぬ民族（「城壁」がある西洋の都市に象徴される）や民族間の対立・闘争が日常的にみられる国との違いであるような思いがするが。

若者　これらの基本的気質の結果が大いなる国の進歩を生み出してきたことは「戦後から今日に至る諸事実」をみても明らかです。終戦時の壊滅的廃墟からの驚異的復興、阪神淡路大震災・東日本大震災からの復興などをみてもわかります。現時点でも本質的能力・気質が変わっているとは思えません。

科学技術分野での卑近な例は「はやぶさ１・２」の取り組み・快挙です。ＪＡＸＡの皆さんは、個別にはきわめて優秀な頭脳の持ち主でしょうが、「組織あげての大活躍」、これをみれば大いにわかりますね。

もちろん、大プロジェクトゆえ、我が国だけでなく米国ＮＡＳＡをはじめ他の国でも同様なことはいえるとは思いますが。集団的でなく個別の優秀な能力でコトがなせる場合もありましょうが、「高度科学技術」には「頭脳集団の協力の産物」も大いにありますよね。

老学者　もちろん一人の傑出した人物が独創的なものを生み出すことはままある（米国は典型的）し、今後かくなる能力を重要視していく必要は大いにある（第二話で話す）が、集団による研究・開発にも大いなる成果がみられる。この視点に立つ限り集団力は重要要素だ。

今後、特に必要となる巨大科学的事項、特に「ビッグプロジェクト」になると重要さは一段と増す。個人の力だけではできないし、バラバラな取り組みでは完遂できない。

若者　他に指摘する事項はありますか。

老学者「科学技術国家」との関連で言えば、日本人は「**物事の吸収に前向き、進取の気性に富み、新しい文化などへの取り組みは熱しやすく積極的**」「**文明・文化に関し先進的で向上心あり**」「**吸収した物事の応用能力にたけている**」「**加工技術・技能に優れている、細かい手先の作業が優秀で繊細である**」「**何事をなすにも丁寧である、よって品質が高い**」「**総じて人材のレベルが高い**」などよく耳にする話だ。

これらは、価値観・気質・行動様式の総合とも言えるだろう。戦後の急速な経済発展の過程で日本人のなしてきたことをみればそう言えるだろう。今日に至るまで日本の製品、特に応用技術の産物であるハイテク製品（最近はそれを構成する部品）は、その品質のよさと安さで世界を席巻している。現にスマホも日本の部品製作技術がないと出来上がらない。

この特質は「盆栽」や「箱庭」「料理」などにも反映されており、外国人が大いに愛《め》で感心するところだ。さらに「ガマン強く忍耐力がありコツコツと地味に事をなす＝どこでも行儀よく列をなし自分の順番のくるのを待つ姿勢に象徴される、素直である、秩序を大事にする、権威に従順だ＝権威ある社会集団において全体行動は大人しく従順、やるとなるとやってみせる＝昔で言う『大和魂』がある、親切だ、『絆』を大事にする、キレイずきだ」などと評されているようだ。

ごく当たり前のような内容だが、一見無関係な内容に思える評価も含め、いずれも「高度科学技術国家」の維持・向上には重要要素になると思われる。

若者　日本人の性格・気質を論じた学問的キーワードとしては、丸山真男さん（政治学者）の「タコツボ型」、中根千枝さん（社会学者）の「タテ社会」、土居健郎さん（精神医学者）の「甘えの構造」があります。これらは日本の「外に対する閉鎖的傾向、内向きの集団主義」の一面を描写したものですかね。この指摘は反省すべき性格・気質だとも思います。内輪重視の閉鎖的な行動形態では、オープン・マインドの必要な科学技術社会にはマイナス要因だと思いますが。

別の観点として、藤原正彦氏（数学者）はその著『国家の品格』で、日本人には「段違いで日本人がトップと思われる」「高い道徳心」があると言われていますし、ハンチントン（米国・政治学者）も八大文明の一つとして日本文明をあげ、その「独自性」を指摘しています。国としての品性、独自性もある、ということにもなります。また、ルース・ベネディクト（米国・文化人類学者）は「恥の文化」と日本人の「内向き」を指摘。外には出さないがゆえの「秘めた力」はあるのですかね。

いろいろな切り口がありますが、これらの国民性は「高度科学技術国家」に馴染む要素であり、国家形成に「活かせる」資質と言えるのでしょう。ただ「類似の国民性」を有する国も他にもあるような感じはしますが。

老学者　先にも少し触れたが、「人類という共通性」に立てば類似する国は相応にあるだろうが、そこは「比較論上、質的程度の違い」がある。この「ちょっとした違い」に「国民性」の要因が内在するのではないだろうか。また、丸山真男さんがその著『日本の思想』で述べられる「タコツボ型」気質などは鋭く面白い分析だが、このような一種の孤立的閉鎖傾向については、あれば正していく必要アリだ。ただ、いいように解釈すれば今触れた「内輪重視」の行動形態全体として「ひたむきに仕事に打ち込む気質＝良い意味での職人気質」に通じるとも言えるのではと思うが。

いずれにしても、理論的な学問的判断は別にして、世の中で評される事実を一つ一つ積み上げてみていくと、総じて「我が国民には、高度な科学技術開発・高度なモノづくりやサービス&ノウハウ提供に必要な資質があり、皆も何とはなく自認している」と言えるのではないかと思う。僕の今までの経験（肌で感じてきている）からそれなりの自信はあるが、どうだろう。

若者「国民性」に関連して「地理的環境」にも特性がありますね。

老学者「国民性」自体ではないが、大いに関連している。日本は四方海に囲まれるがゆえ、他国と比較して「科学技術に専念できるし、またそうした方が良い地理的環境」にある。「地理的環境」は物理的にみて絶対条件になる。地殻変動や小松左京さんの「日本沈没」にならない限り、日本は今の経度・緯度の場所に存在し続ける。これを「活かす」ことが重要だ。

地政学的（政治と地理の融合学）にもそう言えるのではないか。各国の動きもその前提には地政学的状況がある。沢辺有司氏はその著『図解　いちばんやさしい地政学の本』に「地政学の重要な出発点」として「それぞれの国は、ずっと同じ地理的条件のうえに成り立っていて、その条件をぬきにして戦略をねることはできない」と指摘、「シーパワー（海洋国家）」と「ランドパワー（大陸国家）」を基本概念とされる。

若者　地球儀をよくよく眺めてみますと、日本は本当に特異な位置にあります。これこそ「絶対的、日本ならでは」、ですね。このようなアジアの片隅の小さい国が、世界第三の経済大国としてよくも頑張っているものだと不思議にさえ思えます。

四方を海に囲まれている、東・南には広大な太平洋が控え、西にはこれまた日本海をはさんで広大なユーラシア大陸が広がる。この地理的環境を世界の中で生きていくため「活かす」べきです。今話の「シーパワー」としてです。

老学者　陸続きでない、四方海に囲まれている、これは、そうでない国と決定的に違う。比較論だが「政治的・軍事的な接点的煩わしさ」がそれほど大きくはない（外交・国際政治を学んだ者として、相応にあることは充分にわかった上での話だが）。これは「より科学技術に専念しうる国であり、また経済国家たりうる環境にもある国」と言えるのではないか。

これを前提に、海を越えた活動をすればよい。国際関係は複雑を極める、シンプルではない。常時難しい方程式を解いていく必要がある。それだけに国としてどのような基本的観点に立つかが求められる。現在も将来も日本の立場としては「科学技術力」「これを前提にした経済力」を中心に、七つの海を「媒介」とする各国家との協力関係の維持・向上が基本的スタンスになると思う。

「海洋国家」「通商国家」「貿易国家」としても、**四方に平等・均等な協力関係を維持・向上させることにより国が成り立つ。最後にモノを言うのは「客観性・普遍性」を持つ「科学技術力」とその結果としての「経済力」であると思う。この観点に「立ち続ける」ことが必要だ。**

付言するに、「経済力」が外交・国際政治上モノを言うのは「今の中国」をみればわかる。改革・開放政策後急速に経済成長を遂げた中国は、今や米国と互角の力を有するまでになっている。「経済力」のすごさの証だ。その背景には科学技術力の急速な進展がある。

若者　世界で六十一番目の小さい面積の日本です。ただし排他的経済水域（EEZ）を入れれば四四〇万平方キロで、世界で六番目、さらにこれを立体的にみると四番目にはなりますが。いずれにせよこの国が生きるには地理的条件も見なければいけません。

老学者　小さい国だが不思議に、日本はその持つ「経済力・科学技術力と背後にある文化・文明水準（科学技術・知的水準）」について一目置かれている。そうでなければ、地政学（ゲオポリティーク）上は大平洋の片隅にあるほんの小さい国にしかすぎない。このことをよくよく考えるべきだ。

「片隅にある」がゆえに「あまり欲ばらず重点思考（質を高める）でいく」こととし、視点を拡散せずに「科学技術・経済に重点を置く」ことにすべきではないのか。外交・国際政治の観点からも妥当だと思う。この妥当性は、戦後経済重点主義国として「非軍事化・経済国」への転換で実証されてきており、科学技術力・経済力のおかげで先進国と認知され大国扱いにされてきたし、今もそうだ。今後もこれをよく認識した上で世界に対応していく「宿命」にあると思う。いずれにせよ「地理的環境」は「国民性」と連動して「活かすべき重要要素」だ。

若者　福沢諭吉は、その昔創刊した時事新報に「脱亜入欧論」を唱えました。当時として鋭い見方で今日の日本をつくりあげるベースにもなりましたが、世界は大きく変わりました。今後は片隅にはいるものの「脱」でも「入」でもなく「均等の精神」でその持ち味を活かして各国に臨むということになりますね。

老学者　そうだ。「均等論」に馴染むのが「科学技術」だ。欧米との関係も、アジアにおける位置づけも、グローバルな世界全体論でみてもそうなる。これに「専心すべき」ではないかと思う。「科学技術力中心の経済力のある国」であり続けるべきだ。これは「独立自尊」の国としての心構えではないか。何事も「独自性」があればこそ一目置かれる。「外交・国際政治・国際協調」の原点だ。

三の二 「モノづくり」について

若者 「国民性」との関連で日本人の得意とする「モノづくり」について教えてください。「日本ならではの国民性を活かす」重要要素です。話のポイントは何ですか。

老学者

①「モノづくり」は「人類の歴史でもあり基本でもある。したがって人類が存在する限り永遠に続く」「日本の得意分野（一種の文化）でもあるから永続させるべきだ」

この命題の重要性の認識と、

②「モノづくり」の「空洞化」（「産業の第三次化への流れ」と「生産拠点の海外移転問題」）は「政策いかんにもよる（特に生産拠点問題）」

③サービス産業（第三次産業）も「モノづくり」をベースにしている

この三点がポイントになる。

「モノづくりの永続性」と「日本ならではの得意分野」

若者 まず①についてですが。「モノづくり」は永遠に続くとのことですが、そうなれば、これは日本の「国家存続の重要なカギ」になるのでしょうね。そもそも「モノづくり」とは何でしょう。

老学者 我が国の「国家存続の重要なカギになるか」と問われれば、そうなると答えたい。そこで「モノづくり」とはだが、これは単に「モノをつくる」ということではない。厳密な定義は「工業製品生産につき、無機質な大量生産・効率化による付加価値の追求でなく、職人的完成度や革新性の高さに付加価値の源泉を追求する姿勢」のことであり、経済産業省の「ものづくり産業振興」指針によれば「イノベーションによる新産業群の実現、生活文化産業の高付加価値化・差別化の実現、安全・安心で持続可能な社会の実現……」などとある。特に「付加価値をつけること」がキーワードになろう。

これに関し、経済学者の真壁昭夫先生は「日本のものづくりの強みは『組み合わせ』と『微細さ』」とされ、企業の「現場力」の強さを「日本企業復活のためのひとつの答え」とされている（同氏著『2013 メイドインジャパンの大逆襲』）。大いにかみしめるべき指摘だ。

最近の日本人は一部の人を除いて、国民として誇るべき「モノづくりの良さ・すごさ」それ自体を忘れつつあるのではないか。これではいけない。サービス産業も重要ではあるが、これに眼が行きすぎても困る。

若者　忘れつつある、とすれば問題ですね。ただ「モノづくり」については、国民総生産の二十パーセント弱しか占めていません。サービスが七十パーセントも占めています。が、それでもまだまだ「モノづくり」ということですか。爺さんも四十年にわたって重工業（モノづくり）会社に勤務されていた経験から、ことのほか思いが深いのはわかりますが。

老学者　国民総生産額から言えば約十七パーセントだが、それでもなお日本の原点の一つは「モノづくり」文化だと思う。重工業（モノづくり）会社に勤務していたから言うのではない。もともと「モノづくり」は人類・文明・経済・国富など、生活のあらゆる面での原点、モノがない生活・社会などありえない。モノの形態・機能などが変わるだけで「モノそれ自体は存在する」し、今日的なサービスもモノの存在を前提にしている。この意味では一国に限定されない普遍的なものではあろう。

だから「日本でなければならない」でなく「どこかで作ればヨイのだ」という話にもなるのだろうが、そこが問題だ。日本の「良さをよく知る」必要がある。まずはそれを生み出しているのは「生産現場」だ。日本の場合、これが「素晴らしい」。この現場が厳然として存在している。それに、モノづくりは「いわゆるモノづくり」だけでなく研究・開発、設計、アフターサービスなどの「前後の科学技術力」も関連しており「トータルで広くとらえる」必要がある。これらも「日本が得意とする」ところだ。

光山博敏、中沢孝夫著『現場力―強い日本企業の秘密』には、日本のモノづくりの強みの源泉を一言で表現するなら「品質を工程内でつくりこむ独自のプロセス・イノベーション力」と指摘、「工程間の良い流れ」を念頭に、①生産性、②生産リードタイム、③開発リードタイム、④開発工数、⑤不良率、⑥設計品質が、競争力をもたらしてきた旨解説されている。

そのとおりだと思う。「リードタイム」とはコトをなす期間をいうが、高品質である限りは短いほどよい――これらは「高い組織力」が前提――ゆえにいわゆるモノづくりだけでなく「総合力」が問われているのだ。経験からすると実によくわかる話だ。

このような観点からみても、簡単に「どこでも」などと言うわけにはいかない。後でも触れるが日本のモノづくりの「底力」は世界に冠たるものがある――現実が示している――これを忘れてはいけない。

会社時代、多くの「製造・建設現場」に接し「モノづくりの現場」の人々とのコンタクトに大いに恵まれた。先に話した事業・製品の内容をもう少し詳しく言えば、陸としては産業機械や電力・鉄鋼・化学などの大型陸上プラント、汎用・回転機械製品などがあり、海については、船舶・海洋構造物など、空については航空機エンジン・宇宙関連機器（ロケットのエンジンなど）がある。

各三分野の事業について地区別事業所があり、各事業所とも三〇〇〇人から四〇〇〇人の従業員を擁し、そこでの各工場も一〇〇〇人前後の従業員がいて日夜額に汗し油にまみれながら「モノづくり」に邁進していた。人事労務担当として昼夜を問わずにきわめて多くの人との接点を持ったが、現場は実にしっかりしている。「偽らない感想」だ。

職人の技を持ち直接生産に携わる人や、まとめ役の職長・班長をはじめとして、現場と常時接している研究者（基礎・開発）、設計マン（基本・構造・詳細・生産）、生産技術者、工場管理者・生産管理者、調達マン・検査担当・品質管理担当・サービス担当など、あらゆる職種の人との接触を通して「現場の素晴らしさ」を身をもって「体得」してきている。現場での仕事を介しての会話、定時後のインフォーマルな会話（要するに飲み屋での談論風発）による体験だ。

これにより得られた「モノづくり」についての見方は揺るがない、と自負している。デスク上の話ではない。僕の会社だけでなく経験した限り、**我が国のモノづくり企業は大中小を問わず「すごい力」を有してきたし、現にそうだ。「日本の財産」だと思う。この力の「火を消すようなことはあってはならない」と思う。**

寺島実郎さんはその著『国家の論理と企業の論理』で「この国の進路の基軸とすべきことを言及したい」として次のような指摘をされている。

「日本はあくまでも『モノづくり』の分野を大切にするべし」とし、「古今東西の歴史をみても、モノづくりに情熱を失った国家の末路は哀れである。とりわけ日本は、今日の国際的地位を『モノづくり』分野での実績によって築いてきた。おそらく、日本人の生真面目で器用な気質・文化が『モノづくり』に適していたともいえるであろう」と、第二章「グローバリズムの受容と超克」の中で重要な指摘をされている。

著者は、商社マン（三井物産・役員）として世界を見てこられた経験もあり、各国の比較・分析を通して大局的判断をされていると思う。

若者　あらためて「日本人の良さ」を忘れてはいけないと思います。
　ところで前後しますが、モノづくりは「永続する」について、そもそも「モノづくり」の「モノ」とは何ですかね。永遠の存在としての理解が必要です。

老学者　存外先入観があるようだが、「モノ」とは形をなすものすべてだ。『広辞苑』によれば「モノ」の定義は「形のある物体をはじめとして存在を感知できる対象物」とある。この概念を前提にはするが、ただ「単なる物体」はここで話すモノには入れない、何らかの方法で人類がそれに「付加価値をつけてきたモノ」をいう。

　これを踏まえての話になるが、これから話す日本が今後継続して取り組むべきモノづくりは、何も製鉄・電気・機械・船・自動車のような金属産業の話だけではない。モノづくりとしてあまりイメージされていない米・麦・野菜・果物などの農産物や、場合により魚・貝・海藻などの水産物、加工された食料品、手づくりの寿司も入るし、林業の木材なども入る。この世の中で人類が価値づけをしてきた「モノすべて」だ。

「お米」について言えば、日本の技術による品種改良に次ぐ改良でますます美味しい御飯がたべられるし、「魚」を例にとれば、科学技術によりマグロの養殖が可能になっている（近畿大の例）。これらは科学技術の産物のモノだ。我々の生活を潤してくれる「花」についても、美的で芸術的であるから表現に抵抗はあるが、物質（モノ）の一種である。改良を重ねた花を通して花の美しさを世界に広げていく、夢のある話だ。このように大きくとらえる必要があろう。これらはすべて高度科学技術の対象（モノづくりの範疇《はんちゅう》）だ。

　歴史をたどると、人類は実にさまざまなモノを工夫に工夫を重ねつくってきた。人類の歴史はモノづくりの歴史でもある。人類の始まりでもある旧石器時代（猿人・原人・旧人）、中・新石器時代（新人）の歴史を見ても、れき石器・石核石器・剥片石器・骨角器・細石器・彩文土器などなど作られたモノとの関連で語られている。

　その後も人類はモノづくりとともに発展――土器、青銅器、鉄器から、蒸気機関車、印刷機械に代表される産業革命、電気、飛行機、船、自動車、真空管、ラジオ、トランジスター、テレビ、しろもの家電製品、ジェット機、種々の産業機械、各種プラント、原子力、コンピューター、ロケット、携帯電話、ロボット、医療器械、などなど、皆「モノづくりの産物」であり、発展に次ぐ発展を遂げてきた。

発展は、このような生産財とか工業製品関係に代表されようが、それだけではない。先ほど触れたように、米、酒・味噌のような伝統品も、身近な清涼飲料水も、親しみのある野菜を作る鍬など農機具、日常の衣料品や素材のナイロンなどとか、目の前にある建造物もそうだし、薬品も、すべて発展を遂げてきた。

朝起きてから夜寝るまでの間、人間の行動を振り返れば須《すべか》らくモノを媒介にして生活している。朝の洗顔に始まり朝食を摂り新聞を読み道路を歩き、電車・バス・車で出勤、事務所・工場で勤務、勤務中はデスクでパソコンを操作し書類を作成し自宅に帰り風呂に入る。夕食を摂りフトンに入り就寝、すべての行動を取り囲むものは「モノそのもの」だ。この中身が質的に進歩し、また新しいモノが生まれ出るというのが現実であり、その恩恵を受けているのが人間だ。生活のすべてはモノづくりに依拠している。

このような、文明の産物であるモノそれ自体は「人類がある限り」形・機能を変え（進歩する）はしても、「存在すること自体が求められ続ける」と思う。人類にとってモノの存在しない世界など「ありえない」、想像さえできない。これを忘れてはいけない。

そこで「モノの内容、つくる方法」が今後も問われ続けられる。重要なことは、モノづくりについてのきちんとした「哲学」が、前提として現にまた今後も維持されていくかどうかだ。物事をなすためには基本的考えが常に重要だ。

例えば小林昭さんは、その著『「モノづくり」の哲学』でモノづくりの本質を述べておられるが、「人間生活を豊かにする」ことを理念に「何をつくるか」は東洋的精神文明（生産哲学）、「いかにつくるか」は西洋的精神文明（生産技術）を考察すべきとされている。一つの考えとして参考にすべき見解だ。

畑村洋太郎さんは、その著『技術の街道をゆく』で「価値の世界」に目を向け、「新しい価値」を見出すには「WHAT」思考が重要との指摘をされている。モノづくりもそれが有する「価値」いかんを常に問い、人類の進歩につなげる必要がある。

この意味でも、**簡単にモノとは言うものの「意義深い」ものがある。仮に量的比率が低下しても「質的により価値あるもの」を生み出していけば「社会的意義は永続」するし、そうでなければ「文明・文化の衰退」を招きかねない**、と思うが。

「モノづくり」の「空洞化」とは

若者　わかります。永続するには人間生活を「より豊かにする」ことを基本理念とすべきです。

ところで、②の点について。最近は下火になりましたが、一時「これからの世の中はモノづくり（第二次産業）ではなく、サービス（第三次産業）の時代だ、モノづくりは『空洞化』する」という話がなされていました。

これは、幻想だと思いますが。

老学者　人類がある限り「モノづくり」は永続する、と言うより永続させなければならない。その意味で「空洞化」はないし、してはいけない。サービス業と言っても、これは「モノを前提」にしている。金融大国・第三次産業大国といわれる米国でもモノづくりは消えてはいない。金融大国ゆえ金融業の活動・伸張が第二次産業と比較して目立つが、ビッグビジネス、ワールドビジネスとしての製造業は健在だし、何よりもベンチャービジネスに象徴される「革新的なモノづくり力」は衰えていないと思う（量産になると他国に移る傾向があるが）。

先に触れた『産業空洞化幻想論』で唐津一さんは「モノづくり大国に死角なし」と題し、締めくくりとして、「日本の今日の強力な経済は、モノづくりの技術がつくりだした。天然にころがっていれば単なる石ころにすぎないものを精練して加工すると、一トンで何億円にもなる半導体ができる。このようなモノづくりによる付加価値が、日本の経済をつくりだした。そしてそれには技術が必要であった。だから技術力を日本が失うなら、たちまちこの経済は失速する（略）これからの日本の繁栄のため、我々はさらに一歩でも二歩でも先にいかなければならない」と述べておられる。

そのとおりだ。今後はサービスも一段と重要視される社会になろうが、モノづくり、またその技術の重要性は継続する。空洞化などない、問題はその「内容いかん」だ。先に話した真壁先生も、日本の技術がなければアップルのアイフォンもサムソンの電子製品もない、と指摘されている。ただし、技術力に対する過信・驕りに警告を発しておられる。

経済評論家の財部誠一氏も、その著『メイド・イン・ジャパン消滅！』で、自動車産業などの調査を通して日本の技術力を解説しておられるが、「メイド・イン・ジャパンを取り囲む環境はきわめて厳しい。だが明快な結論が一つある」とし、東京エレクトロン・幹部の考えを紹介、「先端技術は複合技術であり、日本には依然として、さまざまな要素技術が蓄積され、集積している」。これは「簡単に真似のできる世界ではない」、これを「持っているのは日本とアメリカだけ」だと指摘されている。

これらを通して言えることは、モノづくりに幻想はない、問われるのは「質」ということ。高度付加価値をどうつけていくかが課題になるわけだ。もし空洞化していくとなれば、企業自身の姿勢も問う必要があるが、企業がそうせざるをえなくしている「国の産業政策」について問題はないのかを問う必要がある。

若者　空洞化は産業構造の面だけでなく、日本の製造会社の「海外移転」の現象を指しても言います。少し前ですが『ものづくり白書』（経済産業省・厚生労働省・文部科学省編）によると、約七十パーセントの製造・企業が海外移転（現地生産）を実施している、となっています。

老学者　企業規模にもよるが、そういう現象にあることは事実だ。移転は国内市場の縮小・人口減少、外国の誘致制度などの他、主としてコスト面（電力コスト・労働コスト・法人税などと、変動する為替の問題もある）の要因についての対応策であり、多くは均質的・大量生産に馴染む製品についての話だと思う。コストが平準化すれば、海外からまた日本に戻る企業も出てきている。

この種の現象は「産業戦略いかんで回避できうる」と思う。今後生産技術がさらに高度化し、ロボットによる生産が全面的に普及すれば、人件費も相当下げることができうる。一説では十年後に「二十五パーセントダウン可能」とも聞く。これだとこの意味での空洞化の問題は少なくなるはずだ。また「高付加価値製品」についてはコスト以前の「科学技術の問題」があり、そう簡単に「空洞化」などの現象は起きないはずだ。

だから「科学技術開発が重要」、「高度科学技術国家」たるには重要なポイントになる。国としてこの視点からもきちんと政策を展開せねばならない。

若者　そのとおりです。生産の拠点を海外に移す現象について何らかの対策を考えないと、極端な話として国から製造企業が無くなることもありうるのではないですか。

老学者　そうなってはまずい。ある程度の移転は「コスト」管理面もさることながら「国際協調論」からも必要とは思うが「限度」はある。それを国としてどう見極めるかだ。

モノづくりというとモノそれ自体の物理的生産だけをイメージしやすいが、それだけではない。先にも触れたが、モノづくりは研究・技術開発から始まり、設計（開発・基本・詳細・生産の各設計）、生産技術、製造（材料調達・部品製作・全体組み立てなど）はもちろんのこと、大きく言うと販売もアフターサービスも含まれる。

このおのおののプロセスを合わせた「全体がモノづくり」だ。これを戦略的にどういう内容にしていくかだ。「総合力」になるが「今のところ」日本はこの面でも強いと思う。

若者　まずは「モノづくりそれ自体」についての防御です。この視点で忘れてならないのは、世界に誇る「**匠の世界**」、特に中小企業の集まる東京・大田区、東大阪などは「匠の世界」です。**毎日「匠」が汗を結集して技を磨き、世界で「真似のできない」いろいろの、それこそ「ナノ・メートル単位（一〇〇万分の一ミリ）の製品」をも創り出しています。これは、日本の文化ともいえ、他の国にそう簡単に譲るわけにはいかない、いわゆる「現場力」、日本の他国に誇るパワーです。まずはこれの維持・発展に思いを致す必要があります。**

老学者　生産現場を忘れては絶対にいけない。「匠の世界」の「すごさ」については、例えば黒崎誠著『世界を制した中小企業』には「大手に勝って圧倒的にシェアを掴んだ企業、新製品で世界市場の激戦を制した企業、不屈のモノづくり魂でライバルの先を行く企業、ニッチ分野で完勝した『攻めの経営』の企業」などなどが紹介されているし、桐山秀樹著『超職人　ハイテク日本を支える24人の男たち』には「町工場の『職人芸』、五感で磨く日本の技術、『技術』に生きる企業人生、伝統の『特殊技術』に生きる技術者たち、未来技術を拓く『心意気』……と題して、二十四の事例（中小企業だけでなく大企業も含むが）」が記載されている。いずれも言葉では尽くせないすごさを感じる。この「力」を大事にしなければいけない。

ただ、これらは開発途上国が猛追しているので、ある程度の追いつきは仕方ないところもあるが、可能な限り防御すべきだ。国として適時「空洞化防止防衛策（国内生き残り戦略）」を講じていく必要がある。

『ものづくり白書』には「ものづくり産業復活の方向性」と題してポイントが描かれ、「立地環境整備、技術・設備の維持強化、ビジネスモデルの変革、新陳代謝の促進」などの指摘がなされている。方法論としては異論はないが、この政策で先に話した海外進出理由（コストなど）の解決になればよいが。
やはり決め手は「つくるモノの内容」が他国との「比較優位」に立てるかどうかだ。「ウデ・ワザと革新性」になろう。ウデ・ワザは伝統の死守だ。革新性は論じるまでもない。このためには「人材と開発資金の確保」が必要、国の政策の重要視点だ。

若者「モノづくり自体」のプロテクトは当然ですが、今後はこれらを含めた「システムとしてのモノづくり」も重要です。これを「高度化」していくにはどうするか。これを企業が継続的になしうる「環境づくり」も国として着眼しなければいけません。
モノづくりは研究開発から始まり、設計から生産になる。これらの「どこをどのように変革」すれば海外移転を要さない高付加価値を有するモノづくりができるかを「全体的」にとらえ、「他国との比較優位論」で考える必要があります。

老学者 大中小企業の現場力、それに大企業での大きな取り組み、いずれも重要。後者については投下資本量が違うし人材も多いから注視せねばならない。特に新しい高付加価値のモノを生み出すには、相応の資本投下による研究開発が欠かせない。基礎研究・開発研究・応用研究にわたるが簡単に出現しうるものではない。もちろん既存のものについての改良にも研究開発は欠かせない。日本として他国をリードできる研究・設計・生産についての開発・改良・改善、これを盤石なものにすることが「モノづくりを存続させるカギ」になる。
研究分野について、昔に比し最近の体制に問題はないのか。また「設計」についていえば、開発設計（研究開発に伴う設計）、基本設計（構造計算を含むモノづくりの大枠設計、構造設計と分ける場合もある）、詳細設計、生産設計（現場における工作図も含む）、さらに「生産技術（実際モノをつくるについて生産方法をどう工夫するか、モノづくりには欠かせない)」があるが、いずれも「プロセス上の革新課題」は日常的にあるはずだ。

このような一連の技術的プロセスが革新的に展開できる体制が重要だ。ノーベル賞にもつながる——現場の科学技術の変革が理科学の発展に貢献することは大だ。さらに強調すべきことは、今後「国として、特に戦略対象とするモノづくり」については「この変革を伴う一連の流れを国内完結型」にすべきでは、と思う。「生産を切り離して海外でやる」のでなくてだ。既存の同質・大量生産物についての生産は「海外移転」も致し方ないケースもあろうが、「(超)高付加価値の戦略製品」については、国としての確固たる不動の戦略が必要だ。

「サービス業(第三次産業)」「コトづくり」も、「モノづくり」がベース

若者「サービス業(第三次産業)」、この産業も「モノを前提」にしています。「コトづくり」も「モノ」の存在がなければ現実化しません。

老学者 そのとおり。就労する第三次産業人口は今後増加はしようが(現在は約七十パーセント)、ベースは第一次・第二次産業であり「モノ」を媒介にした産業だ。流通サービス産業としての巨大商社・巨大スーパーをはじめ通信業、運輸業、建設業、すべてモノである機械・装置がなければ成立しない産業ではないか。モノの存在が産業・ビジネスの前提になっている。

今をときめく情報産業も、情報機器というモノがあっての産業だ。情報社会で「第四権力」ともいわれるマスコミ、マスメディアは今後もさらなる発展を遂げるだろうが、進歩した「情報機器の存在」があればこそだ。本、新聞、テレビ、雑誌などの情報媒体の伝達形態が変化するとしても、手段はモノを媒介とする。

銀行はといえば、これも「融資の対象」にはモノづくり企業も多くあり、その勤労者も多く含んでいる。金融サービスを支えるＡＴＭも機械装置であるモノだ。

付言するに、日本の第三次産業の生産性は米国などに比して低いといわれているが、これを高めるには「媒体となる手段としてのモノ」の性能を高めることが必要――モノとの関連性は強いのだ。「コトづくり」も同様だ。「ソフト思考」の重要牲は今後大いに増大していくことは自明だが（ハードより相対的に比重は増していく）、これとても思考を具体的に展開するのは「ハード」を媒介にする。やはりこの面からも「サービス、サービス」といえど「モノづくり」の重要性は変わらない。

今後はますますＡＩが高度サービスの媒体となろうが、ＡＩ機能は高度科学技術が集積された機器＝モノによる。だからこの点においても「空洞化」はない。

若者　わかります。ところで今後、地球的規模から見た産業構造は、グローバリゼーションが進み、科学技術開発を伴う「モノづくり最適国」でモノを作り、「サービス最適国」でそれを販売するという国際分業の傾向がより進むとは考えられませんか。「知」を前提にした「垂直分業」になります。

老学者　考えられる。これは第三次産業がモノづくりを前提にして成り立つことを証する世界的分業の話でもある。ただ、全体を俯瞰した傾向としてはそう言えるだろうが、現実的分業内容はケースによると思う。また各国の戦略いかんにもよる。

今まで話してきたように、少なくとも我が国の戦略としては「他の国ではマネできない高度付加価値産業」については「世界的分業でなくモノからサービスまで一気通貫で一国でやるに越したことはないし、そうすべきだ」と思う。その前提として可能な限り「『モノづくり最適国』として活動すべき」であるし、さらには「モノづくりをベースに、『テクノロジーを伴うサービス』についても最適国をめざすべき」だ。これらの「モデル国」になるべきだ。

これには、第三次産業自体も高度付加価値産業にしなければいけない。滝川（小泉）クリステルさんの「お・も・て・な・し」のヒューマン・サービスはもちろん重要だが、それとは別に「サービスの技術的高度化」をはかる必要もある。技術利用の応用編だ、日本人の得意分野じゃないのか。「サービス」については、海外からの評価も高いのだ。

この点についても、先の『メイドインジャパンの大逆襲』で真壁昭夫氏は解説されている。すなわち、米国のアナリストの質問「日本には世界一のものがある。何だと思う?」に対し「自動車か」と答えたら、「いやちがう、そうじゃない。サービスだ」と。これは「おもいやり」に代表される「日本の文化」の産物だ。

人間社会だ。当然のことながらこの精神は高い評価を生み出す。「人に対する思い」であり「モノづくりにも反映」されているのではないのか。「きめ細かい機能的製品」づくり、日本人の得意とする「技術の中にサービス精神を織り込む」ということだ。「人間的モノづくり」……「世の中は一段とこれを求める社会」になる。いずれにせよ「モノづくり世界」の内容は変化していくにしても、その重要性は普遍かつ不変だと思う。「空洞化」は幻想だ。

三の三　国の「ダイナミズム」は失われていないか

「ダイナミズム」とは

若者　あらゆる産業に関連する「モノづくり」の重要性がよくわかりました。空洞化させることなく「日本人の特性」を今後も十分に発揮・継続すべきです。

ところで「国民性を活かす」にしても、今の日本人はそれを「活かすだけのダイナミズム」を持っていますか？　国際社会で「期待される国」になるには国全体が元気でないと。

老学者　悲観的見方は無用だ。問題は多々あるが、それを解決する**潜在的「底力」は日本人にはある。「前向き」に考え行動すべきだ、**と思う。

若者　まずは現状認識です。必要とされる「パワー」はあるのでしょうか。最近の日本について「成熟国になり弱体化しつつあるのでは」との話を耳にします。確かに社会のいろいろな現象を見ていますと種々の問題が散見されます。

老学者　今日の日本は総じて「国力」が落ちてきていると言われている。僕はすべてがそうとは思わないが該当する事象もいろいろある。しかし、問題意識を持つことは重要だが「悲観することはない」と思う。むしろ「何が原因」でかくなりつつあるのか、国全体が原点に立ち返り考える「絶好の時代」にある、と思っている。

若者「国力」については具体的にいろいろ指標が出てますね。とらえ方はいろいろあり、そういうものの総合的なものとは思いますが、例えば数字上比較論としてよく使われているのが、先にも話がなされた経済力指数、GDPとかそういう類のものですね。これですと何やかや言われても、まだまだ日本は上位（世界で三位。つい最近までは二位）にいます。問題はこの種の指標が「低下傾向にある」ということですか。

老学者「国力」なるものは何か、よくよく考えると難しい。冒頭でも話したように、構成要素は多数にわたりその集積たる「総合力」と言えるが、「基盤」論議とは別に各要素別にこれを取り上げ、他国と比較するのも一つの見方ではあろう。GDPも含め、巷間で語られ「国力」を示すと言われる象徴的経済「指数」についてみれば、我が国の場合「数値上の低下（最近回復基調にある数値もあるが）」は確かにある。

『文藝春秋オピニオン・2019年の論点100』の「日本はもはや経済大国ではない」によれば、日本の二〇一七年現在について国内総生産・名目GDPは三位（四・九兆ドル）ではあるものの、二位の中国（十二兆ドル）に大きく水をあけられているし、国の裕福度を表すとされる一人あたりの名目GDPは、なんと二十五位（三・八万ドル）だ。労働生産性（二〇一六年ベース）でも主要先進七カ国では最下位であり、OECD（経済開発協力機構）加盟国では二十位だ。なお、識者によれば二〇一七年の国民の世帯あたりの可処分所得は二〇〇〇年に比し六十万円も低下、消費支出額も同程度低下しているのが実状だ。

要するに経済についての指標は、決して素晴らしいと言える現状にはないのが実状、ただ株価だけは良いが。

さらには景気の問題（特に地方）、雇用問題（非正規労働者の激増〈個別に見る必要はあるが〉）、社会の指導的立場にある人間の責任感・道徳倫理感の喪失、無差別殺人、目的喪失の若者や企業における三十歳台中心のメンタル患者の増加、交通事故死をはるかに超える自殺者、高齢者による自動車過失運転事故、企業の倒産、暖衣飽食（何を目的にしているのか不可解な「大食い競争」）と、片や政府が乗り出すメタボ対策などなど、数え上げればきりがない。

国の懸念事項については『日本人はなぜ世界での存在感を失っているのか』（山田順著）に最近の状況――例えば「世界で存在感を失う日本、低下する一方のランキング、激変する国のかたち」などと題して述べられている。拱手傍観《きょうしゅ》ではいられないのも現実だ。

『暴走天国ニッポン』（横木誠著）には、政治・官僚・企業＆経営者・社会の暴走事項が多岐にわたり指摘され、日本の問題点としてえぐり出されている。著者によれば、二〇〇八年十月十日時点で自分の主観により選び出した課題について、十年を経た今日でも同様の事象が指摘できるとされる。本質的課題として継続しているのだ。いずれにせよ看過できない問題が多いのは紛れもない事実だ。

ただ、幸いにして我が国は「平和」ではある。世界にいかに紛争が多いことか。『面白いほどよくわかる世界の紛争地図』（世界情勢を読む会編）によれば、民族・宗教の違いなどを原因とする紛争は世界各地で多数発生しており、今でもあまり変わらないのが現実。我が国としては「平和ボケ」しないよう、国として問題に向き合う必要がある。

若者　「平和」であることは大いに評価すべきですが、それにしても調査によると「希望がある」と答える国民は「半数程度」で、他の先進国のような九十パーセントとは比較にならないほど低いし、若い人の将来に対する不安も七十パーセントを超えているようです。
これは何が原因しているのでしょうね。個人的問題もあるのでしょうが。

老学者　いろいろ語られようが問題とすべきは、事象が社会構造・経済構造などに起因する場合だ。「背景に何があるか」を考える必要がある。「悲観的に見ず」に原因を客観的に分析・判断し、「前向きに問題を克服」していくことが重要。この対応は個別事項になろう。

それとは別に重要なのは、「国民が有するもともとの力（底力）」が減衰しているかどうかの判断だ。これが維持されていれば大いに「希望アリ」になる。

若者　世の中をみていると、何か新しいことが生み出される時代・場所には、感動すべき「ダイナミズム」がありますよね。ダイナミックですよ。この点、日本はどうですか？「底力」にも関係します。

老学者　ダイナミズムとは「自然界の根源を『可能力（デュナミス）』とし、これが物質・運動・存在などの一切の原理であると主張する立場」（アリストテレスなどの考え）とある。難しい定義だ。ダイナミックとは「躍動的で、力強さを感じさせる様」とある（いずれも『広辞苑』）。「物事を可能にしていくパワー」「活力」ということか。

「これから」という発展途上国にはあって当然なのだろうが、今の日本の全国津々浦々に「充満している」と言えるか。もちろんあるべきところではちゃんとあるとは思うが、全体的に昔に比べてどうかだ。ただ比較する時代にもよるし、単純に判断しない方がよいとは思う。

若者　比較論としてダウンしているとすれば、成熟国になったからですかね。あまり頑張らなくても、モノは簡単に手に入る時代ですし、飽食すぎて飢餓感もない。そういう意味では恵まれている国とは思いますが、明日の活力には必ずしもつながらない。

老学者　成熟国になった、それも原因の一つかもしれないが、それだけではないと思うな。成熟国でも米国は総体的には元気だろう。だから仮にダウンしているとしたらいろいろの要因があると思う。ただ認識すべきことは、現在ある国の姿は今までのダイナミックな活力の結果でもあるということだ。

したがって将来にわたり国として繁栄を享受するには、ダウンしつつあるとしても現在もあるはずの「潜在的活力を呼び起こし、さらに発展させていく」必要があるということだ。この「ダイナミックさを維持・発展させる、失われつつあれば取り戻す」ことが国としての課題になる。

若者　仮に失われつつあるとすれば、取り戻せますか。

老学者　僕はできると思う。先ほどの「可能力（デュナミス）」がポイントだ。ダイナミックさを生み出す「潜在力」の問題、この力がなければ問題だが、そのようなことはないと信じたい。日本には「底力はある」。それをどのように「引き出すか、引き出し続けるか」の問題だと思う。火のつけようだ。

『世界が目を見はる　日本の底力』『世界がうらやむ　超・日本の底力』（ロム・インターナショナル編）という本がある。編者は「世界情勢について詳しい」情報企画制作集団だ。日本の有する底力について数多くの紹介がなされているが、今日これが衰えたとは思えない。むしろ今後も世界に上向きに発信させようとしているくらいだと思う。

全体を見れば一部弱々しく感じる群団もあるやもしれんが、全体的に見れば「潜在的元気さはまだまだアリ」だ。「ダイナミズム」を「潜在的底力」とすると、今のところは大丈夫だと信じたい。

元気度はどうか……「人間力」は落ちてはいないはずだが

若者　ところで、爺さん、海外渡航の経験もかなりのようですが、海外の国の「元気度」はどうですか。潜在力があっても表面に「元気さ」が現れていないと心配ですね。これが失われていくと元気な国に追い越されます。大丈夫ですか。

老学者　海外渡航経験（産業団体での視察、海外人事業務など）は二十一カ国でそれほどでもないが、訪問国の人々の顔に現れた表情・感じだけで言えば、特に東南アジアの国（九カ国渡航）の若者の顔はイキイキしている。渡航者の誰もが感じているようだな。もちろん内面の問題でもあるから顔だけではわからないが。

比較論だが、日本はどうも「目に力がない」若者が散見されることは事実だ。ただし若者と言っても学生・生徒が主だ。勉強で疲れているのか、これを元気度の判断材料とするのもどうかだが。ただ若者全体に「溢れるほどの元気さ」があるかと問われれば、不足しているようにも思える。

国全体でみてどうかといわれればどうか。個別にみると元気な人はたくさんいるが。本当に元気かどうかをいかに判断するのか、難しい。「潜在力・底力」はあるが、表面に顕在化すべき「元気さ」が何となく「不足している」ということになるのか。「『人間力』として『潜在力を顕在化させるパワー』」を「元気度」とした場合、これが落ちてきているとすれば「背景に何があるか」をクリアにし解決する必要がある。

個人レベルの話も多々あろうが、例えば「国・社会全体から動向として感じ取れる『ほとばしるインパクト』が足らない（一種の閉塞感）」から全体（特に若者）に「溢れんばかりの元気さが不足」となれば問題、これは教育制度などにも関係してくる。いずれにせよ「**個々の『人間力』を高め『潜在力・底力を顕在化させる』**」、**これが今後の日本を「平和たらしめ、活力ある豊かな国」にしていくためのポイントだ。**「第二話」で詳しく話したい。

若者「『人間力』を高める」とのことですが……「人間」とはなんですかね。高める力は個々に「内在する」のですか。

老学者　簡単に話せる事柄ではないが、さまざまなとらえ方がある。「人間は知恵を有する」＝ホモ・サピエンス（リンネ）、「人間は遊ぶ動物である」＝ホモ・ルーデンス（ホイジンガー）、「人間はものを生産する」＝ホモ・ファーベル（ベルグソン）、「人間は社会的動物である」（アリストテレス）、「人」という文字から解釈すると、人は相互に支え合う存在、二人集まれば「社会」が構成されるとも言われる（「社会的動物」ということ）。また「人間は考える葦である」（パスカル）とも、「万物の長」「小宇宙（ミクロ・コスモス）である」ともいわれる。いずれも人間をそれなりに言い当てている。

ここで一番重要なことは他の動物との「決定的違い」があることだ。それは「二足歩行」と「言葉と道具の使用」だ。特に二足歩行は「頭脳」を発達せしめ、左右にある脳により「ＩＱ・ＥＱ」を豊かならしめた。この違いを忘れては動物と変わらない。「クール・ヘッド（冷静な頭脳）とウォーム・ハート（温かい心）」という言葉のように、人は「脳を中心」に他の動物とは格段に違う機能を神から授けられている。

脳には、大脳に一四〇億個、小脳には一〇〇〇億個以上の脳神経細胞があり、脳全体では千数百億個の細胞がある。また、それをつなぐシナプスが細胞数の平均一万倍あるという（岩田誠監修『図解雑学・脳のしくみ』による）。だが人は一生のうち、この脳のほんの一部分しか使わないらしい。もったいない話だ。「人間」とは「脳」に象徴されるように、大自然がこの地球上に送り出した「特異なる存在」であり、「力の源泉になる脳を保有」せしめているのだ。まずはこのことを「大事」にすべきだ。これに思いを致すと自然に「元気が出てくる」と思う。もともと「人間は、脳を含め人間力を高める力を個々に『内在させている』」のだ。日本人ももちろん同じだな。

だから人間という特異性に思いを致し、元気度の前提になる前頭葉をはじめとする「脳」を使わなければ「大自然に対して申し訳ない」ということになる、大袈裟に言うとだけどね。「知・情・意」すべての人間の機能はこの「『脳』がベース」だ。「人間力」は、まずこの人間の有する有能なる「脳」が他の動物と違うことを認識することから始まると思う。そして本当の意味で「もっと脳を使い活性化」しようと「意欲」を持ち、現に実行しなければならない。

この「きわめて基本的なこと」を各人がなせば、自己の力の向上はもちろんのこと他の人に対する尊厳の尊重にもつながり、結果、社会的動物としての役割・責任などを果たし、「元気でいられる」のではないかと思うのだが。

若者　今の日本人にその認識はありますか？　これは一人一人の自覚の問題でもありますが。

老学者　個々人の認識の有無まではわからないが、「人間力」を問われれば「ある」と言えるのではないだろうか。今現在も「民族」として「脳力」はちゃんとあると思う。架空の話じゃない、歴史も現実も示しているのじゃないいか。

先ほど触れた『世界が目を見はる　日本の底力』、『世界がうらやむ　日本の超・底力』には、日本の有する力の象徴的なもの「世界が驚き賞賛する日本人の人間力、『和の精神』が育んだ日本式システムのすごさ、海外から見直される比類なき伝統文化、不可能を可能にした日本発の最新技術」、「世界が手に入れたがる日本人の頭脳と英知、歴史と伝統が紡いできた世界に誇る名人ワザ、美食家たちが唸るニッポンの食文化、人類の未来を拓く日本発の超テクノロジー……」などなどが紹介されている。もちろんこれだけではないだろう。あくまでも例示だが、他国がマネできない世界に冠たるものがいくらでもあるということだ。

これらは「底力を顕在化させた日本人の有する『人間力』の例証」だ。これを失わないように自負心を持ち、相互に努力することが重要。「国として」これらを「国民全体から引き出す機会・方向づけを、常態として継続的に維持・創造」していくことが求められる。「社会的背景」に問題があるとすれば、この点が「足りない」からとも言えるのではないか。そういう意味でも、国として「大きな視点」に立った国家政策の展開が問われる。

いずれにせよ悲観的な見方は無用だ。結論として「国民性を活かす」に必要な「ダイナミズムは失われていない」ということだ。今回の「コロナ問題」でも、特に民間の人々（中小企業の事業者の皆さんをはじめ）の動きは「チカラ強い」。さまざまなアイディアを出し（ＤＸ活用など）、工夫に工夫を重ねて対処している。本当にアタマが下がる。日本人の「底力」を感じる。

第三章　今後「高度科学技術国家」をいかに推進していくのか

一　今後の科学技術推進についての重要留意事項
（基本は「人への優しさ」だ……「人類平和への貢献、人間の尊厳の尊重、地球の持続性（サスティナビリティ）と自然との調和の維持・確保、真の幸福の追求」がキーワードになる）

「科学技術」の推進には「理念」が重要

若者「国の姿」として「高度科学技術国家たるべし」と考える三つの理由、よくわかりました。次に、この「国の姿」を「どのように推進していくか」です。

老学者　国としての「ビジョン」を確かなものにすることが重要だ。しかもそれを「体系的に示す必要」がある。そしてこれを「どう展開」していくのか、その「重点政策」は何か、そのために「何が必要」なのか。「国の機関や諸制度」「教育内容」などの見直しも求められよう。時代に適合した「柔軟性」が求められる。

もちろん、変えればよいというものでもない。不変であるべきものもある。これらを「総合的」に考え、国全体としての「明日を形づくる一段と強固な戦略」を策定しなければいけない。

若者　まずは基本的（体系的・総合的視点に立つ）な戦略策定、ということですね。

老学者「これでいこう」という何かだ。課題別の部分部分でやっているだけではなく「今後モノを言う科学技術を、国全体としてどう位置づけし活かすか」を明確にする「大きな視点」が重要。国としてハッキリした「意思（ウィル）」が必要だ。

林幸秀氏は、その著『理科系冷遇社会　沈没する日本の科学技術』で、世界の強国が科学技術に対して取り組む姿を解説し、日本に警告を発せられている。アメリカについては「安全保障最優先・世界から集まる優秀な人材・冒険を許容する文化・ベンチャーに富む若者たち」等々の見地から、欧州については「近代科学の発祥地・統合への挑戦・科学技術も協力して・欧州全体での分業・共通的な研究資金・人材後背地の中欧東欧そしてロシア・リスボン戦略」等々の見地から、中国については「中国は技術大国であった・経済の発展に伴い研究資金が増大・研究人材の厚さ・科学オリンピックで大活躍・海帰政策の成功・活発なベンチャー育成」等々の見地から、韓国については「選択と集中・教育の徹底」等々の見地からの傾聴すべき多くの指摘をされている。

同氏は日本の理科系社会についても数々の警告をされている。「地盤低下する日本（後退する基礎研究力・ハイテク製品のシェア減少など）」、「理科系人材の冷遇（見劣りする研究者数・定職につけない博士号取得者・育たない若手研究者など）」、「活かせない理科系人材（貧弱な競争的資金・足りない人材の流動性など）」などの指摘だ。科学技術を前提に国を維持・発展させるについて、為政者はどこまで状況認識をしているのか、うかうかしてはおれないと思う。この点については後で話す。

若者　ところで「これで行く」について、「前提とすべき考え」が必要です。夢多き未来ではありますが、今後高度な科学技術を世界に提供していくうえで、是非留意しなければならない重要なポイントがあります。それは「今後の科学技術の意義に思いを致す」ということです。これからは単に「純粋理科学的」判断だけでなく「社会科学」などのコンセプトも含め「幅広い視野に立つ」必要があるということになります。

老学者　そのとおりだ。**「科学技術の進歩と人類の幸福への思いが共存するコンセプト」が必要だ。**先にも触れたが**今後は「高度な科学技術による豊かな社会構築」とともに、それにより「人間の尊厳の尊重」**の考えのもと**「人類の平和への貢献」がなされなければならないし、「一種の有機生命体（ガイア）でもある地球の持続可能性（サスティナビリティ＝地球全体への思い）」と「自然との調和」の維持・確保、「真の幸福追求」がキーワードとして重要な意義をもつ。**

これらは**「人への優しさ」**に思いを致すことを意味するとともに、「人の道をふまえる（道義を重んじる）」ことにも通じる。この基本的考えを頭に入れておかないと、科学技術の使命が持続しないし基盤にもならない。高度科学技術の発展とこのコンセプトは**「意識と知恵次第で十分に両立しうる」**と思う。

これを誤ると「フランケンシュタイン」を生み出すことにもなる。例えばＡＩ技術が進みすぎると個人の人権を侵害したり人格を毀損する（個人情報の過剰外部流布など）だけでなく、ＡＩの独自判断で人を殺傷したりする社会にもなりかねない。心しないとだめだ。科学技術は素晴らしいものではあるが、決して万能ではない。使い方を誤ると人間否定につながりかねない。

若者　科学・技術の発展は人類にとって多大な幸福をもたらしました。反面、人類を不幸にもしています。また巨大化・専門化するにつけての批判も出ています。人類の存亡に関わる問題を内在しているとか、何か問題が発生した場合に巨大すぎて誰が責任をとるのかとか、内容が専門に分かれすぎて一部の者にしかわからず全貌が把握できないとか、いろいろ指摘されています。

老学者　指摘はそれが正当な内容である限り、謙虚に耳を貸す必要があると思う。人間は「傲慢になりやすい」からね。ただ進歩には問題は付き物と思う。問題にあまりにこだわりすぎると進めなくなる。何事にせよ取り扱う人間の姿勢いかんだと思うな。「剣」と同じだ、活かすも殺すもある。良いように活かすべく常に心がける必要がある。まずは科学技術は「人を幸福たらしめるためにのみ使う」ということだ。

著名なる英国の作家で文明評論家のオールダス・ハックスレーは、その著『科学と自由と平和』で、科学は人類のためにある旨説いている。学生時代に読み、感動したものだ。このような考えを前提にしていても結果として問題は多々発生しうる。事が発生してから想定外であったと言い訳をするようなことをしてはならない。手遅れになってはいけない。これこそ「危機管理」だ。事前に科学的に予想される問題の先取りを充分にしておくべきだ。

科学技術がもたらした「人類」への貢献は言うまでもないが、今後重要なことは「地球という生命体を健康に維持」していくために、科学技術はどうあるべきかを常に問うことだ。その意味で今後はますます「科学技術の質」が問われることになる。安心・安全・平和で豊かで幸福な国・社会・世界、そして地球の維持と発展のために「科学技術でどのように貢献」していくかだ。

若者　人類が月に降り立ったとき、月から見た「日の出」ならぬ「地球の出」という風景があります。あの感動的な「青い地球」……この地球を大事にすべきことは人類共通の課題だと思います。今後は何事も「地球全体の視点」からなされなければなりません。真剣に考えないと科学技術の進歩も経済の発展はおろか国の存続も、極論すれば文明の維持もできなくなります。人類の繁栄には健全なる地球の存在が前提です。

老学者　そのとおりだ。「ガイア（有機生命体としての地球）」という考えがある。ジェームズ・ラブロックによるが、同氏は「地球全体が生きようとする一つの生命体のような意思をもって、自ら生存の条件を創り出している」という仮設を立て、「地球全体が大きな一つの自己調節作用をもって生命の生存に最適な恒常性ホメオスタシスを有している」と、宇宙からの画像から得たという。まさに地球は「生き物」なのだ。今後の科学技術に関し、きわめて重要な思想になる。

この考えは、日本人の古来からの自然観に通じるのではないかと思う。特に古代の日本人は鋭敏に感じていたようだ。「八百万《やおよろず》の神」の考え、「花鳥風月」を愛でる感性だ。これは「自然に対する畏敬の念と、人と自然の調和」思想であり、ガイア思想は日本人に大いに馴染むコンセプトだ。

さらに重要なコンセプトとして、今や世間で注目を浴びつつある「サスティナビリティ（持続性）」という考え方がある。これについては、特に最近環境問題として持ち上がってきたコンセプトだ。

武内和彦著『地球持続学のすすめ』によると、このコンセプトは「環境と開発に関する国連委員会」（ブルントラント委員会）により世界的になり、「人類が生き延びていくためには『持続可能な開発』（サスティナブル・ディベロップメント）という考えを普及させることが必要」としている。「将来の世代のニーズを満たす能力を損なうことなく、今日の世代のニーズを満たすような開発」と定義し、「地球の未来を守るために」と題した報告をしている。「開発は、次代の犠牲を伴わないようにすべき」で「持続可能な発展」ということになる。読んで字のごとく「発展と持続」を両立させていくということであり、複眼的な視点を持ち発展していくということだ。

『地球温暖化・人類滅亡のシナリオは回避できるか』（田中優著）によると、「現在は〝試合終了〟までのロスタイム」と題して「人類が生き残るには、楽観的に見てもこの十年が勝負」との警告を発している。環境問題については厳しい姿勢で臨まないと取り返しがつかなくなる。「試合終了」とは言うまでもなく人類滅亡を意味する。そうならないように科学技術の「英知」が求められる。

温暖化防止（CO_2削減・温室効果ガス削減）や、プラスチック削減などなどについての国際的約束事の履行は言うまでもない。各国とも世界の模範生になるよう努力が必要な状況にある。

若者　これに関し「原発」についてどう思いますか。東日本大震災以来「話題」の原発です。今後、国としてどうするのか、慎重さを要することになりますね。

老学者　実に悩ましい問題だ。まずは、科学的興味から話そう。

僕は少年時代「マクロ・ミクロの科学の世界」に興味を持ち、科学者を夢みた時期もあった。月刊『子供の科学』（当時も今もある）を愛読。原子力については、小学五年に『驚異の原子力』（岸本康著）を読んで感銘、この頃核エネルギーの理論的根拠であるアインシュタインの「$E = mc^2$」（質量エネルギー等価則）、ラザフォードの原子核模型、エンリコ・フェルミによる核分裂実験成功の経緯などを知り、「原子力平和利用博覧会」も見学。金ボタンの大学生が説明していた核分裂現象、アイソトープ利用、マジックハンド操作、コバルト治療などの展示物に大いに関心を持ったものだ。核分裂・連鎖反応の光の点滅するパネルは、いまだに脳裏に焼きついてる。

この原子力も平和的に利用される限りは素晴らしいものだと思っていた。その後、会社員になり勤務先が原発プラントも建造していた関係で関心は継続、定期検査で稼動を一時停止中のプラントを放射能計測器を身につけ労使・安全パトロールや保健師との健康巡回の一環として見て回った経験もある（事故を起こした原発とは違うプラント）。少年時代は、人生でこのような貴重な体験ができるとは思ってもいなかったが。

東日本大震災で原発が事故を起こし、国民に安定的に電力供給するという平和的な存在であるはずのものが一日で人々を悲劇に陥れる結果を生み出した……残念だ。事故はツナミに対する防波堤の高さに起因しているが、人の「危機管理意識次第」で不幸を生み出すのも「科学」なのだ。一瞬にして甚大な被害が発生する。場合（外部に漏出する放射線量いかん）により「国全体」がおかしくなる可能性もあるのだ。

人の生命の尊さは論じるまでもないが、事故による莫大なコストをも考えると、よほど慎重に考えないと国を失いかねない、目先の利害得失を超える哲学的判断が必要だ。仮に運用するとするならば、人類として最高の科学技術力・科学技術の粋を結集しないといけない。果たして可能なのか。

若者　原発も含め、こと人類生存の環境については、現状問題が多々ありです。これへの対応も含め、今後は「良い意味での科学技術の進歩」に績極的に取り組んでいく必要があります。

環境問題だけでなく、今回のような世界的規模での「新型コロナウイルス」による感染症問題など、何が起きるのかわからない世の中でもあります。それに、今後取り組むべき「人類の課題」は山とあります。これらの事項に「国としてはもちろん、人類として取り組む」についてベースとすべき視点を忘れてはいけないということです。人間として未来にわたる繁栄のためにおのずと求めざるをえないはずです。

進歩は重要ですが、何が何でも発展というのも芸がないです。そこは理性のある人間のなすこと。「市民は科学技術の受益者になりうるだけでなく、その反対に被害者にもなる可能性がある」（佐々木力著『科学論入門』）わけですからね。

同氏はその中で、現代日本の科学論の思潮を時代区分されて、「〝科学性善説〟の時代」「〝科学性悪説〟の時代」を経て、現在はこの「二つの時代は明確に終わり、第三の、来るべき二十一世紀の科学技術をどうすればよいかという問いに、より現実的・具体的に答えてゆかねばならない新しい時代がはじまっている」とも言っておられます。よくよく考えて対応しなければなりません。

老学者　科学技術もここまで発展すると、よほど深く考えて取り組まねばいけない。環境問題も今に始まったことではないのだ。五十年以上も前に、生物学者のレイチェル・カーソンはその著『沈黙の春』で環境への配慮を鋭くついている。これは世界の名著ともいわれているようだが（『世界がわかる理系の名著』鎌田浩毅著）、米国政府・環境保護局設置の「原動力になった」ともいわれている。

半世紀の時間が経過しても「問題は継続している」のが、現実だ。ゆえに先端を行くにしても「意義は何か」を常時意識的に問い続けないと、いつまでも問題を有したままの科学技術になる。難民問題をはじめ国際的に大活躍され、先日亡くなられた緒方貞子さん提唱の「人間の安全保障（あらゆる脅威から人間の生存と尊厳を守る）」哲学の意味するところも、先に来日されたフランシスコ・ローマ教皇の「資源は人類全体の発展ため、自然環境保全のために使うべき」旨の考えも、平和主義の人の基本的考えは皆同じだ。国連が二〇三〇年に達成目標として掲げているＳＤＧｓ（持続可能な開発目標）も意図するところは同じだ。

若者「人間尊重（人への優しさ）」が大前提です。いくらＡＩが発達したとしても「キラー・ロボット」の開発・出現はダメということ、人間存在の否定につながります。

関連として「二〇四五年のシンギュラリティ」問題、どう思いますか。

老学者「シンギュラリティ」は人工知能が人間の能力を超える「分岐点」とされる。僕はＡＩが人間の有する無限とも言える複雑な能力・豊かな感情の動きを超えることはないとは思う。高邁な道徳・倫理観などＡＩが有しうるのか？　疑問だ。仮にそれが実現した場合、それこそ人間尊重が重視されねばならないことになる。「ＡＩの存在意義は、人間の存在あってだ」。このことに思いを致さないと、やがては「人類の破滅」を招くことになる……ＡＩによる人類社会の支配だ。絶対にそうなってはいけない。「人類の知恵」が問われている。

シンギュラリティについては、専門家の間（人工知能学会）でも「『人工知能自体がもつリスク』に対しては否定的な意見がほとんどである」ようだ（松尾豊著『人工知能が人間を超える？　シンギュラリティは起きるのか』（『文藝春秋オピニオン・２０１７年の論点』）。

また、「科学技術の波及力」のところで話した木野仁著『ロボットとシンギュラリティ　ロボットが人間を超える時代は来るか』で同氏は、主旨として「人工知能ブームでマスコミやネットで『人間の雇用が奪われる』とセンセーショナルに騒ぎ立てているが、非常にナンセンスと思う」と言われる。またシンギュラリティを人間の幸福との関連でとらえ「『不便益』という概念」の話もされている。要するに不便の良さについての話で「味のある人間的話」だ。幸福とはつきつめればそういうものでもあろう。

別の視点からの話として『AI時代の新・ベーシックインカム論』（井上智洋著）によると、「脱労働時代」にこそ「ベーシックインカム」が必要と述べるとともに「それでも残る仕事（なくならない）」として「クリエイティビティ系（創造性）・マネージメント系（経営・管理）・ホスピタリティ系（もてなし）」をあげる。やはり「人間なるがゆえの仕事」は必要ということだ。AIはあくまでも「人間のためのテクニカルな便宜手段」であり、人間自体を超えさせてはならぬ。人間の「意思と脳」さえあれば可能だ。

とにかく「人間」に思いを致した「科学技術思想」、これをきちんとすることがきわめて重要になる。先に話したカントの平和論の前提には、その著『道徳哲学』で説いた「人間尊厳論（尊厳の根拠として、人間は意思の自立をもつ自由な主体であり他と置き換えられない人格的存在）」がある。「人間への尊厳」、その上で限りなく「夢」を実現していくのだ。

「夢」の実現には、その主体となる「人間を大事」にする「人への思い、優しさ」が重要。これをないがしろにした科学技術の進歩は、極論すれば「ない方がよい」と思う。

二　国の「体系的・総合科学技術戦略」を国民と共有すべし

若者　科学技術の「基本とすべき意義」、よくわかります。それを踏まえ国家としての総合的戦略を体系的にどう展開していくかを明確にし、国民と共有せねばなりません。

老学者「これで行く」とし、国民に投げかけるとよい。「国をよくする」提案ならば理解・協力は得やすい。「国の戦略ポイント」は、「一つ目は、取り組む科学技術の『内容自体』をどのように高度化・強化し展開するのか、二つ目は、具体的展開を担う『事業体』をどう強固なものにしていくのか、三つ目は、『海外』との関係はどうすべきか、この三点」になろう。

まず一つ目……取り組むべき高度科学技術の内容をどうしていくべきか。「内容」の目的は「世界のリーダーになりうる日本ならではの科学技術の開発・強化に取り組み、世界に発信していく」ことだ。切り口をシンプルにして言えば、①世界に対する科学技術の発信の「方法」からとらえ、「科学技術のモデル国」になり「世界的展開」をはかることとする。②科学技術の分類として「新規科学技術、既存の科学技術、総合科学技術」についての取り組みをどうするかだが、まずは「新規開発」の先頭に立つこと。それと「既存科学技術の改良」と「新規&既存科学技術の総合化」の推進の先導役になることだ。

二つ目については、「科学技術を具体的に推進する事業体（企業が中心）を、世界を相手に一段と強化する」ことだ（大学や研究機関など科学技術発展のベースとなる組織の強化については第二話で話す）。事業体となる大・中小企業・ベンチャー企業の一段の強化をはからねばならない。大企業の場合は、再編、例えば同一事業統合（水平統合）、あるいは逆にミニサイズ化する。中小企業・ベンチャー企業については、本腰を入れた個別企業育成・支援の強化などだ。また「地方創生（ジャパン・シリコンバレーの創設など）推進（核となる事業体の育成・強化）と農林水産業の企業化」も視野に入る。

三つ目については、「海外諸国と科学技術を軸にした協力・連携を一段と強化推進する」ことだ。これは国の政治を乗り越えた「科学技術を軸にした強力な国際関係の構築」を目指すことになる。各項目については後でもう少し詳しく話す。

以上「三命題」を進めるにあたり次の事項について、国として「体系的に総合化した方針を策定し国民と共有」する必要がある。

Ⅰ「高度科学技術にかかわる国家戦略総合政策」の作成（「国の科学技術力の厳密な分析」と「具体的展開内容・戦略分野の明確化」などの体系的分析を含む）

Ⅱ「長期的見地からの投下予算」の確立（国の研究開発費用・企業&大学支援費用など）

Ⅲ「推進のロードマップ」の作成

Ⅳ「重複のない一元的で横断的な推進組織機能」の一層の強化

Ⅴ「人材（先端科学技術の頭脳集団）」の育成・強化と「研究・開発機関」の充実・強化

についてだ。Ⅳについては第一話・第四章と第二話で、Ⅴについては第二話で話すことにする。今後の取り組みには、さまざまな切り口を相互に関連づけた「体系的戦略」が必要、とにもかくにも「世界から科学技術力について頼られる――日本ならではの国」になることだ。

重要なことは「国家として『たえざる進歩』を目指す姿勢」だ。政治家・尾崎行雄も「国家が進歩により変化する」ことの重要性を説いていた。米国が自国第一主義を唱えてもなお頼られる強い国であるのは、この国には「常に進歩が保持されている」からだと思う。

若者　ところで、この種の「国家大綱」のようなものは我が国にありますか？　ドイツは、「大綱」といえるかどうかは別に第四次産業革命ということで「インダストリー４・０（デジタル・エンジニアリング・プラットフォームを構築）」を国策（ドイツ製造業のグローバル展開の国家的支援）として明確に打ち出しています。製造業についてではありますが、さすがはドイツと思います。

尾木蔵人著『２０３０年第４次産業革命』によりますと、ドイツの工場デジタル化のモデルの一つとして「マス・カスタマイゼーション」があり、その究極が「スマート工場によるオーダーメード」。これは、「個別のニーズに合わせて、多品種でも少品種でも、自由自在にカスタマイズした製品を、大量生産と同じ安いコストで生産・販売すること、それをデジタル技術で実現する」ということのようです。ドイツにおけるモノづくりの変革です。いずれにせよ、国としてこの種のものがあり、それを国民が「共有」しなければ国力の強化にはつながりませんね。

我が国については、国として個々別々の政策を企画・立案し、具体的実現に随時努力していることや、単年度予算内容を見れば年度ごとの政策についてはおおよそはわかります。が「明確な国家像」のもとの「長期にわたる体系的な政策」はどうなのでしょう。政党のマニフェストには「スローガン的」内容のものはありますが。

老学者「第四次産業革命」についての認識は、ドイツだけでなくすでに先進世界が共有するものではある（クラウス・シュワブ著『第四次産業革命　ダボス会議が予測する未来』）。もちろん日本も政府として認識は深いし、現にこれに関する成長戦略（「先端技術の活用促進」）を「未来投資会議」で打ち出してはいる。

「国家大綱」に相当するものについてだが、国民は目にしていないのでは？　この種のものは、考え方が種々あるだろうから一元的にまとめるのは容易ではないとは思う。が、結論はさておいても「考えを国民に提示し議論をしてもよい」、むしろすべきだと思う。

政党別のマニフェストは公約ゆえ、「与党」として政権をとれば「国の政策になりうる」が、正確には「国自体」のものではない。とにもかくにも「国」として「国の基盤」を明らかにした上で「国の繁栄」が期待できる「大きな考え」が知りたいところだ。「平和の維持・確保」のためにも「国民と共有できる確かなもの」が必要だ。今回の「コロナ問題」は議論するに良い契機になる。

「国家大綱」と言えるかどうかは別に、科学技術に関する国としての取り組みのベースは、冒頭でも触れた「科学技術基本法」（一九九五年に制定）になる。これには先進国としては当然のことだが、科学技術を「国の重要な柱」にする旨がうたわれ、日本の将来を科学技術に託すとし、国をして「科学技術創造立国」とする旨掲げている。

基礎研究・研究開発の重点化を柱に、重点推進四分野として「ライフ・サイエンス、情報通信、環境、ナノテクノロジー・材料」、推進四分野として「エネルギー、ものづくり技術、社会基盤、フロンティア」が策定されている。この法律のもとに内閣府の「総合科学技術会議（ＣＳＴＰ）」を設置、この組織は「総合科学技術・イノベーション会議（ＣＳＴＩ）」を経て現在さらなる強化がなされている。

ここで、一九九六年度から「五年ピッチ」で国として取り組む「科学技術基本計画」（政策内容）を策定し、現在は「第五期科学技術基本計画＝二〇一六～二〇二〇年度（平成二十七～令和二年度）の五ヶ年計画」を遂行中だ。

予算としても約二十六兆円にのぼる研究開発投資を目標とし、「ソサエティ５・０（サイバー空間と現実の高度融合）」を掲げ「ＡＩ」による情報提供と国の諸課題解決、「ＩＯＴ」によるヒト・モノの情報の共有と価値創造、社会の変革を通して人間中心のよりよき社会の構築をめざしている。

また同会議は「科学技術イノベーション総合戦略―新次元日本創造への挑戦―」を策定している（科学技術白書・文部科学白書）。また政府は最近「統合イノベーション戦略推進会議」を立ち上げ、これが「ＣＳＴＩ」や

「宇宙開発戦略本部」などを束ねることでさらなる科学技術政策の展開・強化をはかろうとしている。

また、先に成長論でも述べたイノベーションについては、「ＳＩＰ（戦略的イノベーション創造プログラム）」「ＩｍＰＡＣＴ（革新的研究開発プログラム）」「ＰＲＩＳＭ（官民研究開発投資拡大プログラム）」などの戦略的研究プロジェクトが策定（課題の設定と研究費投下）されている。

いずれにせよ、政府としては時代の流れに応じ科学技術振興のための政策立案・遂行の努力はしてきている。二〇二一年度からはじまる次の五ヶ年計画の推進は勿論のこと、今後の具体的展開を期待したい。

ただ、国民がこれらの情報に触れる機会はあまりないし、全貌を知ることはほとんどないのが実状だ。それはそれとし、僕の思うところを、先に触れた一（①と②）、二、三の項目のおのおのについて話す。

三　「高度科学技術について世界のリーダー」になる

三の一　「高度科学技術のモデル国」になり「高度科学技術の世界的展開」をはかる

老学者　一つ目の大きなテーマについて……まずは、①国として「高度科学技術モデル国」を目指すことだ。世界の国・地域から「日本の科学技術をモデルにしたい、と言われる国」になるということ。まさに世界から一目置かれる「日本ならでは……になる」ことだ。現になっている分野もあるとは思うが個々別々だ。これらを含め「国をあげて取り組む」ということだ。例えば次のような内容になるか。思いつくままではあるが。

「先進生産技術モデル国」……生産はすべて「高度な技術生産方式（ロボットの最大活用）」で行う。これらを実現するため技術者・技能者が一体になり、このような高度な生産技術を生みだしていく国、日本の得意な分野であるがさらに飛躍させる。

現在のところ、ロボット技術について日本は世界で群を抜いた力を持っている。世界に向け高度な生産システムを提供するだけでなく、生産に関わる技術者・技能者が生産指導やシステム運営（工場経営など）にあたる、開発途上国では有り難がられよう。特に第四次産業革命ともいわれるＡＩ・ＩＴによる技術革新を生産現場に導入する先導役にもなる。

「高度科学技術人材提供・受け入れモデル国」……開発途上国に高度なソフト・ハードについてのハイテクノロジーを身につけた「人材」を派遣してその国の発展に寄与するとともに、開発途上国からも（研修生を含めて）

受け入れ、高度な人材として育成するなど「人材交流を促進」、世界的規模で相互に頭脳を刺激し合う先導役になる。

米国シリコンバレーはインド人で溢れているとも聞くし、米国への中国からの留学生も大変多い。それもあり、米国は活力に満ち溢れ発展が途絶えない。

「人材交流」について日本はまだまだ閉鎖的だ。オープンにするだけの実力・自信がないのかと言われかねない。世界から日本を目指して人材が集まるようにする。そういう「開かれた土壌」がないと日本国内の優秀者も国を離れる（頭脳流出）ことになり、下手をすると取り返しがつかなくなる。観光客で溢れ返る（今は「コロナ」でダメだが）のもいいが、それだけではいけない。

「先端科学技術活用福祉モデル国」……他に例を見ない「福祉」に関わる高度技術テクノロジー・社会システムの開発をし、高齢・病気になって周りに面倒を見る人がいなくても誰でも安心して生活できる国にしていく。福祉ロボット（介護ロボット、看護ロボット、高齢者用家事ロボット、障害軽減ロボットなど）の開発をはじめいろいろ考えられるのではないか。

単に個別テクノロジーだけでなく、総合的で高度な先端科学技術を駆使した「福祉システム産業（施設全体・地域全体のシステム的運営）」の先導役となる。世界で一、二を競う長寿国・日本ならではだ。

「科学技術による環境問題解決先進モデル国」……クリーンな国（クリーンエネルギーの造出・使用模範国）にする。これは先進国・開発途上国ともこれから大きな問題となる。地球全体から問題視しなければいけない重要課題だ。関わる科学技術は日本が得意な分野でもあるが、それをもっと高度にし、環境問題国に対し環境テクノロジー供与・関連システム産業育成などの先導役となる。先に話した環境についての国際的約束事実践の先頭に立たねばならない、模範国になろう。これらを含め「総合的な環境先進国」になるのだ。日本人は世界も認める衛生的でキレイ好きな国民、今回の「コロナ問題」でもその片鱗を見せたかも。ゆえにこれをなしうる国民性を有する。

ただ、このモデル国になるには厳しい「哲学」が前提になる。例えば、これからの公共投資には「自然との共生」がテーマになる。まさに、環境問題と直に向かい合うことになる。ドイツのビオトープ政策が参考になろう。街づくりに自然環境保護側面を導入し自然との調和を優先、ビオネットづくりにより多様生物の生息保全はもとより、自然環境をいかした地域づくりだ。防災の公共設備はますます重要だが、これを環境とのバランスをとり実現するところが模範生たるゆえんだ。

またゴミ問題。世界的規模で大変なことになるが、スウェーデンの国をあげての対策（収集・処理・再利用などを下水処理同様、都市全体の構造機能に組み入れてシステムとして実施）など素晴らしい。科学技術を駆使するにあたり、これら先進国を参考にする必要もある。先にも話したプラスチック・ゴミ問題は、二〇五〇年に海洋投棄ゼロを目指すという。この先導モデル国にもなるべきだ、良い機会ではないのか。

「基礎科学研究モデル国」……最近軽視されているのでは、と問題視されている「基礎科学」研究（医療を含む）の先導役となり、多くの理科系ノーベル賞受賞者が輩出されうる「モデル国」にする。受賞については、最近は米国に次ぐ勢いではあるが、科学技術大国としてもっと上を目指してもいい。競い合うものではないにしてもだ。

第二話の教育問題との関連もあるが「基礎研究」は大事だ。これは開発・応用力向上のベースでもある。「モデル国」として国全体を視野に基礎研究機関の統合・再編なども視野に入れ、頭脳・プログラム・投下予算・施設などの重複を回避し、重要研究課題に財政投資を集中していくことも必要だ。

米国は圧倒的にノーベル賞受賞者数が多いが、国が「基礎研究」を大事にしていることの結果でもある。それが独創的開発、シリコンバレーの活性化、ひいては企業の繁栄をも生み出す。日本の基礎科学研究機関に世界から人材が集まるような国になれないものか。

「国家的イベント・プロジェクト推進モデル国」……いろいろなイベント（国際的博覧会など）を企画実施し、そのためのプロジェクトを立ち上げることにより、さらなる科学技術の発展につなげる。これは経済効果も大きいし、開発途上国への刺激にもなる。

ちなみに日本の経済発展は、諸イベントの実施により発展もしてきた。

これ以外にも「最先端医療科学技術モデル国（感染症・新型ウイルス対策など歓迎されよう）」「健康長寿モデル国」「安心・安全・防災＆減災モデル国」「インフラシステム＆都市整備モデル国」「科学技術技能教育モデル国」「人工食糧生産モデル国」「再生可能エネルギー技術モデル国」「深海開発モデル国」「ＡＩ・ＩＯＴを駆使した高度科学技術都市づくりモデル国（最近トヨタが動きはじめている）」などなど、高度な科学技術をもって「モデル国」として世界に貢献できる事柄はたくさんあると思う。

これらを、国の政策として進めれば、他国に先駆ける夢の技術をどんどん生み出すことにもなる。またこの「モデル国」を展開するに相応しい「モデル地域」を「複数（国全体にわたるという主旨）設定」し、各種優遇策を導入すれば「地方創生」にもなる。

さらにこれをベースに、モデル内容の科学技術の「世界的展開」をはかる。「日本・高度科学技術モデルマップ」を策定し、それをベースに国際協力の見地から諸外国に科学技術提供をしていくことだ。日本に学びたいとする国全部を対象にした展開になる。内容は相手国の受け入れ環境の違いがあるから、先進国・開発途上国別、地域別（アフリカ・アジア・欧米ロ・中南米・豪州）、各国別に提供内容を分類化し（形態……機器の展開か、システムの展開か、ノウハウの展開か……方法・時期など）、「体系的な展開」をはかることだ。これに関することは後（五）で話す。

なお、先に述べた想定モデル内容は種々あるので、人材・財源などの制約もあろうから、このうち「特に世界が求め、かつ日本が最も得意とする科学技術に集中」した展開をはかるのが現実的かもしれない。例えば、環境関連・生産技術関連などだ。

三の二　「高度科学技術の新規開発・改良・総合化の先導国」になる

「高度科学技術の新規開発」の先陣を切る

若者　次に、②の「高度科学技術の新規開発・改良・総合化の先導国」を目指せについてですが。

老学者　まずは「科学技術の新規開発」の先頭に立つこと。これは、未来予測との関連になる。それと「既存科学技術の改良」の推進を一段とはかること。これは既存の科学技術（既存製品など）に、先端科学技術（AI技術など）を取り込み、よりよい内容に変えていくようなことだ。

また「諸科学技術の総合化」の推進もはかる。これは、社会的課題への対応とかその質的向上などを目途に、先端科学技術を核に関連する科学技術の総合化・複合化・システム化をはかることだ。いずれについても「ハード（モノ…製品・商品）」のみならず「ソフト（コト・サービス）」に関しても対象になる。

「新規開発」については、先端技術（AIやIT技術、ロボットなど）を踏まえた種々のアプローチだけでなく、新しい観点・発想（人間の豊かな感性を対象にしたり、宇宙を軸にとらえるなど）からの取り組みも考えられる。ただ、新規技術が現実化（モノについては具体的な製品化・商品化）するには長年（十年〜二十年も）を要するケースもあるので、この点も含め「AI技術などの先端科学技術を応用・活用した既存の科学技術の改良」も重要な視点だ。

また、既存技術および新技術などの「組み合わせ・統合」など「システム」技術＝「エンジニアング」もますます重要になってくる（大きなソフト思考が必要）。「より高度なプラント設置（製造工場・発電設備・海洋設備など）」「より質の高い社会的インフラづくり（ダム・堤防・道路・鉄道・港湾・空港などの土木関連設備、学校・公園・上下水道などの公共設備、情報通信設備など）」はもとより「新機能を有する都市それ自体の構築」などに代表される「大きな複合技術」も視野に入る。

個別の科学技術もさることながら、今後はそれをも含むより大きな「総合的科学技術」の観点が重要になってくる。物体だけに絞ると付加価値は低い。ゆえにオペレーション等の「システム事項」が、より高付加価値を有することになる。これには高度なサービス機能も含まれる。ソフト・ハードのミックス・ハイブリッド科学技術を求めることになろう。

若者　まずは「科学技術の新規開発」についてですが、未来展望・予測との関連でとらえることになりますね。進歩の最たるものですが、切り開くのは大変です。

老学者　現に取り組んで結果を得ている事柄も相応にあろうが、「未来展望・予測（夢社会・期待社会）」の具体化にもっともっとチャレンジしていくことにより開拓される科学技術だ。これは、技術革新（テクノロジカル・イノベーション）の「プロダクション・イノベーション」に象徴され、米国が得意とする分野だが、ハード（モノ）に限らないソフト（コト・サービス）も含む（ちなみに日本は「プロセス・イノベーション」に強いとされるが）。新規ゆえにまだ具体的形にはなっていない、縦横なソフト思考・柔軟な考え、想像力・創造力・ヒラメキ・アイディア・チャレンジ精神がモノを言う。いかなる「アイテム」に着眼するかだ。さまざまな個別アイテムがあろうが、大枠の展望・予測をどう描くかによる。

展望・予測は、国内外問わずさまざまな権威筋からなされている。米国国家情報会議編『２０３０年世界はこう変わる』とか、国内では、自由民主党国家戦略本部編『日本未来図　２０３０』（その道の権威（二十人）の見解を紹介）や、三菱総合研究所『全予測２０３０年のニッポン』とか、小宮山宏・三菱総合研究所編著の『これから30年　日本の課題を解決する先進技術』などがあり、他にも先進的視野に立ったさまざまな考えが提起されている。

掲げられた事項は「今後取り組むべきアイテム」であり、新規技術開発につながる内容であって現実化が期待される。もちろん、現に手がけられているものはあるし、次に話す既存の科学技術の改良に関するものもある。ベースは先に指摘した「人間の限りなき向上心」に根差すものだ。

いずれも権威ある見解で重要だが、特に米国の内容は『グローバル・トレンズ・2030』として、この国ならではの世界を俯瞰した戦略的なもので、大統領も承知する、国として充分なる検討を経た内容ゆえ注視する必要があろう。

この米国国家情報会議編『2030年世界はこう変わる』には、ゲームチェンジャー（世界の流れを変える六つの要素）の一つとして「最新技術の影響力」を指摘し、その力を有しうる技術として情報技術（データ処理・ソーシャルネットワーク・スマートシティ）、機械化と生産技術（ロボット・自動運転技術・3Dプリンター）、資源管理技術（遺伝子組み換え食物・精密農業・水管理）、医療技術（病気管理・能力強化）の四技術分野について述べられている。「新規・開発姿勢」にきわめて富んだアメリカのこと、大いに参考にすべき着眼点だ。この「流れ」を十分に読み取る必要がある。市民的・平易な言葉で表現すれば「便利性（スピード）・豊かさ（質・量とも）・安心・安全」の追求になるか。

『日本未来図　2030（自由民主党国家戦略本部編）』には、ノーベル賞受賞者の野依良治さんや山中伸弥さんの他、多数の方の未来展望が描かれている。例えば川口盛之助さん（日経BP未来研究所アドバイザー）は、現在は「ソフトと情報」の時代だが、次は「バイオと脳科学」の時代とされ、「ES細胞・iPS細胞」は「基盤要素技術」として大きな可能性があると言われる。脳科学について米国・オバマ前大統領は「二十一世紀は脳の世紀」と位置づけし、巨額予算をつけて技術開発を推進したと指摘される。日本では主役の時代を終えつつある「メカトロニクス技術」も形を変えてこの新分野の推進に寄与するとも指摘されるなど、時代の「主役となる科学技術」を展望されている。

三菱総合研究所『全予測2030年のニッポン』には、先に少し触れたが「生態」（生態を模倣したシステム技術・生態を用いたエネルギーと環境問題の解決・バイオ素材とプロセス技術）、「生命」（医療・救命救助・食料と水）、「感性」（視覚・嗅覚・触覚・味覚・聴覚・意識）、「場」（安全を追求したモビリティ技術とネットワーク技術、環境をよくするモビリティ技術等）についての技術と産業について述べられている。従来の古典的切り口とは違う「面白い発想」に基づく科学技術予測だ。夢がある。

小宮山宏・三菱総合研究所編著の『これから30年　日本の課題を解決する先進技術』には、「無限の資源・エネルギーを生かす」「生物・生命のフロンティアに挑む」「快適なサービスを提供し、社会改革を促す『ネオIT社会』」「楽しさも加味した医・食・住の快適トライアングル」などと題し、技術革新について記されている。例えば、東日本大震災による原子力発電所事故で課題の多いエネルギーについては、「無限の資源・エネルギーを生かす」で「目に見えない小さな藻が空の旅を支える」とか、大規模再生可能エネルギー（海洋・砂漠・宇宙がフロンティア）や、資源・製品の回収と再利用などなどについて夢のある話を展開している。

なお小宮山宏さんは、先に話した『日本未来図2030』で将来を見据え「リサイクルで日本は資源自給国家をめざせ」とも言われる。現時点で日本は加工貿易を前提としているが、いずれ世界中が加工国になることを前提にした話だ。そのためにも世界の先端をゆく「科学技術国家」たることが重要だ。「柔軟で大きい視点」に基づくとらえ方だ。

『日経大予測2015・これからの日本の論点（日本経済新聞社編）』の「論点14」（大西泰之著）によると、デジタル革命の本命としてあらゆるものがインターネットにつながるIOT（インターネット・オブ・シングス）の時代が来ると言われる。この市場規模たるや日本国内だけでも二十一兆円、世界規模では二〇二〇年には七兆ドル（約七〇〇兆円）に達するようだ。ウエアラブルもその手段の一つになるという。『日経大予測２０１８・これからの日本の論点（日本経済新聞社編）』の「論点１３」（奥平和行著）では、ＩＯＴによるビッグデータはＡＩシステムによる解析がないとできない、ＡＩは「第四次産業革命」の中核をなすと指摘される。ＡＩシステムの成長率は二〇二〇年には年平均五十四パーセントにもなるようだ。ＩＯＴによりこの技術を介して社会自体が変容していく。これは「コンピューターの組み込まれたモノ同士がオープンに連携できるネットワークであり、その連携により社会生活を支援する」ということになる（坂村健著『ＩＯＴとは何か』）。

また『日経大予測２０１９・これからの日本の論点（日本経済新聞社編）』の「論点１３」（中山淳史著）によれば、今後はＡＩにより企業の経営内容も変わってくると言われる。例えば働き方についても、ＡＩが従業員個人の「幸福度」を常態的に計測し日々の働き方を指示する（日立が取り組んでいる）ような時代になるとも言う。日本のように幸福度の低い国（本著によれば世界幸福度ランキング五十四位）には貴重な話だ。

また、企業の目標などについても同様、その実現にあたり結果をＡＩにより予測していかに仕事をムダなく効率的に推進するかの指示がなされうる、と指摘されている。ＡＩの活用によりこのようなことがさまざまな事象で推進されれば、今では想像もできない社会になる。いずれも今後、世の中を先導する「デジタル化」についての話だ。

若者　爺さんの好きな「宇宙」も夢の対象です。「火星」への人類移住のための探査、「月」での資源開発とか、「宇宙」が人類生存との関連で大きく視野に入ってきますね。

老学者　最近亡くなられたホーキング博士も「宇宙を考えずして人類の将来はない」と言われていたな。政府も二〇一七年五月に「宇宙産業ビジョン２０３０」を策定し関連産業の支援に乗り出した。二〇三〇年代はじめに宇宙産業市場規模を現在の倍にあたる二兆四〇〇〇億に拡大する目標を掲げている。

現状は欧米諸国に比較し事業規模も小さく国際競争力もあまりない。が、技術の潜在力からすればもっと強化していくべきだ。宇宙への進出は、自然科学の進歩に資することはもちろんだが、生活との関連でみてもロケットや人工衛星の打ち上げによる月や惑星の資源探査・開発、宇宙旅行（宇宙ホテル）の実施、データ利用（気象観測・地理探査・科学実験など）など活用範囲は広く夢は大きい。

若者　目を転じて地球上で言いますと、海に関しては深海開発・海洋資源開発など、陸で言えば超高層ビルなどで構成される最先端都市づくり（富士山を越える高さの超超高層都市空間づくり）など「夢は果てしない」といえます。

老学者　そうだな。これらの予測は希望的事項もあろうが、人間の意志で実現可能なものでもある。国全体として、今掲げた未来予測・展望を参考に時代を先取りし「新規の科学技術の開発」に取り組んでいく姿勢が必要だ。日本人はそれができる潜在的能力を有していると信じたい。

うかうかしていると、先端技術開発に熱心な国の後塵を拝することになる。例えば「人間型ロボット世界大会」があるが、日本の出場チームの実力はどうなのか。日本はロボット大国と言われているが、心して取り組む必要がある。

先の太平洋戦争についての米国の日本分析に、「優秀な科学者などがいたにもかかわらずこれを生かせなかった」との主旨の報告がある。軍部の独走・一人よがりが、科学についての優秀な頭脳を排し活用せず、結果として米国の科学技術力に対抗できなかったわけだ。戦争はしてはならぬが、平和を前提として今後はこのようなことにならぬよう、国として組織を超えた「大きな視点に立った物事の取り組み」が重要だ。
　先に産業波及で話したように、こと「ロボット」について言えば、この「開発力が将来の国力を左右」しかねない。「新しい産業革命」を生み出すからだ。世の中もまさに「鉄腕アトムの世界」（政治、経済、社会などあらゆる面に影響する）に近づいていくことになるから、国として一段と力を入れる必要がある。
　もちろん、マンガ・アニメに登場するような奇怪で有害な「ロボット」に支配されないよう留意も必要。とにもかくにも今後は「高度科学技術国家」たることがますます重要になる。

若者　これら「高度科学技術の新規開発」について、国の戦略はどうですか。

老学者　先ほど触れた内閣府の総合科学技術会議の「科学技術イノベーション総合戦略―新次元日本創造への挑戦―」によれば、「２０３０年に実現すべき経済社会の姿を前提に取り組む課題」として「クリーンで経済的なエネルギーシステムの実現、国際社会の先駆けとなる健康長寿社会の実現、世界に先駆けた次世代インフラの整備、地域資源を強みとした地域の再生、東日本大震災からの早期の復興再生」とある。また先ほど触れた内閣府の「第五期科学技術基本計画」には、例えば「将来にわたる持続的な発展と社会の発展の実現」のもと「グリーン・イノベーションとかライフ・イノベーションの推進」などが掲げられている。
　今後はこれらのプランをどう「具体化するか」が問われる。政府・民間が足並みを揃え「戦略を共有」し、国をあげて「団結・協力」して実現していかなければならない。ただ、内容により時間を要することは覚悟すべきだが。「戦略」を構築すれば、関わる「予算と人材」がモノを言うことになろう、充実すべきだ。

「先端科学技術（AIなど）を活用した「既存科学技術の改良」を一段と推進する

若者「既存技術の改良」については、どうですか。イノベーションの七十～八十パーセントは、華々しい新規のものではなく地道な生活感覚に基づく「既存技術の改良」と言われています。地味ではあるものの「科学技術の新規開発」にもつながりますし、日本人の得意分野でもあります。これは各企業主体の発想力・着眼点次第だと思いますが。

老学者 そうだ。シュンペーターは「革新」の概念を、過去からの連続性によるものでなく全く新しい「非連続的」なものにも求めた。確かに革新はこれに象徴されるが、このようなケースは日常的ではない。その努力は常時必要だが、日常的に行われる「地道で連続的な改革・改良も革新のひとつ」だ。シュンペーターは「革新」は「知と知の組み合わせ」であるとも言っている。これは「連続的」なものも含む考えだろう。

現に『通商白書』（経済産業省編）によれば、「企業の研究開発の短期化（産業構造審議会産業技術分科会研究開発小委員会の報告）」と題して「研究開発の九十パーセントが既存技術の改良（事業化まで三年以内）」となっている。これをどう維持するかも重要だ。既存のモノの結合などによる新しい価値あるモノの創造はその象徴でもある。ちょっとした工夫・一ひねりから生まれる「日常感覚が重要」だ。モノづくりについての「発想力」「着眼点」と同じだ。

技術の進歩は永続的ではあろうが、相当なレベルに到達している現在、さらにこれを飛躍拡大させていくための発想・着眼点は何か。存外「足元にある」とも思う。「素人発想」も大事と思うのだが。

例えば生活関連の製品についての「改良のためのキーワード」を僕なりに並べてみると結構あるよ。

「ソフト化」「軽量化」「ミクロ化」「環境配慮」「高齢者配慮」「健康配慮」「女性配慮」「障害のある方への配慮」「個性化」「芸術化」「無駄の排除」「遊びの思想の導入」「ゴージャス化」「資源の再活用」「一体化」「コラボ

レーション化」「機能融合」「現在物の統合・分離」「単機能から複合機能」「簡素化」「多機能化」「未利用の利用」「大容量化」「スピード化」「コミュニケーション機能付加」「ネットワーク機能付加」「デジタル化」「サービス化」「動物行動の参照取り入れ」「ユビキタス」「ソフト・ハードの一体化」「機能吸収」「逆転の発想」などなどだ。

これらをキーワードとして、現有の技術の改良（その効果として新規製品の開発にもつながる）をしていくことになる。「発想力」がポイントだ。これらの発想・着眼点は、専門家よりも僕のような日常生活者の方が豊富かもしれない。素人として「こんなモノがあればいいな」という発想が自由にできるからだ。いわばアニメ「ドラえもん」に通じることだ。

これらの発想・着眼点に基づき、既存の技術・モノに（超）高度な付加価値をいかに付けていくかだ。共通事項としては「『ＡＩ』機能を絡ませる（組み込む）ことによる付加価値物の創造」と「きめ細かい（一歩踏む込む）個別志向（一律的でない多様な要望に答える）への対応」になるのではないか。まさに高度科学技術の産物となるわけだ。これはモノづくりだけでなく、サービス提供についても同様に言えるコンセプトだ。

若者　需要者には一般人が触れることの多いモノもありますから、むしろ素人の方が改良の着眼力については感性に富んでいますよ。考えれば実にたくさんありますよね。ＮＨＫの朝の番組「まちかど情報室」で、主婦のアイディアにより便利に工夫された新しい生活用品が紹介されています。実にいろいろありますね。取り組む基本姿勢はこれと同じと思います。技術改良は永続的ということですね。

老学者　そう思うな。今思いついた他にもっともっとあるんじゃないのか。いくらでもあるはず、やろうと思えば実に「宝の山」だ。「必要は発明の母」、主婦（最近は主夫も多い、僕もその一人）の発想が新製品の開発に役立っている例はいくらでもあるからな。

ただここで重要なことは、思いついたことは「すぐに形にしてみる」ことだ。一〇〇点でなくてもよい。市場の反応を見つつさらに完成度を高めればよい。学校時代の一〇〇点主義は不要なのだ。この姿勢は前述の科学技術の新規開発では特に重要だろう。

いずれにせよ市場の反応は鋭い。『心の中の価値から、経済学』で著者の蒲生暁与氏は「自然発生的な独占市場」について触れ、その存在理由は「今存在する商品のうち最高に高い満足をその独占企業はあたえている」からこそであると指摘されている。使う者の心理はそうであろう。高い技術が必要なものの市場はかくなることを常に前提にせねばならない。そこに新技術開発は言うまでもなく技術改良の意味がある。国としてこのような「改良をどんどん促すような施策」を考えるべきだ。

「諸科学技術の総合化・複合化・システム化」に取り組む

若者　改良はどちらかと言えば「個別機能」についての話です。これとは別に大きな視点に立ち「世の中の動き」を見極めつつ、「社会的視点」から「科学技術の相互活用」をどう高めていくかという課題があります。技術の「総合化・複合化・システム化」についてです。これも日本の得意とする応用分野になるのでは、と思います。

老学者「今後の世の中の動き」をよく見極めての展開になる。先の話と重複するところもあるが、例えば横断的思考として「ＡＩ・ＩＯＴ・ロボット・エレクトロニクス・コンピューター・メカトロニクス・新素材・バイオテクノロジーなどの先端技術を核に、どう関連技術を組み合わせて世の中の動き・課題に応えていくか」だ。必要なのは大きな視点に立った「社会的システム思考……ハード（モノ）・ソフト（コト・サービス）の高度融合・

ハイブリッド化」になる。

例えば「多くの社会的課題の同時解決」を核に「一つの理想のもとでの技術の総合化」をはかる。理想として「多機能を有する理想的生活空間を有する地域・都市の創設」はどうか。快適居住、便利なショッピング、医療&健康向上確保、環境対応、観光促進、各産業の活性化、文化&レクレーション&スポーツ施設の充実などを目途に相互に関連づけ組み合わせた「地域・都市全体の総合的高度機能社会の創生」だ。

これをＡＩ・ＩＯＴ・ロボットなどを縦横に駆使して作りあげ、諸課題「地方創生…過疎化に悩む地方の活力化、少子化による労働力不足解決、高齢化による病気治療・健康維持&向上、複雑化した居住空間の防災・安全の確保、自然大災害への対応、市場成熟化に伴うさらなる便利性の追求、環境悪化の改善などなど」の解決を目指す。

従来は各課題についてその要因別に個別技術をもって対処してきた思考を超え、全体を俯瞰した「技術の総合化」をもってコトをなすことになる。これにより多くの事柄がシステムとして関連づけられ「さらなる充実した付加価値」を生み出す。

スマート・シティー（ＩＴ技術でエネルギーの効率的活用をはかる新しいタイプの都市）もこの一種（取り組み課題は部分的だが）だ。これらは日本の得意とする「応用科学技術」「高付加価値科学技術」の延長線にあり、「高度科学技術」の象徴にもなるし世界的展開もはかれる。構想が大きいほどやりがいがあるのではないかと思う。国として世の中の動きをよくみながら「何らかの高度科学技術を『核』に、関連する科学技術を総合化・複合化・システム化」していくことに着眼し、各政策に反映させ助成していくべきだ。大きな取り組みゆえ一時的にコストはかかろうが、長期的にみれば従来の個別・断片的施策の積算額より合理的になるのではないか。

経済産業省は二〇一六年に「コネクテッド・インダストリーズ（ＣＩ）……さまざまなつながりで新たな付加価値を創出する産業社会」構想を打ち出しているが、これにも相通じる取り組みにもなろう。

以上、取り組む科学技術内容のおのおのについて話したが、現在注目されている「科学技術のテーマ」を一部列挙しておこう（先に話した内容と重複するが）。

エネルギーの安全・安定確保（再生可能など）、超高度情報技術の向上（超多量情報の高速伝達……5G、メディア・インターネット・パソコン・デジタル機器の高機能化）、新素材開発、生命科学（遺伝子・DNAに関するもの全般）の先端的研究、環境技術の一段の向上、食料&水の安心確保（人工物の開発）、先端医療（再生医療など）取り組み、健康水準の向上対応（先端医療機器の開発）、感染症対応（新薬・ワクチン開発、高機能医療機器の開発、感染状況フォローシステムの高度化）、長寿・高齢者福祉・介護などの問題対処（ロボット開発）、あるいは、国防・治安の維持向上、治山治水・異常気象対応（巨大風水害対策）、巨大災害対応（巨大地震、津波、火山噴火などへの備え）をはじめ農林・水産業の質的向上、交通運輸インフラの整備、国際的宇宙空間活用、深海資源の開拓などの課題、などなど盛りたくさんだな。

これらテーマも、今話した科学技術の「新規、現状の改良、総合化」のいずれかで、ないしは複合的に取り組んでいくことになる。

四 「世界を相手に高度科学技術事業体（企業が中心）の強化」をはかる

若者 二つ目の大きなテーマとして、科学技術を具体的に展開していく「事業体をどのように強化」していくかです。主体となる企業自身の努力はもちろんのこと、国の政策も大きく関係してきます。きちんとしないと今まで話してきたことが現実化されません。

老学者 その前に、きわめて重要な視点として「基礎研究」も含め「大学・研究機関など」を一段と強化していく必要があるが、これは第二話で論じることにし、ここでは高度科学技術の具体的展開を担う各「事業体」を、世界を相手に「いかに強くするか」を考えたい。

これは事業体の類型に応じて考える必要がある。「大企業」については大資本をいかに戦略的に活かすか、「中小企業」については資本自体の強化を、「アントレプレナー（起業家）によるベンチャービジネス＝ベンチャー企業」については国としての積極的育成がポイントになる。別の視点から地方創生とか農林水産業の将来像（企業化）も考える必要がある。「企業自身」の課題と同時に国家戦略の重要課題だ。

大企業は、将来消滅するのではとの論もある。ＡＩとの関連で事業の仕方・働き方が変容し、企業中心社会から個人中心社会になることによる経営の変化が予想されるからだ（大内伸哉著『会社員が消える』）。

傾聴すべき見解だが、それは一応おくとして、現状を前提とした話になる。これら企業は全部「日本の経済を支え国富・財を生み出す存在」だ。大中小の区別はない。社会的存在ではあるが、一種の自然共存体とも考えられる。大木・老木もあれば、小さくとも可憐で優美な草花もある。全体で「それなり」に資本主義社会という生き物世界を支えているのだ。どれ一つとっても貴重な存在だ。このことを忘れてはいけない。

まずは、今回の「コロナ問題」でこの火を消しては絶対にならぬ。窮状にある企業に対し、国は可能な限りの予算を投じて救済せねばならない。一時的に莫大な資金を要しても惜しんではダメだ。妥当な措置を講じ「企業が生き残れば」やがては国に還元される。ワケのわからぬムダ金を排し、何としても「企業復活のための生きた金として」税金を使うべきだ。基本がぶれてはいけない。

四の一　「大企業（必ずしも安泰ではない）」は事業間の大統合ないしはミニサイズ化で国際的競争力強化を、「中小企業（日本企業の九十九パーセントを占めものすごい底力あり）」は国策的サポートで国を挙げて体質強化を、「ベンチャービジネス」を国として戦略的かつ大々的に強化・支援すべき（米国を見習おう）

若者「コロナ問題」はそのとおりです。きちんとこれに対応することを踏まえ、今後の取り組みの話になります。これからはますます海外が相手、企業の海外進出も進んでいますが、進みすぎると空洞化になりかねません。

国として空洞化回避はもちろんのこと、日本企業として世界を相手に事業体が弱体化しないような戦略・政策が必要です。うかうかしていると世界的な有力企業や、国策として企業育成をしている開発途上国などの企業に日本の企業が追い越されるどころかM＆Aの対象にもなりかねません。

老学者　今後はＡＩ、ＩＯＴ、ビッグデータなどなど、これらを「統合的に活用」していく企業力がモノを言う。ＡＩによるＩＯＴなどから得られたビッグデータなどの分析を介して、品質・生産性の向上、新製品・新規事業の開発などがはかられる。

世界の有力企業は、世界的視野で企業・事業と提携・統合などの「世界戦略」を展開・リードし、それにより今後企業社会においてますます重要性を増すであろう「イノベーティブな事業」を一層促進させ、世界をその資本力・経営力・先端科学技術力・人材力などの「総合力」で席巻していく。日本企業もこれに対応していく必要がある。各企業の自由意思は尊重するものの、国のレベルでみた戦略が重要、大きな視点が必要だ。

課題とすべきは「いかに有効でイノベーティブな事業戦略を展開するのか」だ。これには「革新的事業戦略を国として共有すべく、企業規模は無関係に企業間のカベを取り外すとか、革新的中小企業・ベンチャー企業を国として特別支援をする」など、従来とは発想を変えた取り組みが必要になろう。イノベーションにはオープン・マインドが必要。大きな考えとして「国ベースの知恵の総合化が重要」、と同時に「日本ならでは」の伝統的・企業力を維持・強化せねばならない。国として「意識した積極支援」をなすべきだ。

例えば「製造業」（に限らないが）で考えてみるとこうなる。大雑把に言って、

①大企業については、「高度科学技術を核」に「企業間の同一事業再編でより強力な集団（グループ企業集団）を構築する」とか、「異なる事業間でもイノベーション内容が共通するようなグループ企業集団を構築する」とかの戦略を打ち出すこと、ないしは傘下の企業（子会社）でベンチャーに馴染む企業がある場合には「本体事業部門と統合のうえミニサイズ化をはかりそれに特化する」ことなどが考えられる。

②中小企業については、日本人でしかできない「高度科学技術（特に「技能面」が強い）と言えるモノづくり（ノウハウも含む）」の、伝統的な「匠の技」を消失させないような政策を打ち出すことが重要だ。それに、

③アントレプレナーシップ（起業家精神）を重要視し、どんどん「ベンチャー企業」を育てていくことだ。「ベンチャー」は高度科学技術に関連する起業に最も馴染む存在だ。

「大企業の強化」について

若者　もう少し掘り下げた話をしましょう。まずは大企業について、世界を相手に高度科学技術国家をリード・発展させていくには、「しっかり」してもらわないといけません。

老学者　大企業といえど、今後はどうなるかわからない。柔軟なアイディアの時代、古い既定路線の上で安穏としていてはダメになろう。

強化策として、事業の展開方法などにも工夫がいる。例えば企業間で「既存の同一事業、あるいは先進技術を

核にした先端事業を再編」することでの強化が考えられる。

手法としては、個別企業の「分社化」を経ての再編がある。企業を構成する各事業部門を分社化させ、この会社（事業部門の会社としての独立）と他の会社の競争力を有する「同種あるいは先端の事業部門」と「統合（水平統合）・再編する、ないしは何らかの協力関係（アライアンス）を構築」する、あるいはこれにさらなるベンチャー的機能を有せしめるなどの形態が考えられる。

少なくとも国内レベルで「同一事業・先端事業」についての技術・業務提携などによる「国単位での相乗効果」を出すため、企業間の壁を超えた協力関係の構築が必要になってくると思う。国際的に一段と強力な企業戦略が展開できるからだ。一企業の話でなく、力のある優秀な企業同士が「国として同一事業・先端事業の高度科学技術を結集」するのだ。

大手といっても国内での話であって、これからはますます「世界的視野」が重要、国内で争っている時代ではない。特に超高度な科学技術についての先陣争いは一段と激しくなろう。従来の枠組みへのこだわりやプライド、会社間の不必要な争いなどは無用、大胆で前向きの戦略が必要だ。

今後予想される世界の超有力企業相手の「高度な先端科学技術開発」について、日本国企業として「相互の頭脳・知恵を交換し合い、さらなる付加価値を創出し、かつ資本力を増強」する必要があるのではないか。

大企業のシンボル「経団連」も、「その威光に陰りが出ている」（読売新聞経済部著『検証　財界』）との指摘もある。大手もしっかりせねばならない。

若者　ともすると、現状このような統合・再編は企業救済（不採算事業分離の延命策）とか、相互に関連する何らかの問題解決策として行われる傾向（金融機関もそのための融資になる）にありますが、そうではなく「国レベルでの同一事業・先端事業ごとの事業統合（会社間統合でなく）・再編」であり「積極策」になります。

会社同士の統合については、大きくなりすぎコントロールが難しくなるリスクもある。ゆえに「同一事業・先端事業の少数化・相乗効果創出・大資本化」をはかるということですね。

老学者　そういうことになる。ただし、言うまでもなく事業統合・再編の前提には相互の「財務内容の把握」がきわめて重要、これを看過すると統合・再編が無に帰するどころか経営破綻することにもなるから、「山気」のある統合・再編をしてはならない。

また「独占禁止法」との関係もあるのでこの点は慎重でなければならないが、国家レベルで事業単位ごとの人材・技術・財務などの重複投資や重複業務を避け、「海外に対して打って一丸となる仕組み」づくりであるから、法を遵守しつつも知恵を出すべきだ。

法の遵守については「優越的地位の乱用の防止」とか「市場の規律維持」を前提に、利用者・消費者の利益阻害になることは回避すべきだが、これらに留意しつつ世界を相手に「生き残れる戦略を強化する」に越したことはない。場合により同法の「特例法」を立法し、対応する柔軟性も必要になろう。

イノベーション意欲の減退などの巨大化により発生が予想される問題（大企業病など）についての留意はもちろん必要だが、今後はますます世界の強力な資本との競争が激しくなり、うかうかしていると「外国の資本に飲み込まれる」ことになる。先のシャープのように救済的意味合いで台湾企業資本の傘下に入る場合は致し方なくもないが、そうでもない海外からの買収はリスク回避をせねばならない。

海外の有力同一事業・先端事業の買収・統合も視野に入れチャレンジしてもよいが、相手先の「財務内容の把握はもちろん、経営文化・技術内容・労働の質的違いなどの把握」をきちんとしないと「取り返しのつかないことになる」ことは胆に銘ずべきだ。

また、ケースにより相手の国との政治的問題（主導権争いも含む）に発展する場合もありうるので充分留意が必要。海外企業の世界戦略は「当該国の政治とも絡み一筋縄ではいかない」。日本的「和」の論理が必ずしも通用しないことも念頭に入れるべき、ゆえに「国内での強化策が第一」だ。

若者 同一・異業種問わず「類似のイノベーション内容」を軸に事業統合をはかる考えもありますよね。異業種間の場合、相互の持ち味を持ち寄り統合することにより、さらに付加価値をつけた「新規（新しいコンセプト）事業の展開」をはかる。例えば重工業の製品事業とソフト会社のサービス事業の合体など、要はその社会的有効性の判断いかん（夢の実現の可否）です。

また、逆に事業を「ミニサイズ化」することも考えられます。ベンチャー的事業は小回りがきくことが重要、発想が即事業化に直結する仕組みが重要、スモールであるほど効果的だと思うからです。これら一連の話は、さまざまな業界についても共通しうる考えです。

ただ、各事業の全体論としては、同質事業であっても「一企業ごとのユニークさ・個性を保持した方が戦略的にベター」な場合には、統合（アライアンス）・再編は必ずしも馴染まないとは思います。最後は各企業事業の「持ち前の競争力強化」の話になりましょう。国として世界の動向に鑑み、大企業が「世界の大手」に対抗・優位に立てるよう、その促進にブレーキをかけるような政策ではなく積極策を導入・推進すべきです。

ところで、爺さんも「企業間の統合」についての経験がおありのようで。

老学者 勤務した上場関係会社・総務人事部の総務業務として当該会社を本体の「完全子会社」にすることにより、これを「存続会社」（会社法で言う）に、同類事業関係会社統合のベースづくりを担当した経験がある。これは親会社の「事業史」上重要な経営事項とされ、僕にとっても人事労務業務同様貴重な経験になった。

まずは当該企業の完全子会社化（「株式交換」により親会社を一〇〇パーセント株主とし当該関係会社の上場

を廃止）をはかり、その上で後に関連三社の統合がなされた。当初完全子会社化にせよその後の統合にせよ、目的・効果についての議論がいろいろあったが、最終的には推進した。

このような統合が成功するかどうかは、「事業のコア」をどうするのか、統合の「効果（シナジー効果という）」が本当にあるのか、真の「人的融合」ができるかどうかにかかっている。

また「財務的事項」はきわめて重要な判断資料になる。特に「人的融合」について言えば、人事労務制度の統合はもちろんだが、「人心」の融合がなされるかどうかがポイントだ。これには時間がかかる。適材適所の人事異動、コミュニケーションの場づくりなど地道な積み上げが必要。

ただ「同一事業間の統合・再編なら人心の融合は機能的には得やすい」と思う。統合はこのような問題を見通した上で推進していく必要がある。「企業文化の違い」が大きい場合にはそう簡単ではないが。

「中小企業の支援・強化」について

若者　大企業は自主的にやれるかもしれませんが、日本の企業数の「九十九・七パーセント」を占めている中小企業は約三八〇万社（大企業は約一万社）もあり、従業員も日本の雇用者数の「七十パーセント」を占めているわけで、国の経済動向を左右する存在です。科学技術国家を地味ながら陰で支えている重要な存在でもあります。国として一段と重要視し、その活動をより強固にすべく支援しなければなりません。

老学者　中小企業のあり方は重要な政策課題だ。いかに強化・活性化できるかだ。とにかく汗にまみれながら地道に頑張っている。毎日が工夫の連続だ。生死がかかっているから「親方日の丸」ではおれない。政治はもっとこの「頑張り」に応えないといけない。

日本経済は「中小企業でもっている」といっても過言ではない。全事業所数と比率、全従業員数と比率、そのとおりだ。事業所数や従業員数だけではない。モノづくりもそのベースは中小企業によって支えられている。それも「伝統ある匠の技」だけでなく、「先端をゆく高度な技術開発」についても中小企業が大いに貢献しているのだ。

したがって中小企業のあり方を問うことは、日本の経済、産業社会、企業社会の将来にとってきわめて重要になる。政府は大企業中心の政策もさることながら、もっと中小企業を「大事」にしなければならない。

今でこそ影をひそめたが、「経済の二重構造」という言葉がある。これは、大企業と中小企業の間の格差構造を言う。日本はこの構造に支えられて発展してきた。中小企業を「シンプルに経営分類」すれば、「独立存在として中小企業ならではのモノづくりやサービス提供企業」「大企業傘下の企業、製造業で言えば大企業の系列下で最終製造物の構成部品の生産を担当する企業」「最近多くみられるグループ統括企業傘下の各事業別に分社化された関連企業（大企業もあるが）」「起業家精神で独立独歩のアントレプレナー（起業家）的存在である企業」などになろう。

いずれもその経営上の苦労は大変だが、特に大企業傘下の企業の苦労は大変だ。種々の面で手当てをすることにより、格差なき企業社会全体の活性化をはからなければいけない。実状に鑑みると、日本の製造業は町工場の「オヤジさんの心意気」でもっていると言っても過言ではない。

池井戸潤さんの『下町ロケット』、あの意気込みだ。いろいろな社会の壁（傘下である大企業との関係など）と戦いながら夢を追求する姿……素晴らしい。少し前にテレビでドラマ化されたが、阿部寛さんの演じる佃製作所・佃航平社長のモノづくり技術に対する確固たる信念、ほとばしる情熱、ものすごい迫力だった。テレビドラマではあるが、見ながら手に汗して応援し感激した。日本の中小企業のオヤジさんは皆、大なり小なりこの心意気だ。現実そのものだ。

とにかくにも日本の中小企業の「ものすごさ」の例は枚挙にいとまなしだ。例えば、日本を代表する産業として自動車産業と電気産業があるが、これも中小企業があってのことだ。車は何万点もの部品からなるが、かの有名なフェラーリを支えた高機能車製造用・部品工作機械（一台で一気にミクロン単位の加工が可能）を有しているのは中小企業だ（前掲『世界が目を見はる　日本の底力』）。

これらをはじめ世界の「工作機械」の三分の一は日本製だ。この機械の屋台骨は「金型」だが、金型全般はもちろんのこと微細金型刃物も日本の得意とするところだ。

国内のトップシェアを有する中小企業は五五〇社もあり、うち五十社は世界でトップのシェア、それの十社は一〇〇パーセント世界市場独占だという。

日本政策投資銀行は、中小企業を「イノベーション型研究者集団」（ナノレベルの特殊表面処理など）、「専門振興型中堅企業」（ハイテク専門精密機械など）、「周辺ノウハウ蓄積型中小企業」（高精度歯車など）、「熟練技術者集団型町工場」（造船・繊維機械など）とし分類しているが、分類はさておき世界に通用する日本の中小企業数は「数千社」にもなるとのことだ（前掲『世界を制した中小企業』）。この本を読むと本当に嬉しくなる。

また「町工場の職人芸」と題して、中小企業においてハイテク関連で働く「男の活躍」ぶり（例えば、超合金であるレアメタルとかステンレスの深絞りプレス・特殊加工技術についてなど）が、これも先に話した『超職人』に紹介されている。読むほどに「すごさ」を感じる。テレビ放送「探検バクモン」とか「和風総本家」などで日本の中小企業の現場が紹介されているが、とにかくすごい。製品に接した外国人もインタビューで感激している。

中小企業（だけではないが）に象徴される「匠の技」については、僕が経験した現場の技能言葉として「はつり・かしばめ・しんだし・やきばめ」などなど多数ある。これらは金属製品加工の言葉だが、これら技術を現場の人は長い経験でやってのける「腕」を持っており、朝から晩まで黙々と取り組んでいる。モノの溶解具合が「一目でみただけ」で瞬時にわかるとか、製品の曲がり具合や表面の平滑度が「少し手で触れるだけ」でわかるとか、とにかく「ものすごい」…「神業」なのだ。このワザにより我々は素晴らしい製品を手にとることができる。

若者　その話が出たところで、爺さんのお好きな「宇宙」についてです。例の「はやぶさ」、爺さんの勤務した会社も関与したとのことですが、大企業をはじめ多くの中小企業も「ものすごく貢献している」ようですね。

老学者「宇宙」と聞くと、この年になってもワクワクする。ついでに話すが、小学校五年のときに『天体と宇宙』（野尻抱影著）、『宇宙の探検』（アーサー・クラーク著、白井俊明訳）などを読み感動、関連記事の多かった先にも話した科学雑誌『子供の科学』（月刊誌）もいつも楽しみにしていた。

エドウィン・ハッブルの「宇宙膨張論」などもこの頃から知っていた。当時、日本はまだ糸川博士のペンシル・ロケットの時代だ。発射試験場の道川海岸、後の会社員時代、秋田出張時に眺めたが懐かしかった。また、労使パトロールで種子島・宇宙センターのHⅡロケット打ち上げ射場現場も見たが、夢があり素晴らしい（勤務先が「エンジン」の製作に関わっている）。少年時代は、まさかロケットの発射場に接することができるとは思いもしなかったが。

この年になった今でも宇宙の構造、ブラックホール、ダークマター、ダークエネルギー、地球外生命体、地球外惑星、重力波、銀河の存在、量子論などなど興味津々だ。先に触れた「ミクロ（原子核など）の世界」同様、少年時代からの関心が今でも継続している。いずれの世界もロマンがあり興味深い。

「はやぶさ」に関しては、僕の勤務した会社傘下のロケット専門の関係会社もかなりの部分で寄与している。打ち上げ用ロケットMV―5、回収カプセル・ローバ等の設計・製造を担当した。誇りに思うな。

「はやぶさ」は小惑星探査衛星（機能的にはロボットでもある。厳密には「工学的実験衛星」と言うようだ）ではあるが、金属や各種樹脂などでできている機器装置（物体）なのだ。相模原の宇宙航空研究開発機構（ＪＡＸＡ）研究所に同型の模型が飾られている。僕も公開時に見た、結構大きい。ホンモノは地球帰還時に大気圏での摩擦で燃え尽きているから模型だがね。

これは前人未到の一大プロジェクトであり、ＮＡＳＡでもリスクが大きいとして回避したぐらい困難なプロジェクトだった。理論的なことから製造まで、皆で知恵を出し合い成功したのだ。そうでもないと七年・六十億キロの旅を経て小惑星「イトカワ」からの帰還なんて、そう簡単にはできない。

ここでも、あまり表には出ないが「中小企業の活躍」があるのだ。この物体をつくるにあたり数多くの中小企業が関与している。これを知らなければいけない。

これは今度の「はやぶさ2」（小惑星・１９９９ＪＵ$_3$探査衛星）についても言える。先に触れた山根一眞氏の著書『「はやぶさ2」の大挑戦』によれば、部品製作も入れると、なんと「数千」とも言われる企業が関与しているとのこと、すごいだろう。この「はやぶさ2」も皆の努力が実り、先日地球から三億キロも離れた小惑星「リュウグウ」への近接、物質の回収のための噴射に成功した。

先に話した僕の勤務した企業傘下のロケット専門会社は「衝突装置の機械系」の開発を担当、また別の通信・電子・電気関連専門の関係子会社は「分離カメラ（ＤＣＡＭ3＝衝突による噴出物拡散の様子などの撮影）」の「無線通信システム」の開発に携わった。さらに、この会社の開発した「近赤外分光計」により「リュウグウ」に「含水鉱物」が存在するのが発見されたとのこと、誇りを感じるね。

「はやぶさ2」は二〇一九年七月十一日に「リュウグウ」着地に成功、関係者は涙を流し喜んでいた、素晴らしい。二〇二〇年十二月六日、分離されたカプセルが地球に戻ってきた。またサンプルの採集にも成功した。採集された物質により、太陽系の成り立ち、地球誕生・生成の歴史、生命の起源がわかるかもしれない、大いに期待したい。

一連のことは本にもなり、講演会も開かれ映画もある。日本人の誇るべき関心事なのだ。

第一号の「はやぶさ」について全体にわたる苦労話は、生みの親でプロジェクトリーダーの川口淳一郎教授の『はやぶさ、そうまでして君は』に記載されている。科学者としての苦労話だ。僕は「打ち上げ十周年記念」の講演会で直接先生の話も聞いたが、ユーモアも交えた話で大変面白かった。日本の教育についてもちょっと触れておられたのが印象的だったね。

第二号についても推進装置の研究・開発に携ったＪＡＸＡの研究者（博士）の講演を聞く機会を得たが、「リュウグウ」への着地点の決定がいかに難しいかがわかった次第だ。この先生の話で人工衛星を介して人間の日常生活と宇宙が非常に近いことについて理解を深めることができた次第だ。

第一号については、映画も制作された。川口教授は川渕教授名で佐野史郎さん主演だな。科学モノとしては『アポロ13』とともに面白い。青少年の科学に対する夢を育てるには良い刺激になる。

この中小企業が地道に活躍した「はやぶさ」の快挙は「日本の科学技術の総合力の産物」だ。象徴でもある。今後もこのような科学技術の維持・向上が国として重要なことを国民全体が大いに認識すべきだ。

なお、宇宙に関して付言すると、ＮＡＳＡの「スペースシャトル」の重要部分の溶接とか燃料タンクの軽量化、また部品の多くは「日本の中小企業が担ってきた」のだ。知らない人が多いだろうが、これら下支えがなければあの「晴れやかな宇宙ショーはなかった」とも言える。いずれにせよ、**日本の科学技術の維持・向上には大企業のみならず「中小企業の存在もきわめて大きい」と言える。**

また、中小企業は「日本ならでは」の経済構造を地道に支えてもいるのだ。大事にしないといかん。国として中小企業の火を消すことなく、一段と繁栄するように財政・税制など種々の面で助成していかねばならない。「コロナ問題対応」も同様だ。

若者　話は飛びますが、「技能オリンピック」なるものが昔は大いに語られました。日本は一九六二年から競技に参加、優秀（トップ・クラス）な成績を収めてきてます。

最近は二年に一度開催されていますが、前回（二〇一七年）は「金」メダル数で九位と後退、一位中国・二位スイス・三位韓国であり、「モノづくり大国・日本」としては寂しい結果です。

もっと国全体として関心を高め、大手のみならず中小企業に働く人が技能を世界で競い合う環境づくりを国の責任でなすべきだと思います。数多い競技数で中小企業の活躍できる分野も非常に多い。日本でも開催し日本の力を世界に見せる必要もあります。この関係でも中小企業に光を当てるべきです。二〇一九年は七位でしたが。

老学者　そうだな。最近あまり話に出ないが力をいれるべきだ。いずれにせよ、中小企業の素晴らしい力を絶やすことがあってはならない。どうすれば「維持」されうるかだ。

重要課題は「景気いかんによる資金繰り・運営資金の問題」と「人手の確保」「後継者の育成」だと思う。あの手この手の「優遇策」を講じて存続をサポートすべきであり、中小企業がおかしくなるとやがて大手もおかしくなることを認識すべきだ。技術・技能の世界では相互に連動している場合が結構多いのだ。

もちろん、政府も手を拱《こまね》いているわけではない。一九六三年に制定された「中小企業基本法」をベースに従前より大企業との格差是正に取り組んできており、二〇一九年度の対策予算は四五〇〇億円に上る。だが、全体数の減少は止まらないのが現実だ。

読売新聞経済部『検証　財界』によると、二〇二五年頃までに中小企業三六〇万社のうち三分の一が後継者が見つからなければ廃業……「地域経済の担い手が消える大廃業時代は足元に迫る」とのことだ。何とかしなければならない実状にある。これは、日本の経済界全体の問題、いわゆる大手のイメージの強い「財界」の問題でもある。中小なしで大手なしゆえにだな。対策として、ケース・業種にもよるが、「規模の経済」論で中小企業間の統合も考えられる。より大きくすればなし得ることも種々出てこよう。国としても着眼すべきポイントと思われるが。

「ベンチャービジネスの戦略的強化・支援」について

若者　アントレプレナー（起業家）によるベンチャービジネスについて、どうなりますか。

科学技術開発と並んで重要なのは「起業」ですね。高度科学技術を生み出す「起爆剤的役割」を有し、今後の高度科学技術国家としては「必須の存在」です。国として育成・強化しなければなりません。「コロナ問題」でも、若手の起業家がさまざまなアイディアで「コロナ社会」を前提にした新事業に取り組んでいます。下降したビジネスを復活させようと柔軟な発想によるチャレンジ、ベンチャーならではです。

老学者　若手の「コロナ問題」への取り組み、なかなかやる。逞しい限りだ。ベンチャーの育成・強化は、今後の世の中の変動に対応するには、特に「国家戦略」としてきわめて重要になる。「アフター&ウィズ・コロナ社会」への取り組みはその契機になろう。とにかく大々的な強化・支援の取り組みが必要だ。

これは研究・技術開発とも連動している。「起業」こそシュンペーターやドラッガーの革新論を具現化する代表的なものだ。アントレプレナーシップ（起業家精神）に基づくベンチャービジネスの立ち上げに代表される心意気は、「大企業病」の克服には必要な心構えだ。

世界の趨勢《すうせい》をみると、この起業行為についての国家としての理解・支援がパワフルだ。日本はどうみても遅い。米国・シリコンバレーはつとに有名だが、これも幾多の苦難を克服して今日がある。英国はサッチャー首相の時代に、それまでの「ゆりかごから墓場まで」政策を転換、ケンブリッジ、オックスフォードを先端の地にした。他にインド（バンガロール）、中国（北京・上海・広州）、香港、台湾ほか、各国が国家戦略として「起業行為」

に力を入れてきている。

若者　日本の大企業も、もとはといえば皆「ベンチャービジネス」から出発したものも多いですね。日立、松下、ホンダ、ソニーなど、皆ベンチャーからハイテクベンチャーになり、大企業に成長した経緯があります。

老学者　そうだ。海外に眼を向けても、最近の目覚ましい活動をしているインテル、アップル、マイクロソフト、ヤフー、グーグルなど、これらも皆ベンチャーから大きくなった。

国としてこれらを育成していかなければならないが、それには、まずは「アントレプレナー（起業家）育成への理解と支援体制」が前提として必要だ。これに「バックアップする優秀な学術機関」「有力な投資家」「投機家でないベンチャーキャピタル・エンジェルの存在」「気候などの良い環境、土地の提供」などなど、国一体としてこれらの環境整備が必要になる。

米国にＳＢＩＲ（スモール・ビジネス・イノベーション・リサーチ）という制度がある。これは技術開発の具体的テーマを設定してベンチャー企業からアイディアを募り、良いケースに政府の科学予算（外部委託研究費）の一部を投資していくシステムだ。名もない若手科学技術者の起業家の発掘にもつながる。

また、米国には「科学行政官」という役人がいて、イノベーションによるビジネス開発の先導役になっている。さすがアメリカ、参考になる制度だ。

若者　社会の激しい変動に伴い「柔軟な知恵の出せるベンチャービジネス」が重要になってくると思います。国として対応を怠れば「科学技術国家」としての役割は果たせません。日本は既存の大企業プロテクトばかりに眼が行きすぎ、この種の育成が遅れている。きちんと育成しないと世界から脱落するのでは、と危惧しています。

これらのベンチャービジネスのなかでもすごいのを称して「ユニコーン企業」と言い、世界に二百数十社くらいあるようですが、米国が世界の半数を占め、次いで中国・インドと続き、日本はなんと「一社」だけです。このような状況で大丈夫なのか心配です。国の取り組み姿勢の違いではと思いますが、日本はベンチャー的なものに動きが鈍い、変化を嫌う国民なんですか？

老学者　そうでもない。特に中小企業のオヤジさんなんかは実に先進的だ。日夜新しいことに挑戦している。そうしないと生き残れない、必死だよ。総じて民間・企業の動きは速い。

それに比し遅いのは、競争がない官庁（それに類する集団）だろう。中でも特に守旧派の強い大組織だ。先に話した未来社会に対応するには、この辺が機敏に頭を切り替えていかないとダメだ。頭の古い人が自己保身・自己権益の維持・確保を第一にして国・社会を動かすのは、国民にとって困りものだ。

もちろん、この一群にも先進的な人はいる。周囲を気にせずどんどん活躍してもらいたい。全体としてはそれなりに変わりつつあるとは思うが。

とにもかくにもきちんと対応していかないと、明治初期に福沢諭吉が説いた日本の科学への「感度」が問われることになりかねない。福沢いわく「基本的姿勢に進歩はあるのか」と。福沢の科学への関心はあまり語られていないが深いものがある（桜井邦朋著『福沢諭吉の「科学のススメ」』）。

福沢の時代は明治初期だからまだしも、その後、明治中期以降日本の科学技術を推進してきた技術官僚はいる。伊藤博文・井上馨・山尾庸三・井上勝・遠藤謹助の五人とされる。山尾庸三は工部省・工部大学校の創設、井上勝は鉄道事業、遠藤謹助は造幣事業などに取り組み、今日の我が国の科学技術の基礎をつくった（柏原宏紀著『明治の技術官僚』）。これら先人は日本の科学技術国の基盤をつくりあげたのだ。この功績に国として今後も「応えていく」必要があろう。

若者　先日、ノーベル賞の山中伸弥教授がテレビ対談で、アメリカのベンチャービジネスへの取り組みのすばやさについて話されていました。大学とベンチャーが近接していて研究内容・アイディアが「すぐに起業に展開される仕組み」になっているのですね。

老学者　そのようだな。日本は何をするにしても、国の許可・認可とかいろいろ手間がかかる。それが必要な場合ももちろんあるが、不要な場合が結構あるのじゃないか。そうであるなら困ったものだ。こういう制度をもっと整理していかないと世界から取り残されていく。進歩を妨げる制度など無用の長物だ。

これに関して『イノベーションはなぜ途絶えたか』の著者・山口栄一氏は「イノベーションを生む社会システム」と題して、「『知の創造』に基づくイノベーション・モデルを取り戻すためには学問分野間のバリアをまたいで『知の越境』を実践し、『回遊』する人材を養成することが必達の課題となる」「そのためには、壊れてしまった『共鳴場』を再び構築できるかどうかにかかっている」とし、大学・企業・社会のあり方（従前は相応に存在したが失われてきた）について鋭い指摘をされている。傾聴すべき見解だ。

さらにベンチャービジネス（アントレプレナー）について、国はどういう施策を講じていく必要があるか。この点について世界各地でベンチャービジネスを手がけられている原丈人《じょうじ》さんは、その著『21世紀の国富論』で多面的視点からベンチャー育成論を述べておられる。

詳細はそれに譲るが、政府が積極的に行うべきものとして「世界から資金と優れた頭脳が集まるための制度づくり」と題して、例えば「ベンチャーキャピタルについてのリスクキャピタルに対する優遇税制」が必要とされる。また「ベンチャー起業育成の投資専門証券会社」や「中長期な視野に立った企業経営を前提とした新株式市場の創設（ベンチャー育成には年月を要する）」「厳しいディスクロージャーによるファンドの透明化とこれについての虚偽報告の厳罰化」「アーリーアダプター（ベンチャー製品のパイオニア的購買者）の開発育成とブランド志向排除」「テクノロジー・マーケティングオフィスやアライアンス・フォーラム創設（例えば、環太平洋ベンチャーネットワークづくり）」などなどを主旨とした、内容は専門的だが新しい観点から示唆に富む多くの提言をされている。一部現実化している仕組みもあるが、国もこの課題についてもっと前向きに取り組むべきだと思う。

いずれにせよ、**特に高度科学技術にかかわる新規で先端的なアイディアをスピーディーに具体化（ビジネス化など）するには、ベンチャーが一番馴染みやすい組織になる。これを育成・強化しないでは世界から立ち遅れること必至だ。**シリコンバレーをはじめ、ＳＢＩＲ・科学行政官・ユニコーン企業・大学とベンチャーの関係など「米国をもっと見習うべき」だな。

四の二 「地方創生（日本版シリコンバレーの創設など）」の推進（核となる事業体の育成・強化）、「農林水産業の企業化」への取り組み

若者 国内の話ですが「地方（地域）の活性化」、これに関連して第一次産業をどうしていくか、大きな課題があります。先ほどの「技術主体の強化」とも関連してきませんか。高度科学技術の発展は第一次産業も含め「全国的展開」でなければと思います。

老学者 そうだな。先ほどの大・中小・ベンチャー企業とも観点は違うが大いに関連してくる。地方（地域）を活性化することは、そこを拠点としている既存の大・中小企業の活性化やベンチャービジネスの育成につながり、結果、国全体から見て科学技術主体を強化することにもなる。今後の高度科学技術国家として重要な課題だ。むしろ「高度科学技術を核に地方創生を促進する」という考えが重要だ。

国も単に企業の経営を支援するだけではなく、その「イノベーション力向上を支援」する観点に立ち、これを「地域のクラスター（産業集積）形成」強化の一環として促進すべきだ。地方には国立の大学や研究機関もあるから、それら知的集団とタイアップし、それに個性ある大企業（付属研究所）や中小企業、ベンチャービジネスなどを組み合わせて取り組むことになる。

国はすでにクラスター構想を推進しようとしている。清成忠夫著『地域創生への挑戦』によると、国内の何カ所かの地域にこの取り組み・構想はあるが、具体的展開を拡大・加速化するとよい。

例えば同著によると、地域別で言えば「浜松・東三河地域」の「光・電子技術イノベーション創出拠点」（「オプトエレクトロニクス・クラスター構想」）がある。また、内容別によるとライフサイエンス・クラスターがあ

り「医・工・薬・食」技術の連携による健康長寿を目指した全国版地域クラスター形成・構想など、北は北海道から南は沖縄までいくつかを拠点としている。これらの取り組み・構想を日本全国に広げていくことは、地方の活性化につながる。これらは高度科学技術を核にいくらでも前向きに展開できる、意識次第だ。

ただし、この前提は中央構想の押しつけでなく「地域住民の思い」を十分に反映させること、その「地域の特性」を生かしたものにすべきだ。地域単位（くくりをどうするかの問題はある）でその地の人が皆「有効活用すべしと考える現有の資源を集積」し、目指すべき「何か（かくかくしかじかの地域）」をつくりあげ、さらにそれに付加価値をつけて特色を出していく、これが「地方創生の原理」だと思う。「住民の知恵」の産物とすべきだ。まずは「そこにある何か」をベースにしないと「もったいない」気がする。昔から存在するものは、その地における何らかの価値があるからあるのだ。

しかし、それだけでは進歩がない、さらに付加価値をつけるのだ。とにかく「住民の意識・立ち上がり（やろう）」が重要になる。地方といっても「さまざま」であり、皆違う。中央でのひとくくりでできるような内容ではない。上からの押しつけでは長続きしない。事情をよく知る者同士が知恵を出し合い、それに意義・価値を見出すことが第一だ。

必要に応じて国は支援すべきだが、判断基準は「創生へのプロセスと成果の予測」を総合的にみた上での判断になろう。干渉にはならない合理的基準が必要だ。

そこで、これらを総合的に考慮した「日本版のシリコンバレー」を創設したらどうかと思う。先に話したベンチャー企業や、それに第二話で話す拠点大学なども抱摂し、各地の特色をいかし現在取り組み中のクラスターの動向も踏まえつつ（ケースにもよるがその延長でもよい）創るのだ。先端技術は多様だから必ずしも一カ所とは言わないが。

また、第二話にも関連するが「地方大学の活性化」も重要だ。地味だが人材は豊富、潜在している。

小川洋著『地方大学再生』には、

「地域でどのような教育・研究が求められているかを把握し、ニーズに応じた教育を提供して学生たちを送り出す努力をする大学は、地域の人々に必ず評価され、学生たちが集まる……地方小規模大学は、小型の帆船に喩《たと》えられるかもしれない。風向きを掴んで帆を正しく操作すれば走り出す」と指摘される。

そのとおりだ。この著作に例示される大学については、住民の志向・地方行政とタイアップして地域の活性化に寄与している内容が紹介されている。大学の気構えと各地域の事情を前提に、この種の政策を全国に拡大していくべきだ。

若者　先ほどの「クラスター」の取り組み・構想にもありますが、何かを「キー・テーマ」として地方創生を促進することは興味深いです。例えば「環境とエネルギー」、「身近な生活」との関連でも重要です。『日本経済の勝ち方　太陽エネルギー革命』（村沢義久著）には、太陽エネルギーで勝負していく主旨のことが述べられています。今後のエネルギー問題の取り組み方についての話で「答えは『電気』と『ソーラー』」と題して述べておられます。休耕地を活用した大規模ソーラーパワーによるエネルギーの自立などを提案しておられますね。

土地の取得とか当初の投資コスト問題あるいは環境問題対応（景観維持・防災など）の課題はありますが、発想には夢があります。日本の技術力を結集してゆけば可能でしょう。なにしろ太陽光は無限だから（何十億年？後には消滅するにしても）環境問題とからめ各地方が共通テーマとして取り組むことは考えられます。国と地方がタイアップして大規模事業として取り組み、その地域の特性を活かした事業の推進と組み合わせれば創生に拍車がかかるのでは、とも思います。

いずれにせよ、国ないしは地方自治体が「自らの意思で核となる事業・事業体を育成・強化していく」心構えが必要です。何はともあれ昔からの人はそれなりの知恵で生活されているわけですから、その地その地で「三人寄れば文殊の知恵」で何か出てきますよね。籍極的に推進すべきで、それも「伝統が消えないうち」に着手すべきです。

ところで「農水産業（第一次産業）の企業化（第二次産業化）」についてです。企業化に馴染まない産業との考えもありますが、今後は高度科学技術を取り入れた農水産業革命を推進すべきと思いますが。国も最近農業改革に力を入れ始めています。地方創生との関連も大いにありですよね。

老学者　若手のホープ・小泉進次郎議員を中心に「農業競争力強化プログラム」が作成され、それをベースに「農業競争力強化支援法」（他関連する改正法案）が二〇一七年五月に成立した。これらの動きを機に農業改革を大いに進めていくべきだ。

現在従事されている農家の人は、できれば今と同じスタイルで産業を維持したい、との思いではあるとは思う。日本の農業の「基本的構造（耕地面積が狭小であるなど）」を考慮すれば、可能な限りこれをベースに現状を強化すべきではあろうが「そうも言っていられない時代が来る」のではと思う。

それは人口減少による後継者不足問題（現時点でも農業従事者については七十歳以上が五十パーセントを占め、六十五歳以上となると七十パーセントになる）、異常気象による甚大な災害対策（最近の災害は規模がきわめて大きい、収穫のダメージが大きい）、世界の人口増に伴う地球規模での食料不足と相関する国内の自給率問題（二〇一八年の食糧自給率はカロリーベースで三十七パーセント）、さらに仮に今の状況が続く場合、高齢者にとって収入は低くその上重労働になるなど多くの問題がある。

これらに対応するためには、企業による「高度科学技術を活用した栽培など効率的生産方法（場所にもよるが大規模化・機械化をはかる）」も視野に入れてしかるべきだ。もちろん机上の構想でなく、現に従事されている人々の意向を充分に尊重すべきとは思う。企業化することによるリスク（企業の都合により「廃業される」など）に関する懸念・危惧はわかるが、国としてかくなる課題の解決策を講じれば対応は可能ではないのか。

いずれにせよ、この分野においても「生産性向上」が重要テーマになる。ならば企業化も真剣に考えるべき課題だと思う。今後は従来の考えに拘泥せずに「高度科学技術国家」としての「新しい産業文化観（第一次産業企業化）の樹立」も「発想の転換」として必要ではないか。世に言う「スマート農業」、ＡＩを駆使した農業方法の積極的導入とかだ。

オランダは日本より農業人口は少なくとも、農業生産量ははるかに多い。これは農業生産性が非常に高い結果だ。視点を変えれば楽しみも増える。別の論点として食糧を「どんどん輸出」する勢いも必要だ。日本の科学技術力なら可能、「美味しさ」を提供できる腕・ワザも日本人には備わっているし実証もされている。これらは、地方創生の一環としても考える必要がある。地方創生は一律論はダメだとは先に話したとおりだが、農業の企業化については全国的に同じ基本的考え方が必要かもしれない。現状、種類にもよるが「野菜工場」なるものがつくられ機能していることも指摘しておきたい。

水産業も気候の影響を受けやすい（特に最近の異常気象による海水の温度・海流の流れの変化）など、農業と同じく多くの問題がある。これらも企業化をし高度な科学技術的管理のもとで「需給を安定」させる必要が出てくるのではないか。北島三郎さんや鳥羽一郎さんの演歌にもある逞しい漁師さんの姿は可能な限り残したい気はするが。「大丈夫、ワシにまかせておけ」で済めばいいのだが、近畿大のマグロ養殖のような取り組みを通して水産業も企業化を考えていく必要は今後は出てくると思う。魚の種類にもよろうが、現に「海洋牧場」なるものもつくられている。従来方法との間のどこに分岐点を置くかは議論すべきであろう。ただ水産業は「漁業権」に関する別の問題がある。

これら諸課題については、地方創生の観点からも国として首都圏への一極集中を回避し日本全土を活性化していくことにもなり、過疎地・限界集落対策はもとより、地方に多い中小企業の活性化や地方に潜在するベンチャービジネスの育成、農林水産業全体の活性化にもつながる。また別次元の話ではあるが、今後予想される大都会の大震災に対する「危険分散・防災対策」にもなりうる。真剣に取り組むべき課題だ。

五 「海外諸国と、高度科学技術を軸にした関係強化を推進」する

若者 三つ目、最後の大きなテーマ「海外との科学技術関係の強化・推進」についてです。今後の「国際関係のあり方」を問うことにもなります。国際情勢と我が国の役割・位置づけ、外交方針にも関係しますので、国として確固とした方針が必要です。

老学者 今後「国際関係」は政治的にはますます多極化し、経済的には四極化（アメリカ、EU、中国、日本・豪州&アジア）が進むのではないかと思う。このもとで日本は「外交三原則（国連中心主義・自由主義諸国との協調・アジアの一員としての立場の堅持）」に立脚した「国際社会（特に経済）への貢献」が求められよう。「国際関係論」は国際政治学の重要視点だ。学理的には両者の関係は整理されていないが。それはさておき、現実の国際関係をどう推進するかの問題になるが、なかなか難しい。一筋縄ではいかない、日常の世界の動きをみておれば自明だ。

国家間の関係を「領域論」として「政治的（ナショナリズム・インターナショナリズム・バランスオブパワーの三要素が絡む）、経済的（通商政策にナショナリズムが強く打ち出される）、法的、イデオロギー的、文化的、軍事的など」のいずれの側面からとらえるか、「形態論」として「敵対的、競争的、併存的、支配対被支配的、協力的、相互依存的など」のいずれでとらえるか、あるいは「取り組み主体」として「国家、国際機関、地域共同体、多国籍企業、国の地方自治体、個人など」あるが、シンプルに「政府ベースか、民間ベースか、共同路線か」の問題もある。ここでは「科学技術を軸にした経済的関係」と「協力的（経済的諸事項についての調整）・相互依存的関係」の維持・向上を前提に「政府・民間を総合した観点」からとらえ、その「中身」をどうするか

についての話にしたい。

第二次世界大戦後の国際的経済協力関係は、戦後の世界経済の安定・均衡を目途に世銀・IMF（国際通貨基金）などを介しての援助体制（ブレトン・ウッズ体制）を経て、その後、主として開発途上国への経済協力（経済支援が中心でODAなどを介しての政府ベースの経済・金融支援、二国間の贈与・借款や多国間援助、民間ベースの民間資金による直接投資・輸出信用・国際機関への融資など）や技術協力（技術人材の派遣・受け入れ）、あるいは先進国他との技術輸出入（特許・ノウハウ）などなどが取り組まれてきた。このような経緯のもと、各国とも国の事情に応じて相応の発展を遂げ今日がある。

今後はどうか。展望するに「科学技術」については、ますます海外諸国との関連強化が重要視される時代になるだろう。我が国としては「高度科学技術を軸」にグローバルな国家間・企業間の関係強化（政府、ビジネス・ベース）を目指すべきだと思うが、「多国間主義」を前提により多くの国に目を向けることがますます必要だ。これにより一段と科学技術を進歩させることにつなげるべきだ。自国の強化策を維持しつつ相手との関係をどうするかだ。

「国際協調」が叫ばれる時代だ。これを実効あらしめるには「政治的な違いを超えた次元」での関係構築が重要になる。これの「核」を「高度科学技術」にするということだ。時あたかも「令和」の時代、英訳では「ビューティフル・ハーモニー」、日本の「和」の精神の見せどころだ。例えば、世界的テーマである「脱炭素」の技術革新を共に目指すとか、今回の「コロナ」のような新型感染症に対処する先進医療技術開発を共有するなどである。これらを我が国として先導したらどうか。

国際的には、あらゆる面で米中間は言うまでもなく各国間の競争が激しくなる。**「その間をくぐり抜け、国家間の抗争に巻き込まれることなく国の安全を中立的に保ちながら、かつ有する力を均等に発揮し頼られる国にする」にはどうあるべきかだ。**

ベースはやはり「科学技術力」ではないのか。この「力」には各国間の政治的・経済的軋轢《あつれき》があってもそれを超越しうる「普遍性・客観性・合理性」があるからだ。それには相応な「力」が必要、今まで話してきた内容の「実践」あるのみだ。

学理的には「国際経済論」があり、海外における「経済諸活動の法則性」を求めるものの、確立したものがあるわけでない。とにかく世界は多数の国のさまざまな動きにより「時々刻々変化する」ので複雑極まる。それだけに「対外的にはこれで行く」という国の基本的考え・戦略を明確にしておくことが重要になり、その上での方法論になると思う。

とにもかくにも、国際情勢は米国を筆頭にした少数先進国だけが世界を動かす時代ではなくなりつつあり、中国の台頭がものすごい。やがては米国を抜くのではないか、三十年後の中国建国一〇〇年を機にそうなるのでは？　とも言われている。近未来の世界の姿としては、

①米中のいずれか一国が中心になる体制
②米中の両国を中心軸にした協力体制ないしは競争関係
③米中だけでなく欧州諸国・日本などの複数先進国との対等な協力・均衡関係体制
④それに開発途上国が加わる大きな地域圏協力・均衡体制

などが考えられるが、多分、②のうちの「競争関係」を前提に、④の構築をめぐる「世界的駆け引き」が予想される。特に「海—太平洋・インド洋」と「陸—ユーラシア大陸」を巡り、「グローバリズム」と「国際的ローカリズム」の両者が入り交じりせめぎ合う状況になるのではと思う。

この中で日本はどうするのか。先にも話したように、世界に対立・抗争があろうとも「均等思想」を前提に「クールな科学技術力」「その結果としての経済力」を媒介に、国際平和維持を基本に活動する立場に徹するべきと思う。

理想としては外交三原則に基づき、国連と連動して「外交力」をベースに多面的な事柄の役割推進役になるべきとは思う。もちろんその努力はすべきだと思うが、現実的には各国の利害が交錯し合い、いろいろ難しいのが世界情勢だし、その傾向は今後も継続すると思われる。

一方、科学技術の普及は歴史の必然だと思う。文明・文化・科学技術は一国を超えて拡大し、次第に「平準化」していく。今や世界の国の隅々まで携帯電話・スマホやパソコンが普及しつつあり、南北問題・国の富の格差は依然としてあるものの、科学技術的産物の活用範囲は世界的に拡大・上昇し「平準化」に向かっているし、今後も向かうだろう。

それゆえに日本は、高度科学技術の開発・モノづくり&サービス提供を軸に、「世界を相手にどのような役割を担う」べきか。相手国の国家方針、産業政策内容や人材・労働力などを考慮しつつ、その国の「科学技術レベル」に適合した「社会基盤の整備、生産・販売、人材育成」など「科学技術」を軸に、どう関係を構築していくかだ。

民間ベースでいえば「国際経営論」として経営資源の最適活用を目指す海外戦略になるが、やはり「科学技術を軸」とし、それを前提に製品輸出か技術（テクニカルノウハウ）輸出か、事業進出（合弁企業設立など）か、などなどの方法を選択することになる。民間にとって選択内容は自由ではあるが、国家戦略との整合性をとることが重要になる。

これら基本的考えを踏まえて具体的には何をどうすべきかについてだが、「多国間主義」を前提として、

①世界いずれの国に対しても展開する「普遍的関係」の構築

②合理的理由を背景にした「拠点主義」に基づく国別の関係構築

の二分類をすべきだ。

まず①についてだが、例えば先に話した「科学技術モデル国」としての関係構築だ。モデル内容を受け入れ、

学ぼうとする国に対しての関係を推進、国を選択することなくあらゆる国を対象にオープン・マインドで実施する。ただ、実状に応じた内容にはなる（その意味での分類は必要になるが）。

次に②について、選択的内容になるが「国際的視野に立った拠点主義」による。「社会基盤整備かそれをベースにしたさらなる技術展開拠点づくり」「製品別・比較優位地への分散・最適拠点づくり」「相手国企業特性と日本企業特性との相互補完的拠点づくり」「アジアか欧米か中南米かなど地域別重点拠点づくり」「労働集約型か資本集約型の選択的拠点づくり」「シーズ・ニーズのマッチングする拠点づくり」などの是非を問う。

これには「日本の大・中小・ベンチャービジネスのいずれを、あるいは地域創生との関連で地方企業を、どのように国際的展開の当事者とするか・マッチングさせるか」の選択、相手国の「政治的問題、経済・社会の発展内容、文化・生活・教育水準、国民性、異文化融合の可能性」などの検討、「シナジー効果・リスク存否」の予測などの観点に立った、国としての多面的分析に基づく。

取り組み方法はケースにより、政府間ベース、民間ベース、あるいは共同ベースになろう。同時に国連の意向や国際的金融機関（世界銀行など）の見解なども踏まえる必要もあろう。いずれにせよ、国全体の見地から「国際協調と国益の両立が叶う戦略議論」を十分にする必要がある。

政府は、関連する組織（海外に強い企業・金融機関や商社など）と協力・調整し（民間企業は個別にその持てるパワーで各戦略を展開することはできるが）、国と海外との関係がバラバラにならないように「国レベルでの大筋での整合性」を維持することが政策として重要だ。

例えば、先にも話した「国としての譲れない戦略的な先端科学技術事項」については「国内主役型・完結型」とし、この分野についての海外との関係構築には留意を要するなどだ。また、海外戦略即海外進出のみならず「海外からの先端的技術の取り込み」――「日本を拠点」に海外からのそれに関する投資を呼び込むことも必要。国内需要の喚起・雇用の拡大にも寄与する。何を積極的に受け入れるかも戦略的に検討すべきだ。日本への海外からの投資、守るべきは守ってよいが、そうでない場合は「大きく拓いていく」ことが国際協調だ。

若者　結果的には、国別に異なる内容になります。個別にどのように展開をはかるか、です。

国の大きな戦略に基づき具体的展開は「民間ビジネス」が推進役を担うことになるのでしょうが、目的は「外交上の国家間の関係の維持・発展」と「相互の高度科学技術と経済の維持・発展」ですから、国としての競争力は保持しつつも、内容は相手国（先進国か、開発途上国か、資源国か、農林水産業国か、海洋国か、大陸国か、観光国か、人口とその構成は、教育程度は、健康度合いは、などなど）により種々違ってきましょう。

世界情勢と各相手国との関連を充分見極めることが重要。政情いかんなどの理由で協力が中途半端やムダになる場合も多々ありえますしね。

老学者　政府の国際的感覚レベルいかんによる。理想的には国際的信義を第一にすべきではあるが、各国とも「国益」を第一に「したたかである」ことを十分に認識すべきであろう。国内での人が良いからではすまされないこともある。

その点、大手総合商社はさすがによく現地に入り込み、ビジネスを通しての国情把握をしている、と思う。当然、国に応じたビジネス戦略を個別具体的に持っている。総合商社・専門商社問わずに得意分野があるから、活動はその分野が前提になるにしてもだ。

国として、これらノウハウ・情報などを活かしつつも、これとは別次元の「総合的戦略」を構築しておく必要がある。個別・具体的な動きは、現状、民間の方がビジネス上先行しているから（情報量も違う）、これを軸に民間ベースで展開するにしても、「国として、高度科学技術をコアにした経済的国際関係」をどう構築・推進するか、高度な戦略を常時維持する必要がある。

若者　現状の取り組み実態はと言えば、国レベルの大きな「協力事案（具体的展開は専門の民間企業による製品・設備輸出、技術・ノウハウ供与、システム伝授など総合的に展開になる）」として、例えばその国・社会のベースになる「インフラ（社会基盤）輸出」がありますね。発電所・送電設備の建設、給水網（水道事業・海水淡水化事業など）や道路網・鉄道網・情報通信網などの完備、都市開発、鉱山開発事業などの事業推進等、多岐にわたります。

例えば発電についても火力だけでなく、再生可能エネルギーによるプロジェクト（地熱・風力・太陽光など）までにも及んでいるのが現状で、相手国としてはアジア、オーストラリア、南米、中東・アフリカなどの各地域の多数の国に及んでいます。細かい案件も多々ありますが、従来より大きい案件についての取り組みが展開されています。今後はこれら「高度な科学技術を必要とする大きな案件」が期待されますが、具体化には国の戦略が前提でしょう。

老学者　そのような傾向を踏まえ、商社について言えば、その機能は案件の「大型化・高度化・複雑化」に伴い、かつての「オルガナイザー機能」だけでなく「プロデューサー機能、バリューチェーン・インテグレーター機能」になっている（日本貿易会「日本の成長戦略と商社」特別研究会著『日本の成長戦略と商社』）。

もちろん、商社に限らず「国際性豊かな企業」は多数ある。商社を介さずに自前で国際的展開をしている企業だ。今後は、商社をはじめ各企業の動きとも連携をはかり、「国としての体系的・統一的な世界戦略」が重要になろう。

現地・現場事情については、精通している民間の知恵を十分に活用せねばならない。戦前の三井物産マンは外務省・外交官より力があったと言われた。現在においても商社の持つパワー・情報量・戦略はすごいし、個別の国際的有力企業の戦略も力強い。先に話した「予想される近未来の国際情勢」からも、これらの各企業戦略と国家レベルの戦略とを融合・総合し、「国際政治の観点（個別ビジネスを超える）」から各国との強力な関係を構築しうる政策が必要だ。

若者　このようなことを、いかなる世界情勢にあろうとも、国として「均等思想」を前提に幅広く推進していくということですね。

世界の動きとしては、特に中国の動きが目立ちます。「アジア・インフラ投資銀行（ＡＩＩＢ）」設立とか「新シルクロード構想」「一帯一路構想」などの動き、大きな動きです。いずれも「白髪三千丈」の中国らしい壮大な構想です。今後の展開がどうなるかは未知数ですが、影響力は注視せねばなりません。

日本もＴＩＣＡＤ（アフリカ開発会議）を先導していますが、この意気込みで世界を「高度科学技術力」を軸に先導してもらいたいです。「政治的野心」がありすぎると相手国に嫌がられますから、あくまでも「科学技術力」を媒体にです。

老学者　国家間の関係構築に政治色を出しすぎてはいけない。大きな視野に立った「外交・国際政治の観点」からの取り組みになる。政治的野心ではなく、相手国との協力・協調（相手国の「国力強化に貢献」する）という「国際平和論」に立脚すべきだ。

アジアのインフラについては、今後「約九六〇兆円の投資規模」があるようだ。これらも含め海外展開を積極的に促進することは日本にとって「高度科学技術国家」として生き残るために当然のことになる。

ことアジアをみても全体としてみれば有力ではあるが『アジア経済発展のアキレス腱』（林華生・浜勝彦・渋谷祐編著）によれば、各国それぞれの事情を有しており発展は同質ではない、さまざまな課題もある。例えば、エネルギー資源枯渇・環境破壊など問題を抱えている。それを前提にいかに関係を構築するか、マクロ・ミクロの戦略が必要になる。

アジアと一言でいえども、アセアン諸国・メコン経済圏・北東アジア経済圏・中国経済圏・ロシア経済圏・東アジア経済圏などそれぞれのとらえ方があり、国力に違いもあるし国によりリスクも抱えている。現にある経済協力の枠組みも種々あり、相互が入り組み（TPP、二国間FTP、RCEPなどなど）単純にはいかない。対象国との外交関係の歴史も違うし、国別に外交政策の方針も違う。二国間としてとらえるべき内容もあれば、複数国に利害が及ぶゆえ多数国を相手にした方がベターのケースもある。有望な潜在力を有しているアジアはもちろんのこと、地球全体を俯瞰して「地域別・国別科学技術現状マップ」を策定し、それと「日本の科学技術・コストマップ」など協力関係を実効あらしめるに必要な事項をつき合わせ、どういう展開にするかを綿密・計画的に策定する必要がある。

アフリカについても五十以上の多様な国（古代からの国・動物王国・砂漠の国など）があり、二〇五〇年には約二十五億の人口をかかえる予想だ。この中でも現状、南アフリカへの進出が多数を占めるようだが、それは「インフラが整備」されているからだ。この観点から、まずは「インフラの整備」がその国には第一になるのではというように、どの地域にせよ国別に事情の違いがあるから、きちんとした個別戦略を前提にしないとその場限りになりかねない。

開発途上国の話になったが、国際的関係を今後推進するには「ガイア・サスティナビリティ思想」を前提に地球規模の視点で、「先進国」にはより高度な文化・生活水準の向上を目指した先端的・高度科学技術の提供（モノとサービス）、「開発途上国」に対しては文化・生活水準を押し上げる（先進国に追いつくべく）ための、その国にとって相応に高度な科学技術の提供（モノとサービス）をしていくことになる。

ただ、いずれの場合にも「危機管理」が重要、海外展開はそう簡単ではない。各国とも基本的には「国益第一である」ことを頭に入れておくべきだ。例えば高度科学技術の粋を集めた「大型プラント」だが、政治情勢により国有化されたりもする。投資金額が大きいから損失も膨大だ。国を問わず海外案件には大きな「リスク」が付き物との認識が必要、予期せぬ事態が発生する。協力協定や個別契約締結に際しても、これを充分頭に入れる必要がある。「リスク」を考えると民間（限界はある）だけでなく「国としての戦略がますます必要」になる。

若者「今後、どのような国を目指すのか」という命題のもと、「国の姿」「何を基盤とするのか」「その理由・前提条件・具体的展開内容」などについて話をしてきました。この命題の実現には、今まで話した内容に着眼し「実行あるのみ」と思います。

老学者　国の存在意義、国の繁栄・平和の維持、健全なる富の必要性と経済成長、日本の国民性・モノづくり・ダイナミズム、高度科学技術の意義と今後の取り組み事項など、この国の将来に相応しい「姿」についての思いを話した。ただ「理念・目標を明確にする」だけではモノゴトは進まない。これを実現するには「関係者の取り組み姿勢」が問われる。これがきちんとしていないと「画餅」に終わる。次の話になる。

第四章 「高度科学技術国家」を目指すため、政府・民間のなすべき役割は何か

一 これからは「政府と民間の真の協調が重要」だ

若者 「国の姿」がみえても、展開するには政府（官）・民間の両者が「高い国家目標」（ここでは「高度科学技術国家」を目指す）を共有、総力挙げて成果を出す体制を築く必要があります。それには両者がきちんとした「役割認識」のもと、国を挙げて「ワン・チーム」意識で「真の協調」をすることです。

そのキーワードは何ですか。

老学者 「基本的役割の認識、変化への対応能力、不変の原理の堅持、真の指導者の存在、国民の厳しい目が必要」の五つになろう。どれ一つかけてもいけない。

基本的役割の認識

老学者 まずは「基本的役割の認識」についてだが、「国の姿」を実現していくために何をなすべきか。相互に「本来の役割」に立ち返り「なすべきことをなす、無用のことは排除」していくことだ。政府は「国民のための政策実現を無駄なく果たしているか（内容・予算・人事・組織機能など）」を常に問い、「民間は民間らしく知恵を出し、チャレンジ精神で自由に改革の先導に立つ」ことが求められる。

国として組織運営が「柔軟」で「ムダなく」なされないと良き政策実現はできない。例えば政府の干渉事（規制など）が多すぎると、社会が機敏に動けなくなり進歩が遠のく。今後は国際的見地から「民間」の役割が拡大

するとは思うが、「政府」は政府としての本来機能が一段と問われる。

ゆえに、本来の役割以上の「権限のための権限行使」はなくしていくことが必要。中央政府による「一律運営」など、しなくてもよい事項については再考すべきだ。合理的理由もなく政府が民間を縛る体制、不必要な規制などもなくしていかねばならない。この種のものが「国民の期待実現」の障害になってはならない。民間も民間らしく改革をしていかないと世界の流れから脱落していく。役割が拡大すればなおさらに責任は重い。

ノーベル化学賞受賞者の野依良治さんは「日本優位の科学技術イノベーション指標」について、「日本が優位に立つ指標は少なくない……ノーベル賞受賞も特許も多い。しかし、国力の増強につながらない。スイスの国際経営開発研究所（ＩＭＤ）の調査によると、科学インフラは二位だが先進六十カ国中四十二位という政府の効率性の低さ、さらに産業界も含め科学技術社会にも問題があるはずだ」と指摘されている（『日本の未来図　２０３０』自由民主党国家戦略本部編）。

国はこの指摘、特に政府の「効率性の低さ」を自覚する必要がある。「本来機能」に徹しておればこのような指摘はない。関連する課題として今回の「コロナ問題」でも、国と地方自治体との関係、本来の役割・責任の帰属（どちらが責任をもって何をなすのか）について国民は考えさせられた。機能についての問題があるのだ。

また「産業界にも問題がある」とされる。民間として「時代を先取りする先見力とか改革する努力」に問題はないのか、この「本来機能が問われている」のではと思う。

最近の世界「競争力ランキング」で、日本企業の競争力は過去「最低」になっている。企業家精神（改革マインド）についても「最低」のようだ。どうなっているのか。基本的姿勢に問題はないのか。きちんとしないと日本の今日をつくり上げた先駆者が嘆くのではないか。政府・民間とも基本に立ち返り「本来の役割」を謙虚に問い、改革すべき点は改革し、その上で「協力体制」を構築せねばならない。

変化への対応能力

老学者　次の「変化への対応能力」についてだが、世の中は常に変化する。政府も民間も変化に柔軟・鋭敏に対応し、よりよき姿を求めて一歩でも二歩でも「進歩する」姿勢が求められる。人が構成する「すべての集団」は「生き物」、進歩が必要だ。進化論者・ダーウィンの言葉に「生物が生き残れるのは、賢いとか強いではなく、変化に対応できる能力による」とある。

「政府」については、「国民のための政策推進体」であり、一種の「経営体」とも言える。ゆえに「経営者精神」が求められる。この精神は常に「広い視野に立ち」「世の中の変化に対応し一歩でも前進」する「進歩の精神＝改革の精神」だ。政府自身にも求められるし、民間の進歩を担保する環境づくりにも必要だ。

政府は「経営者精神」に基づき「理想とする国の姿」を前提に「国・国民にとって有効なる政策（安心たらしめ豊かにする政策）を実現」していく役割を有す。国全体のために大きな仕事・経営をするのだ。きちんとした「経営思想」のもとに「理念・ビジョン・方針・目標・具体的政策を明確」にし「経営資源（ヒト、モノ・カネ・情報・時間）をきちんと準備」、関連する組織間との「協力を得て円滑（効率の良い）でムダのない時宜を得た運営」が求められる。

そもそも「民間」の象徴である企業は「経営体」「事業体」だ。事業の展開いかんで企業の「盛衰」が決まる。きちんとしていないと株主に追及される。株主は、株主総会の場を通して追及が相応にできるが、国については政治家には「選挙」ないしは「ジャーナリズムによる評価」という場しかないし、官僚にいたっては追及の場は「ほとんどない」と言ってよい。だからこそ両者ともしっかりしないといけない。場合により国全体が傾く。

常に「進歩＝変化への対応」を前提に「こういう国にしていく」という「国の姿」の「具体的展望」を認識し、その実現に相互に努力することが重要だ。「国の姿」の「基盤（ベース）」となるものを常に強固にする努力をしておれば、国民としては心強い。「国民全体」がそれにエネルギーを集中しようとするだろう。

若者「進歩」、良い言葉です。国も「生き物」ですから「変化に対応し進歩」しなければいけません。そうしないと「生老病死」になります。

我が国も遠い昔に古代国家として生まれ、今日まで育ってきました。古墳時代から、飛鳥時代、奈良時代、平安時代、鎌倉時代、南北朝時代、室町時代、安土桃山時代、鎖国封建時代の江戸時代を経て明治・大正の近代国家樹立、昭和・平成・令和の現代社会へと変遷してきました。進歩、と言っていいのでしょう。

病気（＝戦争は一種の大病理現象です）もし、仮死状態（終戦）にもなりましたが、立ち上がり今日の日本をつくりあげました。「変化に対応」しえた結果、進歩（成長）が得られたのです。国だから「何とかなる」ではありません。

老学者「進歩」とは、物事を進めるにあたり「あるべき理念（ゾルレン）」を描き、それを目標に「今ある現実（ザイン）」との乖離《かいり》をどう埋めていくかを論じ「実現」をさせていくこと。理想どおりにいくかどうかは、やってみないとわからないし、動き出さないと進歩はない。果敢に「チャレンジ」していくことが求められる。

国全体としても「基本」は同じだ。日本人はこれが素直にできる国民でもあるはずだが、世の中を見渡すと取り組みが世界に比し「遅い」事柄が散見される。「慎重」といえば聞こえは良いが、今後はそれでは済まない。アタマの固い一群（指導層）がいるとモノゴトは進まない。

日本は、近代国家ができてから今までに、二回の大きな変革期があった。一回目は明治維新、二回目は太平洋戦争後、今が三回目、課題はグローバル社会への挑戦だ。今までの二回の変革期について、日本人は進歩的な取り組みできちんとやってのけ、それなりに前向きの「姿勢」はあった。

まずは明治維新。国の方針・あるべき姿は「近代国家の樹立」（西洋文明の導入）「殖産興業政策」だ。国の骨格・近代政治組織・近代法制度・資本主義の導入・生活様式の向上・西欧技術や文化の導入、要は「先進近代国家に追いつこう」ということだった。

二回目は、戦後アメリカの庇護（経済的支援、軍事防衛の傘）のもとではあったが、「民主国家の樹立と経済の驚異的成長」を実現させた。憲法については議論もあるが、それはさておき「基本的人権の確立・国民主権の保障・国際平和の推進」を三本柱とする自由で民主的な平和国家をつくりあげた。

ではこれからはどうか、どうあればいいのか。「自分の物差し」を持ち「変化に対応」していかなければならない。今までの二回の節目は先進国（欧米）の模倣、支援があったが、今後は「自力」でやっていかねばならない。米国にあまり頼ってもおれないだろう。「進歩」を前提に「自立度」を高める必要がある。

我が国は、冒頭話したように種々の国力指数が落ちてきている。何とかしなくてはいけない。国全体の「自覚」が必要な時代にある。国際的にも諸問題で各国間が「せめぎ合い、大変な時代」になるやもしれない。相互に「自国のメンテナンス」が重要になる。国内でコップの中の争いなどしておれないのだ。自立していくには「どのような国」にするのか、国の意思・政策がハッキリ問われる時代になっていく。

さまざまな事象に気を取られすぎ、「基盤（ベース）」を見失うことになってはいけない。「中途半端ではダメ」だと思う。「盤石な基盤」を確立した上で、世の動きを鋭敏に読み取り「変化に対応しうる、前向きで柔軟な姿勢」が求められる。

不変の原理の堅持

老学者「変化への対応」と同時に「不変の原理の堅持」も重要。物事には、絶えざる変化への対応力とともに「進歩」の基礎にもなる「不変の原理」の維持も重要だ。適時の変化は必要だが、この不変の原理が失われることがあってはならない。

生物を例にとれば、「生きる」という「不変の原理」を維持するには「脳・心臓をはじめとする基本的仕組み」が必要。仮に外形が適時変化しても（鼻・首が伸びるとか）これら基本的機能はすべての根幹をなすがゆえに、常に堅持されなければならない。自然現象だけではない。社会現象についても言える。これを忘れると問題が生じる。

社会現象についての最近の例で言えば「自由放任主義的資本活動」、あるべき経済活動の原理・基本（「規律ある自由」という「不変の原理」の遵守）を忘却しがちな活動だ。

昔、『自由と規律』（池田潔著）という本があった。学生時代に読んだが、自由と規律は相反するものではない、むしろ大いに共存できる。真の自由は規律に支えられ、規律は自由の素晴らしさで活かされるのだ。著者は、イギリス留学（パブリック・スクールの体験）を通して「素晴らしい自由と、きわめて厳しい規則」について述べている。「自由の精神」は「厳格な規律」の中で育まれると。何をするにもこの点を充分にわきまえるべき、日本人の倫理観でできることだ。

この規律の原理を逸脱し自由主義が行き過ぎると、経済的行為に関して言えば「投機的行為」「過剰金融暴走現象」に至る。自由にも限度がある、これを逸脱するととんでもないことになりかねない。過去の話になりつつあるが「サブプライム問題」や「バブル経済」などがその象徴だ。自由主義経済では将来に対し「有効とみられる投資行為は大いに歓迎」されるが、これと「投機的行為」とは大いに異なる。何事にも「理性的判断」が求められる。

これに関しては古き時代にも警告がなされている。中国の四書『大学』に「貨《たから》悖《もと》りている者は亦《また》悖りて出《い》ず」とある。意味は「不当に得た所得は、不当に泡のごとく消え去る」ということ、「不変の原理」だ。一時日本も経験した「バブル経済」についても言える。バブルとは「泡沫」のこと。消え去る経済ということだ。

日本人は、この「泡の空しさ」について鎌倉時代の随筆で語っている。

「行く川の流れたえずしてしかももとの水にあらず。よどみに浮かぶうたかたはかつ消えかつ結びて久しくとどまりたるためしなし」（鴨長明『方丈記』）と。

「うたかた」とは泡沫のこと。これは「無常観」を説いたものだが相通じる。泡沫は生じても流れ消え去る。「不変の原理の堅持」は「生き物の活動原理」としてきわめて重要だ。

真の指導者の存在

若者　これらを履行するには指導者の姿勢も問われます。「舵取り」がきちんとしていないといけません。集団が大きくなればなるほど重要だと思います。「船」を想定するとわかります。巨大タンカーと小さいボートを比較すればわかります。

ところで、指導者（リーダー）についての論議があります。若き社会学者の古市憲寿さんは、その著『だから日本はズレている』で、主旨として、リーダーがいなくてもきちんと機能している現代社会を指摘されるとともに、リーダーのとらえ方にもよりますが、リーダーというと一般的には傑出した人物を想定しますがそうではなく、現代社会が多様・多数の組織集団で構成されていることに鑑み、皆がリーダーになり（アチコチに自然にいる）お互いに支え合うフォロワーが重要の旨、説いておられます。

老学者　現代社会の全体傾向はそのようだ。「真の指導者」が少ない現実社会を指摘されている、と思う。若い鋭敏な目からすれば「理想的指導者」はそうはいないということだろう。

ただ思うに、今日の日本社会は経済成熟国として比較的安定社会であるから集団指導で事が済んでいくのかもしれないが、今後予想される社会には「あるべき論」も「現実論」も「しかるべき指導者」はいないと困る、国・社会が混乱しかねない、と思うのだが。

もちろん、いかなる時代でも同氏の指摘される「強いリーダーはいてもいいが強いリーダーに任せっきりでは組織はうまく回らない」また「自分でできる範囲で動き出すべし」という指摘はそのとおりだ。混沌としていた明治時代や太平洋戦争後は「気骨のある強力なリーダー」には、理想的であったかどうかは別にして強烈なパワーがあった。明治時代は西洋諸国に追いつけ追い越せという近代国家樹立の目標のもと、戦後は平和国家樹立と経済の立て直しのため必死だった。かくなる人材を適時得てきたのも、今日の日本がある大きな理由と思う。もちろん国民の協力があってのことではある。

そこで「理想とすべき指導者（リーダー）」についてだが、求めるべきは**「高い理想と志」を持ち「私心を捨て公・社会のために身を投じる」ことのできる人だが、華々しい英雄でなくてもよい。「高潔」な人（かくなる人は「倫理感・道徳心」に富み「地道・正直・清貧」だ）で、「高い識見」を有しかつ「責任感」に溢れ、信念を曲げない「気骨ある」人物、「真のエリート」だ。いわゆる「人物」を意味する。**

参考までにイギリスのエリートに求められるものは「勇敢さと明るさ」で、勉強は不要ともいう、何となくわかる。いずれにせよ「**ノブレス・オブリージュ（選ばれた者の責任）**」を担える人物だ。いつの世もこのような人物が国のあらゆる組織の指導者にならねばならない。特に影響力の大きい政治家・高級官僚・大企業経営者に求められる。

最近、これら資質の欠如した「偽」の指導者がマスコミを賑わしている。政治家・高級官僚・大企業経営者、国民として恥ずかしい。立派な人はたくさんいるのだが、このような人がいると世の中の「活力」が失われかねない。この一、二年をみても事例の多いことはなはだしい。ドラマ「水戸黄門」「暴れん坊将軍」に登場しそうな人間だ。

とにかく次のような者は指導者としては「失格」だ。高邁な理想・理念・哲学・識見もなく、適切な先見力・判断力や、時宜を得た決断力等、組織運営に重要とされる資質に欠ける者は当然のことながら、その他思いつくままに挙げてみる。一般論であり僕の勤務経験とは必ずしも関係しないが。

「組織運営に厳しさの欠ける者」

「私利私欲・俗欲にかられた者や拝金主義者」

「自己保身に汲々《きゅうきゅう》とし有能な人物を排除し、それでいて自身こそ指導者と錯覚している者」

「イザというとき防御の理屈を捏《こ》ねたり知らぬ存ぜぬで責任をとらない肚の据わっていない者」

「日常の危機管理意識が低く、何か問題が生じた場合には『想定外』などと言い逃れをしたり、真実を歪曲《わいきょく》し平気で他に責任を転じたりする者」

「支配欲が強く、権力を恣《ほしいまま》にし、その保持のため不都合な事実を隠蔽《いんぺい》、虚偽行為をしたり弱者を犠牲にする者」

「役割認識・責任意識もなく、勉強不足で言動に微塵《みじん》も教養を感じない者」

「人間的魅力もなく言動から少しの感動も得られない者」

「小事に拘泥し執念深く猜疑《さいぎ》心も強く大局を見られない者」

「矜持《きょうじ》も羞恥心もない浅はか極まる者」

「自己保身のため周りを見すぎ右顧左眄して決断力・信念・気骨の欠ける者」

「真の学問を会得することもなく学歴で得られた地位に乗っかり、現地・現場の労苦も知らずに特権意識で威張り、自分の馬鹿さかげんに気づかず人を小馬鹿にする中身なき軽薄者」

「有能なる者を排除したり傷つけようと嫉妬心・競争心にかられ、あらぬ噂や妄想的な虚言（作り話）を流布したり（中にはこれを同類の仲間と徒党を組んでなす者もいる）、多くの人前で平然と恥をかかせる者」

などなど一杯ある。共通して言えることは「人間としての立派さに欠ける（要するに、人物の『器』が小さい＝小者）」ということだ。

日本人は真の指導者とはいえないのに「外形」だけで「諂《へつら》い」すぎたり「破邪顕正」の反骨心に欠ける人が結

構いる。人が善いのか大人しいのか権威に弱いのか。この姿勢が偽の指導者を生み出す。

外形ではなく「真贋《しんがん》を見抜くことはもちろん偽を排する強さ」が必要。見る人の精神構造がきちんとしていないと「よからぬ指導者」が蔓延《はびこ》り「真の指導者たる人物」が埋没したり消去されたりする。指導者を頂くにあたっては「冷静な眼力と気骨」を持たねばならない。

今後の世界情勢、国・社会の動向などに鑑みると重要な「国民的課題」だ。指導者いかんで国家・社会・組織は「劣化し弱体化」する。立派な人を指導者に頂けば「活力」は生み出される。世は「真の指導者」を常に得ている必要がある。それには「国民の鋭い眼力」が必要、「国民」は何事についてもしっかりせねばならぬ。

国民の厳しい目が必要

若者　世の中を見渡しますと、国の将来についてその道の権威ある人や現・元政治家、元官僚の人自らが「警告本」を出しています。意識の高い人たちが訴えているのです。国・国民のために「どう変革」していくか「軸足」をどこに置くか、国の姿勢が問われています。やはり「何かが問題」なのでしょうね。これらは国民に対して「厳しい目」できちんと世の中をみるべし、という警告書でもありますね。

老学者　そうだな。今後はいろいろな意味で厳しい時代になると思う。国民一人一人が国の課題について「厳しい目」を持つ必要がある。「警告本」はいろいろ出ている。しかも国の中枢を歩んできた人からの警告も多い。かなり前から指摘がなされてきている。

『油断!』『組織の崩壊』などの著作で世に警鐘を鳴らされ続け、最近亡くなられた堺屋太一さん（元通産省官僚・元経済企画庁長官）は、今をさる二十四年前にその著『大変な時代』で今日の世界を予測し、種々の指摘をされている。「メガコンペティション（常識破壊と大競争）時代」を迎え、日本の指導層に「『これから』の時代にふさわしい改革を実現する能力と勇気が欠けているように見える」「この国の未来を創造するような改革を行う知的冒険心がない」、規制緩和についても「個別の問題となると、（略）ほとんど実効ある規制緩和が進まない」などなどの指摘だ。あれから相当年数を経ているが、いまだ先ほどの野依さんの指摘がなされる状況にある。

いずれの警告にも共通するところは、国として「改革」が必要だということだ。僕はこの類の著作のほとんどに目を通しているが、とらえ方はそれぞれだがいずれも「危機感」を持っている。「『改革のためには強い危機感が必要』（略）『まさに我々は存亡の危機にあるのだ』という共通意識を持つことが求められている」に象徴される（前出の榊原英資著『日本は没落する』）。国の将来を案じた「愛国心」「憂国心」からの意見だ。謙虚に耳を傾ける必要があると思う。

特に指導者はそうあるべきだが、国民もきちんとした「眼力」を持つ必要がある。先ほどから話している「憲政の神様」といわれた政治家・尾崎行雄（国会議事堂の近くの「憲政記念館」にその足跡が招介されている）も、民主国家の基底は「国民」である旨説いている。政治学者・丸山真男さんはその著『「文明論之概略」を読む』で、福沢諭吉が論じた「日本文明の由来」との関連で「日本には政府ありて国民なし」「諸領域における『権力の偏重』の発現、その一・その二」と題し論じている。要は我が国が国民の気質なども踏まえ「御上アリキの国」なることを述べられている。国家・国民たるものは、これではいけないのだ。

これらに関して元衆議院議員（元自民党幹事長）の中川秀直さんが、その著『官僚国家の崩壊』で面白い指摘をされている。いろいろ論じられているが、最も「問題にすべきものは何か」について鋭くついている。「ステルス複合体」論だ。要約すれば、この複合体は「官僚機構などあらゆるところにネットワークをはり、既成の組織・既成の方針などを金科玉条とし、同質的人脈で身内の共同体の尊重・身分の安定を最優先する集団」と指摘される。政治の中枢をなした同氏の体験からの実感だ。

この集団の実体やいかに。「あらゆるところ」とあるから「国民全体の課題」だろう。中川さんの言われる

「ステルス」という言葉が「ミソ」だ。「ステルス」は見えないが強靭な飛行物体だ。国民には見えない「ある存在」を問うておられる。

国（政府）の目線は常に「国民に軸足」を置かねばならない。国民の目に見えないチカラでモノゴトが決められては困る。だからこそ「国民は眼をしっかりあけて見なければ」ダメだ。ボーッとしていると「ステルス複合体」なるモノの「意のまま」ということになる、これじゃいけない。民主国家なのだろう。今テレビ番組で人気の「チコちゃん」に叱られるよ。「ボーッと生きてるんじゃないよ！」とね。

若者　国の課題は、すなわち国民全体の問題、国全体が問われているのです。おのおのが本来の役割に立ち返り、どうあらねばならないかをよく考え、国として「足並みを揃え、打って一丸」になり国の将来を考えていかないと、グローバル時代から立ち後れることになります。

中でも忘れがちなのは「主役は国民」という「国民自体の意識」です。本来政治は「民意」を常に問う必要があり、国民も常に見解を有していなければいけない。国民一人一人がいかにしっかりしているかが問われていると思います。国・社会の動静に対して冷静な目で厳しく判断し行動していく必要があります。そのためには、国民が「自分で考え自分の判断基準を持つ」ことが必要。これが「真の政府・民間の協調時代のベース」になりますね。

国民の問題意識が高ければ政府もきちんとせざるをえない。そうでなければ、先に話してきた「科学技術国家」の強化も政府の「非効率、ムダ」もなくならないし、民間の「活力」も大きく沸き上がらない。これからはグローバル社会に対応すべく、政府は政府で民間は民間でその「基本的役割」をはたしつつ「真の協力関係」を維持・発展させなければならないし、それに対する「国民の厳しい目」も一段と重要になると思います。

政府は「国民のためになる政策」を実行しているのかどうか、国の財政は厳しい状況にあるゆえに税金をムダにはせず、ムダを排除しその分国民へのサービス向上をはかる努力をしているのかどうかなど、それらをフォローする「国民の厳しい目」がますます必要です。

老学者　政府は「国民の大切な税金を使う」ということを片時も忘れてはいけない。それを忘れると「存在するだけで仕事を増やし、成立した予算は必ず使用するという無駄」が発生し続くことになる。

政府がなす政策のすべての財源は、国民の「汗と涙の産物」であるとの認識がきちんとあれば、無駄なことをなすことに「羞恥心」が生じるはずだ。これができる者こそ「真の指導者・エリート」だ。これは日常的問題、心構えの問題だ。

『財政破綻が招く日本の危機』で、著者の鷹谷栄一郎・鷹谷智子氏は経済の立て直し、財政再建に関し「日本が直面している本質的な問題は」と題して、「政府組織が硬直化、肥大化し高コスト、非効率体質に陥っている」とか「既得権益などの社会構造の歪《ひず》み」等を指摘されている。

そのとおりだ。今後は「民間でできるものは可能な限り民間でやる」べきだ。民間の方が自由性に富みモノゴトの展開が柔軟であり硬直性がないし、こと「財務」について無駄は許されないし厳しい。今後ますます科学技術が重要視され、変化もスピードも求められる。科学技術の「実質」を支えるのは主として民間の柔軟な対応力だ。この「民間の活動を後押しするのが政府の役割」でもある。

これに関する話として今話した『財政破綻が招く日本の危機』で、著者は先に話したモノづくりとの関連で「グローバル社会では、物作りの伝統を継承しながら、絶え間ない『投資立国条件の整備』と『官民一体の世界戦略』が重要である」とも言われる、同感だ。

いずれにせよ、日本をより強固な国にしていくために、国全体が「チーム」として取り組むべき時代だ。これは政府機能が強すぎても実現できない。さりとてこれを縮小し、民間の活躍する分野をただただ大きくすればいいというものでもない。どうすれば国力を強化・盤石なものとし「国をよりよくする」ことができるか、これを「共通のテーマ」として、まずは政府・民間とも各「役割」の遂行にベストを尽くすことが重要。今や官の時代でも民の時代でもない「相互協調の時代」。その実現はその中にあるが、「国民の鋭い眼」がベースになる。

二 「政府」の役割は何か

二の一　基本は何か

真の為政者は「国民」のために尽力する人物だ

若者　あらためて聞きますが「政府の役割の基本」は何ですか。

老学者「国民のための政策展開」が基本的役割だ。国民のためになる「『健全なる国富』の確保と公平な分配」「いつも『安心・安全』『平和』に暮らせる環境づくり」「国民が心配することなく持てる能力を最大限発揮できる『豊か』で『幸福』な国づくり」などなどだ。これをきちんと無駄をなくし効果的・効率的に実行することだ。種々の綻《ほころ》びが出るようでは「高度・科学技術国家」どころではなくなる。時代を先読みし、いかなる政策を展開するか、これが常時問われている。

今一度「国民のため」の基本に触れておく。これは「近代国家」の原点だ。「近代国家」については、成立時代に国の役割の基本原理として「国民との関わりをどうとらえるか」が考えられた。関連する主たる政治思想は思想家により違うが、トマス・ホッブズの先駆的な社会契約説、ジョン・ロックの「政治権力の起源を『共同社会を構成する人々の同意と契約』に求めた社会契約説」、それをさらに修正したジャン・ジャック・ルソーの「社会契約説（各人平等な立場において自由意志で結合し政府をつくることができる。その意思は絶対であり政府は政治の執行を委託されているだけだ。国家と対峙する自由論）」がある。

これらの政治思想はフランス革命を経て、国家の存在を前提にしながらも、より「個人」に重きを置いた自由主義的・個人主義的潮流（理論）に変化していく。イギリス自由主義の代表ジェレミー・ベンサムは、「功利の原理（徹底的な個人主義＝諸個人のみ実在し社会は単なる名称にすぎない）」と、社会のあるべき姿を「最大多数の最大幸福」実現とする論を説いた。また自由主義の完成者ジョン・スチュアート・ミルは、「個性を追求する自由主義・より望ましい幸福論」などの思想を展開した。

一方、産業革命の始動を背景に、政治思想でなく経済思想も台頭。経済学者・道徳哲学者であるアダム・スミスの『国富論』「自由競争論」は資本主義のシステムを初めて解明したものであり、「重商主義を批判、レッセフェール（個々人の自由実現）」に重点を置いている。その後、リカード、マルサス、ピグー、シュンペーター、ケインズ、サミュエルソンなど、近代経済学の流れや空間経済学とか情報経済学などの新しい切り口の現代経済学を経て、国と国民との関係についての政治思想は、経済思想とともに進展してきた。

かくなる変遷を経た現在、**国家運営は「国民を第一とする、須らく『国民アリキ』」が今日の確立した考えだ。「国民（市民）に軸足を置き、御上に軸足を置かない」ところに基本原理はある。**国がそのような認識を維持しうるかどうかは、帰するところ「国民一人一人次第」ではあるが「指導者」の責任は大きい。究極の目的は「国民一人一人が、安心で豊かな人生を送れる幸福社会」の実現だ。政府にはそのためのしかるべき「政策展開」の責任が常に求められている。

若者　その責にある「政治家」と「官僚」は、「基本的心構え」が常に問われなければなりません。どうあるべきですか。

老学者　学生時代に読んだ田畑忍著『政治学』には、「政治家は理想家」であるべきとし「理想とは善き政治への理想とその実現」にある、その「善き政治とは人類の生々発展・国家社会の進歩・国民の一人一人の幸福につくしうる政治」と述べられている。

もちろん政治家も一人の人間、「天下のために憂え……超人の如く讃えられるかと思えば……権謀術数を弄し……痛罵される」（『政治学』矢部貞治著）存在でもある。

そこで国民は「よりよき政治家」を選挙により選択することになる。資質の良否を決める「国民の眼力」が問われるのだ。

代議制には原則がある。「全国民の代表、共同理念の代弁者、独立の権限、政治行動は政治的責任に限定」の四つだ（『自由国家』藤原守胤著）。選ばれた限り政治家はこのことを念頭に入れておく必要がある。

マックス・ウエーバーは政治家の重要資質を「情熱・責任感・判断力」の三つとする（『政治の精神』佐々木毅著）。国民は選んだ政治家がこれを失うことがないか欠如することがないか、常に見守る義務がある。選んだ者の責任だ。

「官僚」はどうか。憲法十五条に「公務員の性質（全体の奉仕者＝公僕）」とともに「国民の公務員を選定罷免する権利」が規定されているが、抽象的規定であり事実上良否が問われることはない。憲法十六条により請願法に基づく請願権行使の規定はあるが、国民の多くは規定自体を知らないと思う。それだけに、公務員としての健全なる自己管理・責任意識が求められる。

両者について、相互に役割の違いの認識が重要だ。尾崎行雄は国の政治について福沢門下生らしく「立法府が主体であり行政府はその補助機関たるべし」と論じている。国民を第一にする政治の基本的考えだと思う。

それを前提にしての話だが、政治家は「政策決定者」であり、官僚は高度な専門知識を駆使して「政治家のコンサルタント・アドバイザー（参謀役）」であることだ。これが逆転すると「官主導」「民主ならず官主国家・官僚国家」などと揶揄《やゆ》されることになる。日本はまだまだこの感が強い。

官僚はその分野の「専門家」に撤するべきだ。明晰なる頭脳をもって、政治家が冷静・的確な政策判断をするための判断材料の提供者であるべきだ。それには常に「中立性・客観性」を維持しなければならないし、人格としては「正直者」でなければならない。

その立場から政治家とは常時距離を置く必要がある。地理的距離は近い（永田町と霞ヶ関）が癒着してはならない。これを誤ると「行政の歪み」を生じる。迷惑するのは善良なる国民だ。

今はやり（?）言葉の「忖度《そんたく》」も、美徳の範囲（良い意味での気配り）なら許されようが、過度・過剰になると癒着を生み出す。世に優秀とされる官僚の頭脳が「一部政治屋（家ではない）」の都合や俗欲に振り回され、本来機能が阻害されるのは国家の損失になる。

逆にアタマデッカチで現場・現実をあまり知らないデスク的判断だけで、政治家の動きを官僚が左右するようなことはしてはならない。政治には「人間的温かさ・人情」が必要なのだ。とにかく官僚としての高貴なプライド・識見があるはず、本道を忘れずに行動してもらいたい。

一方**「政治家」には「官僚の専門的能力」を凌駕《りょうが》する「総合力（人格・理念・哲学・識見・教養・担当分野の該博な知識などなど）」が求められる。そのためには日夜「勉強」しなければいけない。**週刊誌を賑わしている時間などないはずだな。ちゃんと勉強しているのか、しかるべき文献などにも眼を通し、アタマをブラッシュ・アップしているのか、首をかしげたくなる政治家（屋?）がチラホラいるのではないか。いずれにせよ究極は国家・国民のためにある。

佐藤優氏はその著『国家論』で主旨として「政治家は、国民の大きな夢を実現する役割をも持つ……この夢とは究極的なもの、例えば貧困がまったく存在しない社会実現など」と言われる。問われるべきはこれら事項に思いを致す**「ノブレス・オブリージュ精神、口先だけでなく本心から私心を捨て公に身を投じる（利他精神）信念・気骨のある人物たるかどうか」**だ。国民の「眼力」が問われるのだ。

若者　この基本的事項を忘却しているのではと思われる政治家、高級官僚が新聞・週刊誌を賑わしています。先ほどの「指導者」の話での指摘のようにです。日本人の精神である「恥」を知らないのか「羞恥心」はないのか、と問いたくなりますね。

これは本人の資質もさることながら「制度・仕組み」に起因するのか、国民として問題意識をもつべき現象です。これらの底流にあるものは何でしょうか。特に高級官僚については古き中国の「科挙の制度」に習った採用・登用試験のゆえか、間違った「選民意識」のゆえか、いずれにせよ問題ですね。

これらに関し『暴走する国家、恐慌化する世界』で副島隆彦氏・佐藤勝氏は歯に衣着せぬ指摘をされています。いわく「日本の政治を堕落させた官僚制度の弊害」と題して「国家公務員制度で去勢状態にされた日本の官僚」は、英国の社会学者・アーネスト・ゲルナー氏の指摘同様、中国の「宦官」と同じとしています。

先の財務省高官の公文書改竄《かいざん》や文部科学省高官の問題など、一体どうなっているのでしょうか。例外的個別事項と信じ理解したいところですが、国を背負う気骨あるべき人物のなすこととは到底思えません。去勢されているといわれても仕方がないのでは。

老学者「去勢」とまでは言わないが、問題アリと思う。個別に見れば大多数はきちんとしているのだろうが、「どこかおかしい」と言わざるをえない面がある。ならば、襟を正してもらう必要がある。昭和史研究家の保坂正康氏いわく、

「近代国家にとって官僚は切っても切り離せないものです。その権限を完全に奪うことなどできません。だからこそ彼らには『常に見られている』という意識を持たせ、隙ができない土壌を作るべきです。そのためにも我々国民は、官僚の『監視』を怠ってはいけないのです」（『文藝春秋オピニオン・２０１９年の論点１００』）。

まさにそのとおりだと思う。「国民にも大いなる責任がある」のだ。もともと日本の「官僚は優秀」と僕は思っている。優秀の意味するところは多様ではあるが、特に「平時に国の体制維持・保守を法的基盤と精緻な制度運用のもと平穏に維持する能力」に長けていると思う。今日の日本をつくりあげたのは「国民の総力（知恵と汗と涙の産物）」ではあるが、官僚の力によるところも大だ。

もちろん後で指摘するような内部的課題を有してはきたが、「世界に冠たる日本という国家＝大組織」を堅固に維持してきているのも、その細かい政策立案と実施・展開力およびそれらを遂行する制度・仕組みの構築・維持、実務力の結果でもあり、これらは官僚の力の産物でもある。この点について「良い意味でのプライド（国民を見下す空虚で自意識過剰な選民意識ではない）」は持ってしかるべきだ。

ただ、「激しく変化していく時代の変化に対し、スピーディーで過去の事例にこだわらない柔軟な発想に基づく対応姿勢」「実務展開の精緻さがかえって過剰規制になり、モノゴトの推進の足かせになるケース」「今回のコロナ問題のような緊急・有事に際し省益を超えて一丸となること」や「現地・現場の実状を必ずしも踏まえないアタマだけのデスク上の判断や政治家への意見具申」などなど問題はないのか。

また、国の将来に鑑み「ただしていくべき事項が種々ある」こと（後で話す）は大いに課題として認識すべきだ。今後の時代の流れをみる限りきちんとしないと国をおかしくしかねない。

若者　いつの時代も「基本」を忘れないようにしてもらいたいです。

ところで、第一話の「高度科学技術国家」を「国の姿」として推進する場合、政府は「国民」のため具体的に何をなすべきでしょうか。

老学者　四つある。第一は「一段と強化した国家戦略を策定」すること、第二はそれを具現化するための「より強固な組織・機能を構築」すること、第三は「無用な規制を廃し」財政上「ムダ使いをなくし」目的とすべき「国力の強化に資する重点投資」をすること、第四は「民間でできることは民間にまかせる」ということだ。

二の二　「高度科学技術国家」としての「国家戦略」を一段と強化し、「戦略」を展開するための「政府組織・機能」をより強固にする

若者　留意点は何ですか。

戦略を一段と強固にするには、科学技術に関する一元的機能が必要

老学者　切り口は常識的だが、

第一に関することとして、①世界に冠たる戦略計画の樹立（何をなぜ）②ロードマップの作成（いつまでに）が重要。

第二・三・四に関することとして、③遂行組織、投下予算、人材育成などの策定（誰が、どこで、どのように）について、その内容を質的に一段と強化することだ。これらを国民が共有できるよう明確にしなければいけない。

①は先に話した内容（第三章の一から五）になる。②は①との関連になろう。③の人材育成に関することは、第二話の人材開発の中で触れる。ここでは③のうち「組織・機能や投下予算の執行に関する規制・ムダの排除、民間のあり方など」についてあるべき姿を問うことにしたい。

若者　まずは「高度科学技術国家」を一段と強力に推進するについて、どのような組織・機能が求められますか。

老学者　先ほど話したノーベル賞受賞者の野依良治さんは、この「全く新しい知識資本社会の時代」に「いつま

でも国内仕様の異形の体制のままでは孤立してしまう」とも言われ「国際競争力を失うことなく主権国家として生き続ける道は、やはり『共通通貨』とされる科学技術の振興システムを国際標準モデル化して、競争力と協調力を獲得し、国力の源泉とする以外にない」と指摘されている（『２０３０　日本の未来図』自由民主党国家戦略本部編）。

「国内仕様の異形の体制のまま」とは、国際的見地から見ると我が国は「体質が古」く、科学技術の推進に当たり国際的見地から問題なき体制が必要ということになる。日本を代表する科学者の見解、傾聴すべきだ。

これに関連し前出の『理科系冷遇社会』で林幸秀さんも種々指摘されている。要約すると、巨大プロジェクト（宇宙開発・海洋開発など）には巨額の予算がいる。五〇〇億～一〇〇〇億という費用だ。

科学技術庁（昭和三十一年設立）の時代には国立大学が国立学校特別会計による予算措置が講じられたことも手伝い、科学技術の開発には相応の予算を確保することができた。これが文部科学省になったことにより科学技術振興の旗振り役がいなくなったこととともに、国立大学が独立行政法人になったこともあり特別会計予算も確保できず、一段と厳しい状況にある。これでは国をあげての大規模な科学プロジェクトには取り組めない、と言われる。

若者　このような見解を前提にしますと、国として「科学技術」関連の重要な政策を展開・推進するについてどのような「体制」をとるべきか、重要にして大きな課題になります。特にここでの考えとして今後「（超）高度科学技術国家を目指す」ならば、なおさらに重要です。少なくとも「科学技術推進の旗振り役」としての組織・機能体制をいかに強化するのか、という観点に立った議論をする必要がありますね。

老学者　そうだな。一つの考えとして「一元化した強力な専門的総合組織・機能」の創設だ。現在の組織体制で

「長期的・総合的な高度・科学技術と経済・産業戦略を強力に推進する機能」は充分かは、議論すべきと思う。見直しいかんにより、科学技術に関し政府機能の「省別タテ割り業務の弊害除去」と「重複業務の解消」など（あればの話だが）にもつながりうる。

「（超）高度・科学技術国家」を目指すについてどう取り組むかは、先に（第三章の一から五）話したとおりだ。推進は、経済・産業の管轄省庁とのタイアップになるが「科学技術政策そのもの」について「決定権を有する一元的でパワフルな省レベルの専門官庁」があれば「鬼に金棒」ではないのか。

また、今後の科学技術の急速な進歩に即応し、山積する課題解決のためには「科学技術の視点」からの「横通し」が是非とも必要だ。課題とすべき事項を一部列挙すると次のとおりだ。

大きな政策として先に話した大企業の同一事業統合促進、中小企業の支援、ベンチャービジネスの育成、第一次産業の第二次産業化促進とか、国内規制の緩和・撤廃促進、国際科学技術情報の収集・解析、後で触れる難問を抱えるエネルギー問題や時代の先端をきるべきデジタル政策の推進など、産業・企業のさらなる強化を目指した戦略的政策となる。

これらは主として「産業・企業政策」ではあるものの、総合的に企画・立案・推進するためには「科学技術そのもの」についての「高度な英知」が必要だ。特にベンチャー企業の育成・支援については、その事業が先端科学技術に関する内容であろうから、より高度な科学技術の「英知」が求められよう。

農業や水産業の企業化についても、今後は第一次・第二次と区分せず「先端モノづくり」という視点に立ち、科学技術力を横軸にした推進がなされうる。農水産業政策、工業政策を科学技術を介して統合、相乗効果で推進していくことになる。

また、農水産業には資本が必要。企業化を進めていくには国の大いなるサポートが必要になるが、科学技術力いかんにより支援内容の判断がなされることになる。各産業・事業官庁と並行して科学技術専門の組織があれば強い。

若者　科学技術が関係する個別課題も種々ありますよね。例えば、先に話した「エネルギー問題」です。現在エネルギー政策は経済産業省・資源エネルギー庁所轄ですが、今後のエネルギー政策に鑑みると、一段と重要性は増してきます。

老学者　重要課題山積だな。電力自給率の向上、低炭素社会・省エネ社会・水素社会の実現。また、原子力発電をどうするか、これは廃炉問題、核廃棄物の処理問題を含むが、そもそも事故内容により人の命の問題は当然のことながら、国の一地域が消滅する可能性もあるし、規模にもよるが想像を絶する莫大なコストが発生する、国民の税金にはね返る。

電力の自由化についても、消費者にとっての良否いかんが短期的・長期的に問われる。さらに送配電の分離、再生可能エネルギー（太陽光・太陽熱・潮汐・海水温度差・地熱・雪氷熱・風力・波力・水力・バイオマス・廃棄物リサイクル・水素・核融合・燃料電池など）導入の促進をどう進めるのか。

そもそも電力供給システムを多元的（小単位による競争的システム）にすべきか一元的（包括的・安定的システム）にすべきか。エネルギーのベスト・ミックス（安心・安全、コスト、環境、技術開発、人材育成などなどの組み合せ）は何か。石油・天然ガスなどのエネルギー資源の安定確保、輸入と自国資源開発（メタンハイドレートなど）をどうするのか。あるいは、エネルギーに関する技術の開発途上国への輸出（技術協力も含む）をどう展開するのか。これとの関連で我が国が得意とする環境技術（石炭火力発電の炭酸ガス削減技術など）をどう世界に展開するのか。そもそも環境問題との関連で国際的問題として石炭火力をどうするのか。あるいは、二〇一九年ノーベル化学賞に輝いた吉野彰氏のリチウム・イオン電池（電力貯蔵によるコストダウンがはかられる）の普及をいかにするのかなどなど山ほどある。

エネルギー政策と関連が強い環境政策については、二〇一四年に中央環境審議会が提案した「環境・生命文明社会」構想、低炭素・資源循環・自然共生政策の「統合的アプローチ」「地域循環共生圏」などの取り組みや、「COP25」をふまえた「パリ協定（温暖化防止……世界の平均上昇温度を産業革命前に比し二度未満にする）」の本格実施への対応、国際的課題としての「温室効果ガス・炭酸ガス削減」目標達成、あるいは「海洋投棄プラスチック・ゴミ」対策などにも取り組む必要がある。

とにかく、エネルギーや環境問題は複雑多岐にわたり大変なのだ。これらの一連の政策推進・解決に今後は一段と「科学技術力」がモノを言う。

これら課題にグローバル時代ゆえ「国際的見地」から総合的に対応することが求められよう。いずれの課題にも「科学技術についての高度で専門的判断」が必要、国として対応内容に「科学技術的先進性」が求められる。高度な科学技術の見地も含めた「総合的判断」がますます必要になると思われる。科学技術について、一段と高い哲学と広い視野が求められるし、また世界を牽引していくリーダー的存在でもなければならない。そのためには強力な組織機能が重要になると思うのだが。

また、現在の各産業に関わる各省（経済産業・農林水産・国土交通・厚生労働など）の科学技術に関連する役割遂行について、「横通し」に問題はないのか。産業政策は、現在「経済産業省（旧・通産省）」がその中心的機能を有し相応に対応しているとしても、別に「科学技術についての一段の強化機能」は必要ではないのか。

とにかく科学技術がより重要視されていくであろう時代だ。政策をより有効たらしめるには、可能な限りこの視点からの「国益」を前提にした「専門的にして高度な総合的・統一的判断機能」が望まれる。そのための「体制強化」だ。

若者　結論としては、現状各省庁にある科学技術に関する機能を全面的に集約、統一的に戦略を企画・推進する「総合的で高度な科学技術戦略推進組織（いわば、科学技術省）」の構築になりますか。

現状、科学技術に関する政府組織は、昔独立していた科学技術庁が文部科学省に統合されています。省内には科学技術・学術政策局、研究開発局、研究振興局の各部局がありますが「高度科学技術国家」としてこれを省から分離・独立させ、世界を相手に大きな「戦略的科学技術政策を展開」する組織を構築、ここで先に話されたような内容のことを企画・推進していく、ということですね。

老学者「科学技術をコアにした政策の展開」がよりはかられるのではないのか、と思うが。そこで大きな見地からの戦略展開（実務も含む）ができないものか。とにかく新しい視点で現状を変えてみたらと思う。何も現実離れの話ではなく、むしろ現実を踏まえた話だと思うが。この組織が、現在の内閣府「統合イノベーション戦略会議」と直結・連動し、スピーディーに政策展開をするとよいのではと思う。

この会議は「経済財政諮問会議」（橋本龍太郎内閣で発案され小泉純一郎内閣で実施されたが、民主党政権時代になくなり第二次安倍晋三内閣で復活、種々の改革を先導するパワーのある組織）のように国の政策推進の指令塔的機能を有するのだろうから、これと「科学技術省（仮称）」を連携させれば、縦割りの省益を超えた大きな見地から課題・政策を展開することができる。重複業務を削減する・ムダをなくすという効果もある。初期投資に予算は必要でも長期的視野でみれば大いに意味はあると思うが。

若者　ところで、日本は災害大国です。地震・火山噴火、台風・大雨・洪水・強風などの風水害が、最近特に多発していますし今後も発生が予想されます。南海トラフ・東京直下地震いろいろ警告が出ています。

「東京直下地震」については、優秀なる地震学者・地質学者がこの三十年内に七十パーセントの確率での発生を予測しています。プレートの状況と地震の歴史を根拠にした話です。ゆえに「想定外」は通りませんし、発生してから関連組織の責任のなすりつけ合いをされてはたまりません。

また、日本全国に五十年以上にもなる公共インフラの老朽化問題があり、都市構造の問題、特に東京は、ゼロメートル地帯や超高層ビル、複雑な多数の地下鉄などなど、世界で最も危険な都市とされています。

三橋貴明著『亡国のメガロポリス　日本を滅ぼす東京一極集中と復活への道』に厳しい指摘がなされています。いわく、

「自然災害大国である日本国が一極集中を進めるなど、言語道断……国民は可能な限り分散して暮らさなければならない……現実には（略）一極集中が続いている。まさに、亡国の道だ」と地方創生との関連でも論じられています。

とにかく災害に関する課題は山積しており、国としての対応は充分なのか、心配です。これは「リスク管理」の問題であり常に責任の所在が明確でなければいけませんね。科学技術についての省レベル組織とともに、災害に「最新にして、最高の科学技術の英知」をもって対応できる「一元的組織」も必要ではないでしょうか。「防災省とか、危機管理庁」などです。

この機能は災害が発生してからの対応はもちろん、それを「未然に防御しメンテする政策」も考え実行する組織です。人の命に関わる問題、バラバラの対応で「知らぬ・存ぜぬ」は絶対に許されません。これこそ、我が国が得意とする「高度科学技術の粋」を集め、イザというときに備えるということになるのではないでしょうか。「一元的対応」の必要性・重要性について言えば、今回の「コロナ問題」が語っています。関連する複数の組織が「一元的意識・一体感で事に臨む。すなわち、国と、事情の違う地方自治体が、おのおの責任を明確にし全体として後顧の憂いなき対応をする。そのために政策決定専門組織・関連行政機関・現場の医療機関が同一の基本的スタンスに立つ」を前提に、「最悪の場合」を念頭に「医療科学技術」の粋をあつめて対応することが重要。

これがきちんとなされていれば国民は安心しますよね。

リスク管理に鋭敏な「現地・現場医療機関の意向と事情」を充分に理解し、検査体制に万全を期すとともに「特に重篤患者救済への対応」を迅速・的確にしうるような科学的判断が必要です。「医療崩壊」など、先進文明国であってはなりません。


老学者「コロナ問題」はそのとおりだ。特に一貫した幅広く詳細なデータの公表（国民の生活様式の判断基準にもなる）と、不足なき対応策を迅速に出してもらわないと困るね。

ともかくも「危機管理」については国の「総力」がためされる。「一元的組織」については今後予想される重大な課題を考えると実現すべきだと思う。常に「最悪の事態」を想定するということだ。後でも触れるが「備えあれば憂いなし」だ。鋭い「想像力」が求められる。想像（あまりしたくはないが…）は地震等の災害については、昔の絵巻物にもみられる「阿鼻叫喚の地獄の世界」ということになろう。

いずれの組織機構についても、その目的とするところは国・国民にとってきわめて有為なもので、検討する価値は充分にあり、国としての議論に大いに馴染むし、すべきではないのか。先に話した先生方の指摘にも、少しは応えることはできよう。

二の三　「無用な規制」「財政の無駄」はなくそう

「規制」は合理的範囲に。厳しい時代だ……「本当」にムダはないのか

若者「組織機能」のあり方以外「組織運営」上の問題はありませんか。

老学者　ある。一つは「規制の問題」、二つは「財政上の重点投資・ムダの排除の問題」だ。本章冒頭の野依さんの指摘もこの辺のことに関してではないか。

規制問題、先進国の中でも「批判の的」になってきた。以前「一〇〇〇件以上の緩和すべき項目」の指摘があったくらいだ。政府は、一九九五年から規制緩和推進計画を答申した「総合規制改革会議」、二〇〇四年の「規制改革・民間開放推進会議」を経て、二〇〇七年から現在の「規制改革会議」でテーマごとに取り組んでいるが、現状どうなっているのかだ。

先進国からの「非関税障壁」との指摘もあり、金融行政・運輸行政に関しての規制緩和は九〇年代から取り組まれ、二〇〇一年の小泉純一郎内閣以降、さらに大きく取り組んできてはいる。規制は経済的規制と社会的規制に分けられるが、経済的規制は緩和し社会的規制は妥当な範囲でとの論もあり、労働行政の規制をどちらに見なすかなど混沌としている点など問題もあるが、それなりには取り組まれてきてはいる。

だが、現状はまだまだではないのか。また、行政のプロセスについて言えば、事実行為、行政指導、通達、職務命令の内部的行為と、外部に対してなされる行政行為（公権力の発動……行政庁の優越性）として許認可などの規制数が非常に多い。許可・認可・特許・免除・代理・意思表示・公証・確認・通知・受理など。まだある、承認・指定・検査・検定・認証・届け出・証明などなどだ。それなりの違い（法律的行政行為か、それ以外か）

はあるのだろうが、それにしても「眼が回る」な。

経済活動などの「公正を保障」するためとか、社会生活上の「安全・安心の担保」に必要な規制は大いに必要だが（むしろ、より厳しさが求められよう）、政府の権限擁護・強化あるいは拡大のための規制はなくしていくべきだ。「自由と社会の進歩・発展」を阻害するようなことをしてはならない。最新の状況としてどこまで改善されるに到っているのか、詳細については僕もよくは知らない。

このうち科学・技術振興に関連する内容がどの程度あるのかも定かではないが、**「高度科学技術国家を強化」するに「障害になる事項」があれば「大胆な改革…無用規制の徹廃」あるのみだ。そうしないと柔軟な運営による発展が阻害され、世界の「進歩から取り残される」ことになる。政策当局の「自主的判断」が重要だ。**

若者　「財政上のムダをなくす」問題もあります。ムダをなくし将来の国の発展につながる事項に「重点的に予算は配分」すべきです。財源がますます厳しくなるわけですから必須事項です。

本当にムダはないのでしょうか。毎年会計検査院が年度決算に当たり国・行政の無駄を指摘していますね。二〇一九年度も一〇〇〇億（三三五件）の無駄を指摘しています。大学生の奨学資金に使用するとすれば、年額一人・一〇〇万円として十万人分に相当する金額です。この額も元官僚の識者によれば「氷山の一角」にすぎないとも言います。会計検査院はすべてを調査しているわけではないからです。

ところで「予算・税金のムダ使いでは、とも言われる『天下り』」について、現状はどうなっていますか。

老学者　現時点（最新状況）でどう変わっているのかは詳細をよく知らないが、一連の関連書籍を紐解くと以下のようだ。

稲葉清毅さんは『霞ヶ関の正体―国を滅ぼす行政の病理―』で「とめどない浪費僻　予算過食症」と題して

「わが国の財政は国も地方も破産寸前で（略）このような状況にもかかわらず、行政は膨大な浪費をしている」「ほとんど病気というほかはないこの浪費僻」と、一種の「病理現象」ととらえておられる。

そうなると治療が必要になる。著者は行政管理庁の役人として臨時行政調査会で行政の合理化にも取り組まれた人。自らの経験に基づいての著書ゆえ信頼できる。官僚社会の問題点を「病理現象」としてわかりやすく説いておられる。国民としては「浪費」との指摘を重視せねばならない。

また『天下りの真実』（市村浩一郎著）によると、調査時点（約十年前）ではあるものの、天下りに付随する国費は「十二兆円」もあったとのことだ。元大蔵省官僚・高橋洋一著『日本は世界一位の政府資産大国』にも同様の指摘がある。

国費は国民の税金（血税）による。この『天下りの真実』によると、関連する組織は公益法人など約四五〇〇くらいあったようだが、ここに約二・五万人が天下りをしており、うち半数が役員としてだ。その役員として天下りしている組織に交付されている金員が約十二兆円ということになる、すごい金額だな。もっとも中には必要な組織も相応にあったと信じたいところだが、そうでもないのも多々あったのではないか。

この本によると「ほとんどが、無駄といわざるをえない」と評しているが。何をするでなく「新聞を読んで終わり」というところなのだろうか。中小企業のオジサンたちは朝から晩まで、埃《ほこり》まみれになり働いて「国家経済の下支えをし必死で税金を収めている」のにだ。

いずれにせよ、関連する組織数はとにもかくにも「ものすごい数」だったのだ。各省庁傘下に「研究所・センター・協会・基金・振興会」などなどの名称がつく組織が多い。何をやっていた（る）のか、と思う組織もある。よくもまあこんなにあるものだと感心（?）さえする。

もちろん天下り先の中には企業もある。これら企業が「専門的アドバイス」を得るため元官僚を必要とする場合はままある。企業は汗水たらして稼いで税金も収めている、ゆえに妥当な範囲内で必要とする人材を任意に得るのは自由だし容認できよう。もちろん個別のケースごとの判断によるが。

ともあれ、この数字は以前の話ではあるが、現時点ではどうなっているのか。改善されていればいいがどうなのか。なお『官僚×東京大学法律勉強会』と題する書籍には「天下りのデメリット」と題して「天下りはさまざまな弊害をもたらしている」との記述がある。これは東大・法律勉強会メンバーの話。関係者として「自認」している問題事象なのだ。

若者　この問題、以前から問われて久しいですが、何が原因なのですかね。

老学者　僕はこの背景・根底には官僚制度の有する「非合理性」があると思う。試験成績での昇進、キャリア・ノンキャリアの封建的とも言える人事区分、キャリア組中心の五十歳を過ぎた頃の早期退職（同期省内昇進との関係）などなど「矛盾を孕《はら》んだ不条理な古き人事制度・慣習が根幹にある」からではないのか。

その意味では、天下りしている人を一方的に責めたてるわけにもいくまい。制度を根本的に見直し「開かれた人事制度」に改革していかないと解決されないのではと思う。内部の改革もさることながら、民間人や専門家との人事交流をもっと促進し、外部の風を入れなければならない。「官民人事交流法」や「任期付き任用制度」（両者とも二〇〇〇年から実施）をもっと活用すべきであろう。ダイバーシティー（多様性）の時代だ。政府が先頭を切って改革し、模範生になるべきだと思うが。

また、天下りをするとしてもその場合の条件は、曽野綾子さんが言われるように「『退職金なしの低給与』を原則に」（同氏著『国家の徳』）すべきであろう。参考までに言えば民間の再雇用の場合「給与は前職の三分の一か多くても二分の一で、退職金はない」のが普通だ。役員から顧問・嘱託職として勤務する場合でも一般的には同じ扱いだ。

少し踏み込んだ話をしたが、財政上の無駄は何とかして減らさないと国の首を絞めかねない。関連する当局は改善すべく努力をしていると信じたいが、あまり進まず今もなおこの状況が継続しているとなれば、大いなる危機意識が必要だ。

なお付言するが、「天下り」のすべてがダメだと言うつもりはない。戦後の昭和二十年代から三十年・四十年代にかけ日本を復興させ経済成長の支えにもなった一群の官僚が、関連する政府機関とともに民間と頑張った時代の話として、本省から政府機関への天下り、例えば旧・大蔵省（現・財務省）から当時の日本輸出入銀行や中小企業金融公庫（いずれも現・日本政策金融公庫）や日本開発銀行（現・日本政策投資銀行）などに天下る例だ。これには相当する理由があった。良い意味での国家政策推進のための「橋渡し（パイプ）役」になったと解釈すべきであろう。

また、現在においても有能な人間が、必要とされる組織に転職（この場合はもはや「天下り」とは言わない方がいい）し、その有する能力を発揮するのはむしろ望ましいことだ。この場合の勤務条件は、受け入れ先が個別ケースに基づき考えればよい。元勤務官庁による条件要望など「ない」はずだ。

参考までに「天下り」でなく、退官後大学で教鞭をとる人もいる。高度な考え・知識・経験などを次代を担う若者に伝授するなど、大いに歓迎すべきだ。博士号を取得するなど研究に邁進する人もいる。こういう元・官僚は社会的に問題視されることはないだろう。

若者　ついでにもう少し聞きます。先ほどの「天下り」とも重複しますが、公益法人などが多すぎるのが問題と言われて久しいです。整理されているのですか？　これも「ムダ」の象徴事例として聞きますが。

老学者　確かに官庁に付属する公益法人が多すぎた。書籍によれば、もともと二万五〇〇〇を超えていたようだ

（国の所管だけでも約六八〇〇）。本当にこのような法人が必要だったのか、よくはわからない。二〇〇八年の「公益法人改革関連法」で主務官庁制を廃止、公益認定等委員会が審査・整理し新法人として三分の一に削減・見直された。が、数は減少しているが統廃合などがあるだろうから、実態はよくわからない。国民のために本当に必要な法人機関ならば歓迎しなければならないが、どうなのか。

外部がメスを入れる以前に当事者の意識の問題がある。「税金を使っているのだ」と。本当に必要な役割遂行なら問わないが、どうなのか。増税も必要なら認めるが、その前に国の無駄をなくさないと善良な国民が本当に可哀想だよ。

とにかくこの問題だけでなく、全体として「本当に無駄」はないのか本腰を入れて、さらに「棚卸し」すべきだ。従前に比し前向きに取り組んでいるとは思うし、そう信じたいが、そうしないとそのうち国自体がおかしくなる。迷惑するのは結局は国民だ。

今日現在、どの程度これら一連の問題が是正されているのか「最新情報」として具体的に詳細を知るところではないが、本当に**「無駄をなくし」それにより得られた財を「高度科学技術国家をつくる資金」「人材開発資金（例えば、経済的に恵まれない優秀な国家的人材たる学生への給付型奨学資金）」などなど重要政策の実施資金にまわす必要がある。お金は「活かす使い方」をしないといけない、限られているのだからな。「普通で当たり前」の話ではないのか。**

その前提として『戦後日本の光と影』で「国民が安心できる国を作ろう」と題して著者の森下正勝氏が述べているように、「今こそ江戸時代財政窮乏の米沢藩を救済した『上杉鷹山（ジョン・F・ケネディーが最も尊敬した日本人）』の考え・行動を学ぶべき……」との指摘はきわめて妥当だ。

若者　日本は「恥を知る武士道精神の国」であることをも強調したいです。

老学者 そうだ。エリートはそれに相応しい「高邁な良識」が必要だ。これぞ「ノブレス・オブリージュ」だな。選ばれたる者は「矜持」があるだろう。それに基づく「課題認識」を持ってしかるべきだと思うし、持っていると信じたいが、それなら実行あるのみだ。

今話したいずれの事項についても良識ある判断を下し改革をしていかないと、世界から取り残されていくだけだ。繰り返すが、無駄は許されない。「国の発展・強化を生み出す有効な投資のために税金は使うべき」と心底願うところだ。

二の四　「民間」でできることは「民間」にまかせよう

民間の活力の「素晴らしさ」―賞賛すべき、旧国鉄の変身ぶり―

若者　ところで「民間でできることは民間でやるべき」ということでした。そのとおりだと思います。民間のエネルギーは、潜在的にもすごいものがあると思います。「高度科学技術国家」を目指すには、民間の柔軟な知恵・アイディア、迅速な展開力、きめ細かいサービス精神などなどが総合的に国単位で求められます。

民間は良い意味での競争があります。毎日が変革への挑戦です。これが明日を生み出す。今回の「コロナ問題」でも民間は生き残るために涙ぐましい工夫・努力をしています。テレビ報道をみるたびにジーンときます。

ところで爺さんは、経験として民間の活力の「素晴らしさ」について、いろいろ話題をお持ちのようですが。

老学者　いろいろあるが、会社時代に金属産業団（造船重機・電気・鉄鋼・自動車の各二社・計八社により構成）として、社会主義国から資本主義国への体制移行時期にあった「東欧諸国」を視察したことがある。

社会主義国時代の東欧諸国はまさに「民」ではなく「官の支配する国」だ。この時代の問題とされるであろう「活力を失った」企業の姿を「負の遺産？（以前の姿が散見される）」として生々しく垣間みることができた。

これも「官」と「民」の比較にはよい題材にはなる。が、よその国の話。ゆえに、足元の日本国内のこととして一つだけ象徴的な話をしたい。旧国鉄の話だ。僕が心から尊敬する土光さん（元・石川島播磨重工業＝ＩＨＩと東芝の社長、元・経団連会長）の話にもなるので、話が少し長くなるが事例として良いから引き合いに出そう。

この旧国鉄の「民」への変身ぶりはすごい。ＪＲへの変身、これは「民の力のすごさ」の良い例だと思う。「民間としての知恵」の産物だ。国鉄がＪＲになってから約三十三年になる（一九八七年に分割・民営化）。変身後生まれた人は、今のＪＲで当然のように思うであろうが、旧国鉄を知る者はその変身ぶりに驚きを禁じえない。全く想像できなかった。よくこれほどまでに変わるものだと思う。

旧国鉄が国策として生まれ運営された「工部省（鉄道掛）・鉄道院・鉄道省」時代の話だが、当初は乗客は顧客扱いされず御上が「乗せてやる」ということで駅員も威張っていたようだ。戦後はそういうことはなくなったものの、運輸省（鉄道総局）の管轄から昭和二十四年に日本国有鉄道（国鉄）になって、組織としてさまざまな問題が発生してきた。

この時、旧国鉄は「三公社五現業（公社＝旧国鉄・旧電電公社・旧専売公社と、現業＝郵政・国有林野・造幣・印刷・アルコール専売）」の一つとして「公共企業体」になったのだが、この企業体は「資本」は国が有するが（政府の全額出資）、「経営」は民間企業と同じ機能とするものの「公共性」を持った。だがゆえに職員（組合員）は通常の労働組合法の適用を受けずに「公共企業体等労働関係法（公労法と略し、争議行為禁止など労組法と異なる特別規定になっていた）」を適用するとか、組織運営上複雑な仕組みになった。

このような「官・民」の複合的機能というか中途半端？　な機能を有した組織であることが、その後種々の問題発生の原点になった、と僕は思う。

経営側について言えば、役員は総裁（語られる「人物」もいた）以下、原則政府任命・認可で、天下り（優秀なパイプ役もいたが）と本社採用者が一角を占め、どちらかというと「官」的体質であり、技術陣には多くの優秀な人材はいたものの（「新幹線」を生み出したりした）、総じて民間のような経営思想には徹しえなかった。

一方労組側は、通常の労組法の適用外のもと権利獲得の闘争を強化した。例えば蒸気機関車について言えば機関士の労働内容は酷暑・厳寒時にかかわらず石炭の煤《すす》で顔を黒くして「釜焚き」をする（五十度以上の熱と常時向かい合う）とか、きわめて厳しいものであり、これらの現地・現場の労働環境の厳しさについては実状として充分認識・理解すべき重要事項ではあった。労働内容からすれば、労組としては普通の労組法を適用すべしという思いにはなるだろう。

経営側はこれら現地・現場についてよりよい労働環境・労働条件の実現に向け尽力すべきところ、努力不足であったのではないかとも思う。労組側もそれらの課題を含め生活向上のための労働運動に走ることに目を向け、春闘時などには顧客そっちのけで権利闘争にあけくれた。この是非が公共性との関係で問われていた。もちろん国民の足を第一にすべきとの労組員も相応にいたのだが。

とにかく、労使双方が問題をかかえたままの状態が長く続いていたのだ。長い労使関係の歴史を有する英国には、「経営者は、己に相応しい労組を育成する」という味わうべき警句があるが。

若者　労使の「どちらもどちら」ということですね。両者とも利用する「顧客」のことを忘れられてはたまりません。「国民の足」であることへの思いが第一でしょう。

老学者　それが民間と違うところだ。経営は経営で努力不足、組合は組合で権利の主張ばかり。「公共機関」であることを忘却していた。労使が「国民のことに思いを致し、真摯に向き合い話し合い」をしておればこうまでならなかっただろうと思うのだが。

労組について言えば、「国民の足」であることをあまり考えずにストライキ権のためのストを実施していた。春闘（この言葉も希薄化しているが）の時期になると賃上げ闘争に奔走し、随時ストライキを打った。乗客は二の次だ。都会のサラリーマンはストライキのたびに会社の手配する貸し布団で会社内で寝泊まりしたり、手配されたホテルなどで宿泊するとか、場合によってはストップした鉄道線路を歩いて通勤したりもした。もちろん、僕も経験アリだ。

運転士は、時には遵法（順法）などと称して「安全確保」の名のもとに、故意に徐行運転をして乗客をイライラさせたりもした。昭和四十八年四月には都内や東京近郊の多くの駅で善良なる乗客の暴動事件が起きている。あまりにひどいノロノロ運転に乗客の怒りが爆発し、電車を毀損したりした事件だった。忙しい通勤客が怒るのは当然だ。今の若い人に想像できるかな。もちろん、国民の足を第一にすべきとの思いで電車を動かそうと努力した労組員も相応にいたのだが。

このような権利闘争の他、いろいろな労使問題も起こしていた。僕も人事・労務管理の仕事の関係上、長く労組と接点を持ったが、労組と会社は「近代的労使関係」であるべきと思っている。この関係の基本思想は、労組側から言えば「経営に対し生産には協力、分配には対峙」「なんでも反対ではない」ということになる。したがって会社もこれに誠意をもって対応していくことになる。

旧国鉄には「田町電車区事件」などという有名な事件があった――「ハダカ連行事件」ともいう。この電車区では「勤務時間内」に労働慣行として適当に勤務を切り上げ、職場の「風呂」に入っていた。この悪慣行を打破しようとした良識ある従業員との間にもみ合い、暴行傷害事件が起き、司法の手が入る刑事事件になった。相手が入浴中で「はだか」であったのでこの別名がある。

今の時代に信じられないだろうな。この悪慣行など「近代的労使関係」では考えられない。生産（第二次産業的に表現すると）に協力しない慣行と言えるからだ。このような事案はいくらでもあるようだが、今のＪＲではとても考えられない。

さらに、当時の国鉄は「ヤミ手当て・カラ出張・ブラ勤の国鉄」とも言われ、大幅な赤字経営で国家財政を圧迫していた。それでも危機意識はあまりなく、経営側もこの種のことに根本的なメスを入れず、労組は労組で乗客そっちのけでストライキを打ったりしていた。

このような体質、これが「悪い意味での『官』体質」なのだ。「世」に言う「親方日の丸」という代物だな。イザとなれば国が何とかするだろう、ということだ。労使とも緊張感が欠落していたわけだ。

若者　これを改革したのが「メザシ」で有名な土光さんの率いる「臨調（臨時行政調査会）」ですね。旧国鉄をはじめ一連の行政改革を、身命をなげうってやり遂げました。既得権益団体・抵抗勢力からのものすごい反対運動・妨害があったとのことです。特に国鉄は最大の抵抗勢力であったようですね。

老学者　土光さんは、財界でも改革精神に富んでいるホンダの本田宗一郎さん、ソニーの井深大さんらと組み「国民運動」としてこれを成し遂げたのだな。

　土光さんは、母親からの教訓である「個人は質素に、社会は豊かに」の精神でもって「八十歳半ばの高齢（すべてをやり遂げたのは八十九歳）」ながら、この改革に挑んだのだ。「日に新たに、日々に新たなり」（湯王《とうおう》の銘辞……今日一日に全力をあげる意味）を一番の座右の銘とされていた土光さんのことだ。毎日毎日ベストを尽くしてこの問題に臨まれたのだろう。本当に頭が下がる「ものすごい人」だ。

　旧国鉄は鉄道院・鉄道省時代、日本国土全体にかけて地域を振興するため鉄道を普及し民度を向上させるという目的もあった。ただ時代は変わる、顧客を重要視する時代への変化だ。旧国鉄は時代の変化にもかかわらず旧態依然の体質から脱却すべきところ、経営側は経営内容向上の努力を欠き、労組側は権利闘争に終始し（これに反対の勢力もあったのだが）、一番重要な乗客へのサービスも怠り、それやこれやで膨大な赤字経営になっていた。一九八〇年度の欠損は一兆円を超えた。

　この悪化原因は「モータリゼーションなどの輸送構造の変化に対する対応の立ち遅れ、企業性が発揮されていない（企業意識・責任感の喪失）、労使関係の不安定・職場規律の乱れ（合理化が進まない・生産性低下）、収入に比し異常に高い人件費率などなど」と指摘されている。このことが必然的に改革を呼び起こした。

　国鉄が変身を遂げられたのは、メスを入れた当時の中曽根総理（先日一〇一歳で亡くなられた。戦後を代表する名宰相の一人と思う）率いる内閣や行政改革の先陣を切った土光さんらの努力の結果、改革への情熱・気骨の産物だが、**改革の基本に「民の思想（変化への対応力・高い企業意識・近代的労使関係・ムダをなくす財務意識など）」があることを忘れてはいけない。**

若者　今の新幹線の車内は、航空機内かと間違うほどですね。

老学者　礼儀正しい航空機クルー同様の乗務員さん、客室コンダクターさんと同じ雰囲気の女性乗務員さん（国鉄時代に女性の乗務員さんなど夢であった）、サービス内容に即した乗務員の服装などなど、ものすごく改革されている。ひとえに「民営化」の結果だ。民間である限り基本はサービス業、この役割認識が一八〇度転換、乗客志向になったということだ。

原理はきわめて素直でシンプル、どうすれば顧客にサービスできるか、これを考えた結果だ。もちろん、東日本旅客鉄道株式会社を含め七グループに分割されたわけだから、会社間での競争もある。民業なるがゆえに顧客を相手に競争していかなければならない。良い意味での競争原理が働いているのだな。本当に乗車していて気持ちがいい。昔とは雲泥の差だ。今後は事故なきように経営してもらいたいところだ。

若者　鉄道関連についての話ですが、他の鉄道事業についても「民営の素晴らしさ」の歴史もあるのでしょうね。

老学者　そうだ、一例をあげてみる。大阪の阪急鉄道のことだ。この会社は「宝塚歌劇」創設で有名な実業家・小林一三が「反官主義」で旧国鉄に対抗して、それと並行する路線として創業されたものだ。

当時は路線近辺に住民も少なく、なぜ鉄道が必要かとも言われたが、小林は平然と「需要は起こせばよい」とし、沿線に宅地を開発した。また、ターミナルには動物園（箕面）と歌劇場（宝塚）を設置、さらにデパートや屋上レストラン（従来重役が展望を楽しむために占有していたのをやめ、客に開放したのが始まり）など、現代の経営にさきがけて鉄道と商業の融合事業を創設した。

また、スピードをあげるために軌道を広くする理屈として、この鉄道を路面を走る電車と位置づけた。阪急の前身会社である箕面宝塚電気軌道株式会社はそれがゆえの会社名だ。現在阪急箕面線・宝塚線はその当時から今と同じくらいの速さで運行している。その名のとおり急行電鉄だよ。

もともと鉄道事業は、鉄道だけでは採算はよくない、赤字覚悟の事業なのだな。これを黒字にするのは総合事業にすることが重要。そこで登場するのがターミナルの商業施設とか観光事業などだ。小林一三はこれが判っていたのだろう。この種のサービス事業は旧国鉄のような役人体質ではできないだろうな。

小林の思考の基本は、常に「大衆（御客）にいかに楽しんでもらえるか」であった。「民」を大事にしたということだ。小林一三の反骨精神は『文明論の概略』で「官からの独立」を説いた福沢諭吉の門下生なるがゆえでもあろう。その意味で小林は事業家でもあり「思想家」でもあると思う。

このように、官の統制的行為に反発し今日の民間のエネルギーの基を作り上げた人物の足跡は実に大きい。その他多数の偉材がいる。民の力が官といかに違うかの例証だ。今後このように「民活」すべき事業があればどんどんしていかねばならない。良い意味での競争が「活力」をうみだす。このことが「民間」に任せることの真の意味だ。

若者　この時代の改革としては旧国鉄の他あまり派手さはありませんが、先ほどの三公社であった旧専売公社から転換した「ＪＴ（日本たばこ産業株式会社）」、旧日本電信電話公社から転身した「ＮＴＴ」も、同様に大変身（一九八五年に民営化）しましたよね。

老学者　識者に言わせると「この臨調による一連の改革が、今日の日本経済繁栄に六十パーセントから七十パーセントくらい寄与している」とのことだ。すごいではないか。この例からも「民間の活力の素晴らしさと官の陥りやすい弊害」がわかるはずだ。今後は「官から民」へ「変えてしかるべき事業」は流れを変え、よりムダのない国にしていかなければならない。

言うまでもないが「何でも民間」と言っているわけではない。「公共（国民の安全・安心の確保）」を第一にすべき事業を利潤を目的とする民間事業化することにより、大きな実害（国民生活上の問題）の発生が予測される場合については、民間化は回避せねばならない。

この関連での話として、世に「大きい政府か小さい政府か」なる議論があるが、先に述べた「ムダをなくす主旨」においては「より小さい政府」が望まれよう。しかし、国民の生命維持・生活向上についての行政サービスについて、必要機能をより質的に充実させるべき場合には財政資金を惜しんではならない。この意味においては「より大きな政府」が求められる。だが、何をもって大・小とするか判断はさまざまで定義は難しい。ゆえにこれを問うよりも、実質的にどうあるべきか個別課題について論じるべきだと思う。

いずれにせよ前提は「国民のため、真の政府と民間の協調時代」をつくりだすことが重要だ。今後の「高度科学技術国家」の維持発展を考え国力を強化するには、このことに為政者をはじめ国民全体が思いを致さなければいけない。官か民かの選択もこのうちにある。

三　「企業」の役割は何か（民間の象徴として）

三の一　「基本的には、社会的存在・生き物であることの認識」が重要

「高度科学技術国家」を支える「責任ある存在」としての自覚

若者「高度科学技術国家」強化のための「政府の役割」について話をしてきましたが、そもそも「民間でできるものは民間で」の「『民間』の役割」はどうなりますか。

老学者「民間」と言っても広い。そこで「産業社会・企業社会」は今後も続くという前提で、主として「科学技術」を現実の形として生み出す「企業の役割」について話すことがわかりやすい。

若者　どういう役割が求められますか。

老学者「民間が活性化」していかないと、改革があまり進まず国力が落ちていくということ。我が国が「高度科学技術国家＝高度付加価値モノづくり国家＆サービス提供国家」という「国の姿（国家像）」を目指すとなると、これを事実上具現化する役割を担う「企業の存在意義はますます重要」になると思う。今まで、第一次産業と分類されていた農林水産業も必要かつ可能な範囲で企業化していくとなるとなおさらだ。

現代社会は、言うまでもなく「企業社会」と言ってよい。我が国について言えば、労働総人口の「七十パーセ

ントが企業人」だ。この集団が「活性化」しなければどうなるのか。

世の中には「民間の活性化」といえど、高度成長自体終焉したのでは、と論じる人もいるし、「資本主義社会」自体について疑問を呈する人どころか「終焉した」と言う人もいるようだが、僕はそうはならないと思っている。何百年も先のことはわからないが。現実論としては、中国に代表される「国家資本主義」と、米国を象徴とする「市場資本主義」とのせめぎ合いがどうなるかの方が問題だ。どういう世界になるかを注視すべきだ。内容次第では大きな国際的問題になるかもしれない。

いずれにせよ「経済社会は続くし相応に進歩」もする。今までと質・量の違い（拡大範囲&内容・スピードなどは随時変容するし、経済主義に対する抑止力も働くだろう）はあるだろうが。成長についての疑問視（「成長神話」）は現代社会への警告と理解すべきだ。人間の俗欲に支配される成長は大いに警戒すべきだからだ。

別次元の話として「進歩」か「退化」かの論議もあるようだが、哲学的課題としては大いに意味ありだが、その是非は別にして「進歩を『夢』と描き」それを信じ「合理的精神」に基づいた成長を目指すことは大いに歓迎すべきことではないのか。

もともと人間には「進歩」を望む遺伝子が備わっていると思う。理論上、永遠に成長しうるかどうかは何とも言えないが、「地球」を前提の進歩には限界はあるとしても、僕の好きな「宇宙」を対象にすれば「永続的」とも言えるのでは。とらえ方次第だ（理解のために数字で示せば、二〇四五年頃に宇宙ビジネスは一〇〇兆円規模になるともいわれている）。とにもかくにも「民間の活性化」については、今後も重要な国民的課題だ。

若者　考え方次第でしょうね。一応現実社会に戻り、話をしますと、国民生産（ＧＤＰ）の構成も企業が産出するモノの総額が相当部分を占めるし、国の政策も企業社会を前提にした事項が多いです。今後もこれは続くと思います。

老学者　そうだと思う。「社会の繁栄」は「経済の繁栄」が重要要素。「分配の前提」でもある。したがって経済は常に相応の進歩が求められる。だからその主人公たる「企業と企業人のあり方」は国の将来にとって重要だ。

この点、企業人、特に経営トップ・幹部は自認すべきだし、一般の社員も将来は経営を委ねられる立場になっていくであろうから、企業人全層にわたり「社会的役割意識」が求められる。「高度科学技術国家」維持強化の「根幹」だ。この点を忘れている現象もままみられる。しっかりせねばならぬ。

若者　具体的にはどのようなことが、ポイントになりますか。

老学者　「基本的事項」として二点。**第一は「企業とは、社会的存在・生き物であること」を充分に認識すること、第二に「時代が求める企業とは、革新の先頭に立つこと」**の認識が必要だ。

そのためには「トップに人物を得ること」「従業員が、活気に満ちチャレンジ精神に溢れていること」が重要だ。この両方がなければならない。特に「革新」「チャレンジ」がキーワードになる。

日本の経済界の礎を築いた渋沢栄一の言葉に「官吏は凡庸な者でよいが、商人は賢才でなければならぬ。商人が賢であれば国家の繁栄を保つことができる」とある。商人は今の言葉では「企業人」、かみしめるべき言葉ではないか。渋沢の言う「賢才」と言える企業とは、今日的には今話した「二要件が揃った企業」と、僕は言いたい。

「社会的存在」「生き物」認識が重要

若者　まず「『社会的存在』であることの認識」が必要とはどういうことですか。

老学者　今後は今まで以上に「企業の活躍が重要になる時代になる」と思う。グローバル時代、国を超えて「真の企業力」が問われるとともに「社会に対する影響」度合いも増す。それだけに企業は「社会的存在」たることを意識せねばならぬ。これをおろそかにすると企業としての存立基盤を失いかねない。最近も多くの名門・優良企業の幹部が頭を下げる風景が見られる。この認識の欠如の産物ではないのか。

企業は「社会に活かされている存在」だ。社会あってのもの、ゆえにそれに対する責任が常に問われている。最近巷間を賑わす言葉で言えば「企業統治（コーポレート・ガバナンス）」を含む「社会的責任（CSR＝コーポレート・ソーシャル・レスポンシビリティ）」の話になる。

「企業統治」についていては、経営者の独走・暴走を株主が監視・監督することになるが、日本取締役協会は「経営者を督励して結果を出させる仕組みと位置づけし、これを成長のエンジン」としている。経営がおかしくなると元も子もない、当然のことながら成長・発展以前の話だ。堅いイメージの言葉ではあるが、「ガバナンス」は「社会的責任」の重要なコンセプトだ。最近よく耳にする「企業倫理（コンプライアンス）」もその一つ。英語で話すと「格好をつける」などと揶揄する人もいるようだが「内容はきわめて重要」だ。

「社会的責任（CSR）」論は、米国発二〇〇一年の「エンロン（エネルギー大手企業）事件（不正会計事件）」で大きく世の中で問われることになった。米国はこれを契機に「企業改革法＝オクスリー法」を制定している。事件の原因は、内部統制不足（コンプライアンス違反）ということだが「当たり前のことを実行していなかった」ということだ。何も難しいことではない。責任感の欠如、管理不在の結果だ。トップの責任意識の低さにもよる。トップが襟を正す必要があるが、そうしないと企業全体がそういう風土にならない。その意味でも経営者は「社会的人物」でなければならないのだ。

今までは、財務上の問題で話題になるケースが多いが、今後この責任論は拡大・深化されていくと思う（そうすべきでもある）。特に環境問題などでそれが問われるだろう。企業の経営理念と行動の前提に、先にも話した「人類平和への貢献、人間の尊厳の尊重、地球の持続性（サスティナビリティ）と、自然との調和の維持・確保、真の豊かさの追求」が認識されねばならない。

利潤と二律相反するコンセプトのようではあるが、そうではない。両立しうるものであり、両立させていかなければならない。そうしないと自分の首を絞めることになろう。

さらには企業行動として「社会的課題にも主体的に取り組むこと」が求められる。「ＩＳＯ２６０００＝社会的責任に関する国際規格」という規範があり、この一つとして「ＣＳＶ＝共通価値の創造」があるが、これは「企業が社会との価値を共有する、経済的価値と社会的価値を共有すること、企業成長と社会問題を両立させること」を目的としている。「企業活動が活発化すればするほど、その活動が期待されればされるほど、国・社会への貢献・寄与が大きく求められる」ことになる。内容としては、得られた富の「社会還元（社会政策への寄与）」、ボランティア活動への協力参加などだ。

例えば事業所がある地域社会の教育とか福祉とか健康対策などに貢献していくことなどだ。これを実行するにはユトリがないとできない。日本の企業はまだまだの観はあるが、国民性には馴染むものであり今後の展開が望まれる。

若者　責任内容が随分広いのですね。企業の有する「影響力が大きい」からでしょうね。国内ばかりでなく「海外との関連」でも求められますか。

老学者　求められる。「グローバリズム」との関連でも留意が必要だ。「グローバリズムに翻弄されない」ことだ。これは「国との関係」についての基本認識をきちんと持つことになる。世界の流れはグローバリズムで「ボーダレス」になっている。企業も国際的企業から多国籍企業、超国籍企業、超国家企業へと変貌している。僕の若い時代に「企業形態・発展段階論」として学問的に唱えられていたものだが、今や超国家企業が実現してきている。日本企業がどの段階にあるかは別としても（企業により違う）、ここで留意すべきは、超国家企業の場合、国に対する意識のありようだ。「ボーダレス」となると「自己の利害」にのみ眼が行き「国に対しての思いが希釈化」されやすい。しかしグローバルといえど冒頭でも触れたように国家は厳然と存在する。「国あっての企業である」ことに変わりはない。このことを看過しないことが重要だ。

世界に鋭い目を向けるとともに、それに翻弄されることなく本来の自国にも目を向ける、この同時作用が必要だ。国に目をやる、このことは企業にとって大きな社会的責任だ。機能面では国からの自立を前提にしてはいるが、自前の利益のみで行くと国を売ることにもなる。日本人には馴染まないと思うのであまり心配はしないが。

政府は政府でボーダレスといえど企業活動が走りすぎないよう「国際関係や国内の『均衡を保持』する」べく調整する責任がある。そのための妥当な規制（コントロール）は必要。「良い意味での規制」になろう。経済的活動の自由性を担保した上での規制ゆえ、あくまでも妥当な範囲に限定していかないと企業の存在意義（レゾンデートル）がなくなる場合もあるし、この線引きは難しいとは思う。

いずれにせよ、企業自体は「自国」というものを忘れてはいけない。この意味で海外展開は「慎重さ」を要する。国際的視野で地球を俯瞰した行動は今後ますます重要だが、野心が強すぎると「やけど」し、自国・社会に迷惑をかけることになる。先にも少し触れたが、世界には「注意を要する緒要因が潜在」することに心すべきだ。特に「投資的行動（投機的でなくても金銭がらみの企業行動全般）」は注意が必要、「精確な財務的センス」が求められる、社会的責任の一つだ。企業の責任内容は広くて重い。

若者　次に「企業とは『生き物』であることの認識」が必要とのことですが。

老学者　先に「キーワード・変化への対応能力」で少しだけ触れたことだが、このことはきわめて重要だ。生き物は病気にもなる、死滅もする。健康を「維持」し、かつ「向上」させなければいけない。この認識が重要だ。今後「グローバル世界で生き残る」には、特に「厳しい見方」をしなければならない。重要な「役割認識」だ。

若者　企業の場合、「生き物である」認識をどういう観点からすべきですか。

老学者　企業はなぜ「利潤」を得るのか。「従業員」の所得確保、「株主」への還元、あるいは「会社の将来」のため、これを元手に研究・開発・新事業・新工場などに投資をすることにより自身がさらに発展し、その結果「社会」によりよい商品・サービスを供給するためなどにある。

すなわち、従業員、株主、会社自身、社会のための存在だ。多くの社会構成員が関連しその影響はきわめて大きい。ゆえに社会的存在として「健全にして生き残る使命」がある。だが会社は日常の現象としてまかり間違えば死ぬ（倒産する）。

日本には、会社と名のつく組織が現在約三〇〇万社以上もあると言われているが（最近のデータだと大企業一万一〇〇〇社、中小企業三八〇万一〇〇〇社とある）、今日もどこかで新しい会社が生まれ「どこかで消滅している」のだ。企業「三十年寿命説」があるとも言われるが、その真偽はともかくも人の生死と同じだ。そういうことを身近に感じていない人が多い。

このことは中小企業のオヤジさんが一番知っている。リーマン・ショック時には年間一万件を超した倒産件数も、最近は減ったもののそれでも実状は約九〇〇〇件はあるのだ。なかには「後継者不在」で廃業する企業も含まれてはいるだろうが。今回の「コロナ問題」で、一段と増加するのでは、と危惧される。本来は生き残れる力のある企業でもわからない。

国は十分に心する必要がある。ムダな予算消費を排し、このような企業に「有事」として「救済」の手を充分に差し出す必要がある。そうしないと先に話した国の活動の「元手をなくす」ことになり、やがては国が傾くことになる。

若者「コロナ・救済」については、そのようにしないと国にとって損失です。
ところで、企業は「平時」でも「生き物」ですから「盛衰」します。歴史もそれを証明していると思います。特に「衰亡」については研究し参考とすべきではないかと思います。過去の事例としてはどのようなものがありますか。

老学者 事例は明治時代・大正時代からいくらでもあるが「『超優良企業』でも消滅する」ということを知っておくべきだ。特に有名なのは、戦前の話になるが「鈴木商店の倒産」だ。昭和二年四月のことだ。日本最初の大型倒産で、世界三大倒産の一つとされる。

当時、鈴木商店は三井物産をしのぐ勢いであった。三井物産といえば、戦前は「世界の三井物産」といわれ(今でもそうだが)、先にも話したがその社員の力は外務省・外交官よりもあるともいわれた。それをしのぐ鈴木商店の売上高は当時の日本の国民総生産高の十パーセントに相当していた。今でいうと約五十兆円、今このような企業はない。世界の「トヨタ」ですら最新の二〇二〇年三月期売上高は約三十兆円で、国民総生産高の約六パーセントだ。当時と現在との時代の違いがあるから単純な比較はできないとしてもだ。

これほどの企業であった鈴木商店がアッと言う間に倒産したのだ。直接の原因は第一次大戦後の反動不況ではあったが、主たる原因としては社長・金子直吉の過剰な多角経営、新規事業への過剰投資が裏目に出たと言われている。六十社あまりの子会社を傘下に抱え、三井物産をしのぐ貿易額の企業に成長してはいたが、この巨大企業集団を動かす資金繰りが不況でできなくなったのだ。有力融資銀行を持たなかったことにもよる。

一言で言えば、夢を求めるのはよかったものの「見通しの甘さ」があった結果と言われている。いくら巨大優良企業でも「生き物」に変わりはない。「身の丈」に合わぬ地道さに欠けた無謀経営をすれば息絶える。

若者　近年でも、長銀・山一証券・北拓銀行などなど、名だたる企業がいつのまにか消滅しています。倒産後も全くなくなったりどこかに吸収されたり、営業権を譲渡したりなどいろいろな形はあるでしょうが。また、現在でも超優良企業の東芝とか東京電力などが問題を抱えています。「生き物」に喩えれば「一種の病気」ということになりますかね。この二社、社会的に大きな影響力のある企業ですから早期の立ち直りを祈るばかりです。

ところで、過去の事例にみられる倒産に至る原因はいろいろあるのでしょうね。

老学者　東芝はきちんと立ち直らないと一昔前に「東芝の悲劇」を救済した土光さんに「しっかりセンカ！」と怒号を発せられるよ（「土光の怒号」といわれ、物事の取り組みに厳しい人だった）。東電も、盤石な企業に衣更えしないと、戦後「官」と戦い現在の九電力体制の基礎をつくり電力業界再編を成し遂げた松永安左エ門さん（「電力の鬼」といわれた）が嘆くだろう。

ところで企業の倒産原因はいろいろあろうが、重要なのは「日常の地道できちんとした経営管理の欠落」と「絶えざる変革・改革の不足」の二つと思う。新聞などには「本業の忘却、独裁経営、リーダー不在、放漫経営、無能経営、不正・粉飾、脱法行為、過剰多角経営、過剰投資」など言葉は躍るが、いずれも先の二つの原因のいずれかないしは両方に集約されるのではないか。

いずれも「生き物」意識があれば回避できた、ということだ。まずは発病事項に手を出さないし、仮に病気になれば初期段階で治療するし、健康増進の先手を打つべき事項なら、冷静な判断のもと体質改善にチャレンジするだろう。今後は特に「絶えざる変革・改革」に留意が必要と思う。時代の変化が速いからだ。時代の読み違い、時代感覚のズレによる組織の衰退・消滅はよくある。まずは企業の基本事項二つについて十分に認識をすることだ。

三の二　「時代が求める企業とは」＝「革新の先頭」に立つ企業……そのためには「トップに人物を得ること」「従業員が、活気に満ちチャレンジ精神に溢れていること」が重要

「トップに人物を得ること」が重要

若者　「高度科学技術国家」を支える企業として「トップに『人物』を得ることが重要」です。先にも話されたように「リーダーの存在」は重要です。

老学者　歴史が示すとおり、国をはじめ組織はその長たるトップ次第でもある。最近は時代の変化が激しい。特に科学技術は「激変」していく。これに対応できる人物をトップに得る必要がある。「相応する人物がトップにいるいない」で相当な違いが出ると思う。

若者　望ましい「人物といえる経営者」とは、具体的に言いますと？

老学者　先に述べた「リーダー像を前提」とするが、今後の世界の動向・科学技術社会の変化などに鑑みると、「特に」次のようなことが求められると思う。

まずはグローバルな経営戦略を展開するには「大局観」が必要だ。世の中、変化が激しくスピードも速い。それだけに大所・高所からものが見える活眼の持ち主が求められる。時代・世界を大きく俯瞰できる人物だ。

この眼力は「『観の目』でみつけだせ」（『経営の行動指針』土光敏夫著）に通じる。物事や問題の本質・真の問題は何かを見抜く眼ということだ。「大局観」に基づき「先見力・構想力・決断力・実行力のある人」である

べきだ。「理想・理念を具体化するビジョン・戦略・方針」など方向性を見出し、重要事項について「事をなす強い意思」のもと「決断」をし「実行」し、かつ潔く「責任をとる」人が求められる。

これらはもともとリーダーに求められる資質ではあるが、特に物事を「変革」していくリーダーにはきわめて重要な能力だ。もちろん、大所・高所からだけでなく「細部を知る」ことも重要、これは現実の動きを把握し問題の有無を検証・判断していくという意味であり「現場」を知るということだ。

「先見力・構想力」について補足したい。先ほどから話している土光さんは、昭和三十二年三月、石川島重工業株式会社時代、東京・田無（現・西東京市）にジェットエンジンの工場を新設した。春には桜花爛漫の良き場所だ（平成十年に福島県・相馬市に移転し今はないが）。

創設当時は戦後まだまだの時代であり、航空宇宙産業は海のものとも山のものとも知れないリスキーな産業であった。しかし土光さんは将来を考え断行した。先見力・構想力の産物だ。当時財界からは「土光の愚挙」と揶揄されたが土光さんは動じなかった。「明日の世界・日本が見えていた」からだ。今や航空宇宙産業は世界的に時代の先端を切っている産業ではないか（今は「コロナ問題」で大変だが）。

また、昭和三十四年一月には、海外合弁会社の走りとしてブラジル政府との間で「石川島ブラジル造船所（イシブラス）」を設立した。今日の国際化の先駆けだ。さらに昭和三十五年十二月には大型合併の先陣を切り、石川島重工業株式会社と、株式会社播磨造船所を合併させた（「石川島播磨重工業株式会社〈現ＩＨＩ〉となる）。これもその後の企業の大型合併の先駆けだ。同氏こそ壮大な「構想家」と言えるだろう。まさに慧眼の持ち主だ。このような人物こそ、先に示した「力」を有する「名経営者」と言える。客観的に誰しもが認める評価だと思う。

以上のことをなしていくには「活力のある人」でなければならない。経営者によっては、何をおいてもこれが第一条件とする人もいる。「自分の信念を貫いて何かをやり抜こうとするには大変なエネルギーがいる（略）このエネルギー、力こそが活力なのだ」「ほとばしるような活力がなければ事業は成功しない」のだ（『人財大国』

南部靖之著）。そのとおりだと思う。

若者　人材の育成、倫理・道徳意識も問われますよね。歴史を紐解きますと「名経営者」はこの点も素晴らしい。

老学者　そのとおりだ。「人を育てる人間」であることはきわめて重要だ。いかなる時代でもそうだが、今後は特に変化の激しい時代だ（特に科学技術において）。真の人材を育成しないと大変なことになる。まずは基本的姿勢として「その人の長所を見出し活かしていく」、この眼識・胆力が必要だ。

組織には人を育てるどころか人の悪い側面だけを執拗に追いかけ、探索・記録までし、挙げ句の果ては「足を引っ張る人」がいる（ビクトル・ユゴー作『レ・ミゼラブル（ああ無情）』のジャベール刑事のような）。特に有能な人物の「梯子をはずす」のは困ったものだ。自分に自信がないのだろう。育成途中で自分が抜かれるとでも思うのか、全く「狭量な人間・小者」だ。

こういう人は猜疑心・執妬心も強いし、人の良さを見出す度量・肚《はら》もない。心の豊かでない人が多いので親しみを感じる雰囲気もない。かくなる人間をトップにしては絶対にいけない、「企業が疲弊」するだけだ。今後ますます世界が相手になる。それだけに「本当に優秀な人物」が求められる。「人材育成が企業盛衰のカギ」にもなる、と言ってよいのだ。

さらに前提として述べた「高潔な人」として、特に今後は「倫理感・道徳心のある人」が望まれる。先進科学技術・人材育成などへの優先的投資など、将来にわたる「生きる財」の使い方ができる人物にはかくなる人物が重要。先に触れた企業の社会的責任論・禁強欲資本主義の見地からも「投機的人間はいけない」。金は天下のまわりもの「金銭に淡白で清貧な人」がよい。もちろん企業であるからには正当な利益を獲得してしかるべきだが。また、きちんとした緻密な財務管理は重要、これがなければ従業員にも株主にも還元できない。

問題は獲得方法だが「本業において知恵と汗で獲得」しなければならない。これを「不労所得」で獲得している者がいる。投資ではない投機的行為に走る人、問題だ。この種の人は財をめぐっての刑事事件も起こしやすい。自由主義といえど倫理・道徳は基本だ。

このことは、先に話した明治時代・日本資本主義の元祖とも言われている渋沢栄一が警告している。渋沢は「算盤片手に論語を片手に」と言われた名経営者である。その著『論語と算盤』にいわく、

「余が所蔵の（略）論語と算盤を一諸に描いた一軸がある。（略）この二者に調和があるものだとは多くの人の思いあたらぬところだろう。（略）久しい以前から『論語』と算盤とは相一致しなければならぬものであるという持論であった」と。また、

「道理に伴うて事をなす者は必ず栄え、道理に悖りて事を謀る者は必ず滅ぶことと思う。一時の成功とか失敗とかいうものは、価値大きい生涯において泡沫のごときものである」と（村山孚編『渋沢栄一翁、経済人を叱る』参照）。もって銘すべしだろう。私心のない人、利得を私物化しない清貧な人、こういう人は投機的行為はしない。

資本主義初期の思想家アダム・スミスも、自由奔放な経済行動をとく一方、それには「倫理」が必要であるとその著『道徳感情論』で述べている。公益に対する共感によって生じた道徳的感情による社会秩序の維持のことだ。十八世紀中期・後期の時代においての話だ。この種の投機的行為は一時に比べ最近は下火（？）にはなったようだが、経営者たる者、この種の勉強もしてもらいたい。

土光さんも清貧の人であったことは言うまでもない。「メザシ」は有名だが「ナッパ服」「穴のあいた靴」「社用車でなくバスと電車での通勤」などなど清貧を象徴する事項はたくさんある。

以上、トップに「なるべき人間」をきちんと登用していかないと長い目でみた場合、企業は衰微の道をたどると思う。「組織は人が腐蝕させ、人により衰微・滅亡するもの」だ。よほど心しないといけない。

株主や社会の眼も厳しい時代だ。かつては、その企業だけに通用すれば物事が何とはなくすんでいった。が、今や企業は誰のものかということが問われる。「ステークホルダー」とは企業をとりまく利害関係者のことを言う。株主がその代表である。

最近の株主総会は、昔の「シャンシャン（二〇一八年に誕生したパンダの名じゃないよ）総会（社員株主による「異議ナシ手打ち」をもって短時間にて終了）」でなく、株主からの提案・質疑が増加している時代でもある。進歩のない企業は見捨てられよう。

土光さんは「社員は三倍働け、重役は十倍働く」（経営の行動指針）と言われたが、一度会社が傾くとどれだけの人間が困惑・迷惑するかだ。特に大企業となると社員だけでなくその家族、関係会社、取引先、地域住民などなどものすごい人間が被害を被る。経営者たるものそのようなことにならぬよう一般社員以上に苦労してもらわないと。これに相応する人物、先に挙げた資質を有する人物が明日の日本の一角をつくる。

「従業員が、活気に満ちチャレンジ精神に溢れていること」が重要

若者　従業員の姿勢も重要です。

老学者　人事・労務を担当してきたから言うのではないが、経営の基本（優良かどうか）は先ほどの「トップに人物を得る」と同時に「従業員が活き活きして活躍している」かどうかにもかかると思っている。すなわち「従業員に活気があり、チャレンジ精神に満ち溢れている企業である」ことが重要だ。この「チャレンジ精神」はイコール「モノゴトを改革していく前向きの姿勢」をも意味する。

ハーバード・ビジネスレビュー編の『成長戦略論』でアーリー・デ・グースさんが「リビング・カンパニー（長寿企業）」について、

「組織は人間が構成するコミュニティーであること（略）を忘れているために（略）次々と命を落としていく（略）労働力は生きた人間を意味するという事実を見落としている」とし、「リビング・カンパニー（長寿企業）」たるには資産ではなく「人材に価値を置く」ことの必要性を述べている。

これは「人間を大事にする企業が長寿を保つ」ということだが「人間を大事にする企業」とは「人＝従業員を活かす企業」のこと、これが「優良企業」か否かの重要要件だ。「従業員に活気がある」ことは「人を大事にしていることの証」でもある。企業の盛衰はそれを構成する従業員の「人間力」による。この「人間力の強い、活力の溢れている企業」が生き残ると思う。このような企業は、当然チャレンジ精神に溢れている。

このような企業とは、と言えば、これは企業を構成する各部門の「優れたリーダー」と「優れたマネージメント」いかんによる。「トップに人物を得る」ことができても、この二つが不足すると企業全体としては活力を失いかねない。「従業員が、活気に満ちチャレンジ精神に溢れていること」は、この二要件が充足されるところに生まれる。

組織が活性化する「優れたリーダー」「優れたマネージメント」とは

若者　具体的にはどういうことがポイントになりますか。

老学者「優れたリーダー」については、今述べたトップの人物論と同じだ。各部門ごとに同様な人物がいてリーダーシップを発揮していることが望ましい。「優れたマネージメント」の旗振り役として力を存分に発揮することになる。

「優れたマネージメント」については、

①「ビジョン・理念・方針が明確であること」

②「高度な戦略があること」
③「質の良い日常運営がなされていること」
④「改革への意欲に満ち溢れていること」
⑤「人材育成がなされていること」
の五つがポイントになると思う。経営学の書籍を紐解けばアチコチに触れられている事項だ。常識といえば常識だ。

若者　各事項についてポイントを話してください。

老学者　①は当然のことゆえ、②の戦略についてだが、この点については経営学書に種々の手法が述べられているからそれに譲るが、状況に応じこれらを取り混ぜて実行することだ。簡単に触れると次のとおりだ。
戦略とは「不確実な環境にあり目的を発展的に展開するための『将来シナリオ』をいう。ビジョン・ミッションが前提になる」。今日的には戦略のキーワードとしてⅠ「コア・コンピテンス（企業の核となる中心事業）」の策定、Ⅱ「カスタマー・フォーカス（顧客志向）」の樹立、Ⅲ「ドメイン（事業領域）」の確定などがある。
Ⅰについては本業を何にしていくかである。このコアを軸に事業を展開する。Ⅱについては、大量生産時代とは違い顧客の選考度が高い。今顧客は何を欲しているかをきちんと見極める必要がある。一律志向では客は離れる、商品の質の問題になる。Ⅲについては、例えば事業を鉄道業とするか航空業とするか輸送業とするかである。輸送業とすると商品が拡大し事業領域が増える。また、展開いかんも戦略として重要だ。「差別化（他社製品との違い）、集中と選択（アレもコレもでなく重点志向）、全体最適（部分的に適合しているものでなく全体からみて最適性がある）」などが判断基準になる。

そのための着眼点として「3C〈顧客〈Customer〉・競合〈Competitor〉・自社〈Company〉〉」について相互関係をどうとらえるか、現状把握の切り口として「SWOT〈自社の強み〈Strengths〉・弱み〈Weaknesses〉の認識、機会〈Opportunities〉・脅威〈Threats〉〉の分析」などがある。「カタカナ」の経営用語に抵抗を感じる人もいるようだがそれではいけない。言葉の意味するところに関心を持つことが必要だ。

次に③の「日常の運営」についても経営学書に詳しいので簡単に触れるに止める。やはり「質の良い日常の運営」がなされていなければならない。これができていないと改革もできない。基本は「組織、責任者、業務遂行」の三つが日常きちんと機能していることだ。これも常識といえば常識だ。

「組織」については「目的〈存在意義〉、構成員、共通意識、一定の規範、命題・役割、共通の情報環境」がきちんとしていることが必要だ。良い組織とは「質の高い経営資源がより豊富であり、結束力・団結性・帰属意識に富み、目的達成能力が高い」ことになろう。

組織が崩壊するのは「マネージメント徹底の欠落＝目標からの乖離・転換・すり替え・忘却、倫理の頽廃や変革への挑戦の欠落＝成功体験への埋没、現状認識・危機意識の減退」などによる。こういう傾向の有無を判断していく必要がある。

ただし「組織は官僚的になってはいけない」――これときちんと日常管理ができているのとは違う――管理のための管理はいけない。柔軟性が必要だ。組織階層・縦割りの弊害をなくし、よりフラットで横通しのよい運営が望まれる。

世界的優良企業の「GE」は、かの有名なジャック・ウェルチ氏が社長のときこれを徹底したと言われている。「ディレイアリング〈階層削減をする〉・ダウンサイジング〈肥大化しない、小さくする〉」と「バウンダリレス〈境界のない組織〉」あるいは「ワークアウト〈無意味な風習から社員を自由にし全員が責任をもって任務が遂行できる職場環境づくり)」だ(『「GE」の強さのしくみ』佐々木裕彦著)。

これに関し付言すると、本来組織はどうあるべきかの論がある。日本の組織はピラミッド型だがこれでよいのかという話だ。今をときめく世界のリーダー企業群GAFA(グーグル・アップル・フェイスブック・アマゾン)の一つであるフェイスブックは、フラットな組織運営を徹底している。会社としてはアイディアが第一であり何事にも「しばり」がなく全く自由な運営がなされている。これが企業かと思われるような運営内容だ。ほんとうに素晴らしい、の一言に尽きる。日本に馴染むかどうかはわからないが理想型かもしれない。勉強すべきだ。日本はどうも何事につけても古い感じがするのだが。

「責任者」についてては「方針や目標作成をしフォローし、それについての責任をとる」立場であることが維持されているかどうか、本人にその自覚があるかどうかが問われる。存外スッキリしない場合がままある。なお「GE」のウェルチ氏は「オーナーシップ(全員が責任者)」というコンセプトを導入、「小さい会社(リーン=スリムさと、アジル=機敏さがある会社)」のように行動せよということを唱えた(前出『「GE」の強さのしくみ』)。参考にすべきだ。

「業務遂行」の良し悪しは「目標達成のため、経営資源が有効な方法で活用され、成果が出ているかどうか」がポイント、欠落している事項がないか日常把握しなければならない。それには、PDCA(プラン・ドウー・チェック・アジャスト)サイクルで業務がなされ、いざというときの「危機管理」ができるかどうかによる。流れとしては、共通目標(これで行こう)、協労意欲(一緒にやろう)、意思伝達(わかった)を前提に「業務についての責任と権限」が明確でなければならない。当たり前のようであるが実行されているかどうか、優秀とされる組織でも欠落しているものだ。

また「計画から実行まで」のプロセスが課題ごとにきちんとフォローされていることが必要、「プロセス表」も重要だ。米国の優良企業は普通にこれがなされているが、日本企業は存外この点が曖昧だ。契約的思考の欠如によるのかもしれない。何とはなく漫然と業務が流れていくという内容だ、これではいけない。今度の「コロナ問題」でこの辺の問題が見えてきたのではないのか。存外「不要な仕事」を何気なくしているものだ。

若者　この関連で今後重要なのは「危機管理（リスク・マネージメント）」ではないですか。存外できていないのでは、と思います。いろいろ巷《ちまた》で問題を起こしている企業があります。危機意識の欠如です。これは運営サイドの自覚の問題でしょう。

特に今後科学・技術が高度になればなるほど「潜在的リスクは増大」します。「ハインリッヒの法則」（1：29：300の法則）では、危険事象として具体的に発生する重大災害の確率は330分の1であり、その直前現象（いわゆるカスリ傷程度）は330分の29であるといいます。しかしその背後にはその予備的事象が300（＝330マイナス29マイナス1）相当あり、現象に出ないで「潜在している」（いわゆる「ヒヤリ・ハット」現象）といいます。

この数字は統計学者でもあるハインリッヒが統計的に長年の調査研究から生み出した理論であり、傾聴に値すると思います。この数字は特に安全管理に使用され、ヒヤリハット活動（危険先取り運動）はこの思想に基づく安全運動です。こと安全について言いますと一瞬が生死の明暗を分けます。きちんとしないと科学技術どころではなくなる、元も子もなくなることになりかねません。

老学者　今後ますます重要になる。「失敗学」で著名な畑村洋太郎さんの著『危険不可視社会』によると、安全には本質安全と制御安全というのがある。（制御されているから）「『絶対に安全』と決めつけて機械やシステムを使えば、必ず事故やトラブルは起こります」と言われる。「本質安全というのは、機械そのものの働きをどんなときでも安全の側に向かうようにすることで安全にする方法」とされる。機械やシステムを過信せずに本質安全を目指せということだ。要は安全に絶対はない、常時「より安全を心せよ」ということになる。人間の不完全性は常に問う必要があろう。制御システムも不完全な人間の考え出した産物だ。

また、同著によると「リスク・ホメオスタシス理論」というのがあり「安全になったがゆえに高まる危険というのもあり」「機械やシステムがどんどん安全になることで、それに頼って行動する人間の活動範囲は広がりますが、そのことで逆に危険に遭遇する確率が高まるという問題」とある。この理論はジェラルド・J・S・ワイルド名誉教授（クウィーンズ大）の理論とのことだが、先に述べたことと同様、留意すべき指摘だ。

これは失敗にも通じる話になる。失敗が経験則的に活かされれば同じことを繰り返すことはないが、不完全な人間ゆえそれがある。それが人間だと言ってしまえばそれまでで何の進歩もない。同じ失敗は何度もあってはならない。特に人命に関わるようなことについてはなおさらだ。これを未然に防御するのは現場で業務を執行する実務管理者、持ち場・持ち場での具体的業務について第一責任者として行動すべきだ。

もちろん企業に問われる危機事案は、何も物理的アクシデントだけではない。危機管理の対象は「経営のすべて」に及んでいる。しかし危機に対する心構えの意図するところは今述べたことと同根だ。「リスク・マネージメント」と叫ばれて久しいが、いまだにリスキーな企業行為があちこちで発生しニュース番組でトップが頭を下げている、心すべきだ。

「基本的心構え」は事案にもよるが、大きな社会的問題に至ることが可能性としてあれば、「過剰」と言われるくらいのリスク意識の維持が必要になろう。

改革へのチャレンジと、人材育成

若者　④「改革への意欲に満ち溢れていること」と、⑤「人材育成がなされていること」について、まず④の「改革」についてはどうですか。

老学者　常に現場からの改革が重要。改革は抽象的なものではない。現実の具体的業務から生まれるのだ。「必要は発明の母」という言葉があるが、必要の有無は現実から自然に生まれよう。どこに課題があるかを問わなければならない。課題の発見力・解決力が重要、課題がないはずはない。現実とのギャップをはじめ課題は山ほどある。その意識を「改革」に結びつけていくエネルギーが重要だ。

物事は進歩とともに新しい課題が生じる。

日本の名経営者であった明治の渋沢栄一をはじめとして、昭和の土光敏夫、松下幸之助、井深大、本田宗一郎、すべてが「改革」の必要性を強調している。土光さんは「経営の行動指針」において、変化に挑戦しうる人が重要であること、変化の時代、それも変化に断続性があることやその波及性・加速性について触れ、変化の「先取り」が必要である旨述べておられる。松下幸之助さんも同主旨のことを「会社経営のカンどころ『一歩人に先んずる』」と題して述べておられる（同氏著『物の見方考え方』）。

企業の今日あるのは、このあくなき「改革へのチャレンジ」を原点とする。企業経営の理論的指導者であるピーター・ドラッガーはその著『未来への決断』『現代の経営』『明日を支配する者』『イノベーションと起業家精神』『創造する経営者』などで繰り返しその重要性をイノベーション（企業革新）とともに説いている。

例えば「組織は絶えざる変化を求めて組織されなければいけない。組織の機能は、知識を適用することである。（略）そして知識の特質は、急速に変化し、今日の当然が明日の不条理になるところにある」（『未来への決断』）、「企業は発展的な経済、あるいは、少なくとも変動を自然的で望ましいものと考える経済の中においてのみ存在しうる。企業は成長や変化が認められる社会に特有な組織であると言えよう。（略）絶えずよりよくなること、言い換えれば質的に向上することはいかなる企業にとっても必要なことである」（『現代の経営』）と言われる。

イノベーションについてはこれを起こす七つの要因をあげ、産業の外部にある機会として「人口構造の変化・

認識の変化・新しい知識の出現」の三つを指摘、産業内部にある機会として「予期せぬことの生起・ギャップの存在・ニーズの存在・産業構造の変化」の四つを指摘している。

また、ドラッガーは「企業こそ」歴史的にみて「唯一の変革の組織」であると言われる。現代企業社会の経営思想のリーダーである同氏の考えは、これから企業人が特に認識すべき重要な内容を有する。保守に埋没し旧態依然の状況に満足しているようでは到底進歩は手に入らないし、やがては衰亡の一途をたどるだけだ。

若者　そう思います。近代経済学は自由主義に基づく市場論を問うてきました。市場の発展について革新論を説いたのはシュンペーターで「イノベーション理論」です。

老学者　先にも触れたが「イノベーション」は、いまや使いふるされた言葉ではあるが、常に企業の発展の原動力になっているキーワードだ。

特に「技術革新」をイメージするがそれだけではない、もっと「広い概念」で「企業行動全体の基本的行動原理」だ。物事を前向きに変革する、さらなる付加価値をつけるということが「イノベーション」だ。

同様にこれを企業家に対し求めた言葉として、ケインズは『投資の一般理論』で「アニマル・スピリット（血気）」を説いた。この言葉は現在でも十分に通じる。チャレンジ精神をわかりやすく表現したものと理解したい。企業家の行為は最終的にはこの動物的精神（つき動かすもの）により規定されると。

今でこそケインズ理論（有効需要の創出とそのための投資）は歴史的理論としてある意味では過去のものになっているし、また同理論をはじめとする近代経済学自体も明確な理論として昔ほど世を風靡しているわけでもない。しかし「投資（投機ではない）」が経済の発展に必要なる行為であることに変わりはない。政府による乗数効果的・財政投融資が、不況克服策として必ずしも有効ではないとされるだけで、市場を活力あらしめるには

「たゆまざるイノベーション」が重要であることに変わりはない。

ゆえにそのための「投資・インベストメント」は必要だ。これは「チャレンジ精神」による。この考えは不変だ。特に今後は変化が激しい。何事にもチャレンジせねば道は拓かれない。この関連で付言すると企業として内部留保も重要な経営行為ではあるが、時宜を得た前向きの「有効な投資」をしていかないと「経済は萎縮」していく。日本企業の現況をみるにかくなる力強い経営行動が昔程でない感じがし、気になるところだ。

若者　最近の日本人は飽食で「チャレンジ精神」が不足しているのではと心配です。

老学者　企業行動は別にして全般論としては必ずしもそうではないと思う。「人生」は一度だ。限られた人生のなかで自分を大いに試そう、そうしなければ面白くない。人生は「良い意味で楽しむべき」である。「チャレンジ精神」はそこに生まれる。これは「自己実現」であり、これは人間の最高位の欲求だ。前進するには単なるチャレンジでなく「変革へのチャレンジ」が重要だ。

僕は、日本人は結構自由性に富み、チャレンジ精神はいまだ大いにあると思っている。それをいかに発揮しうるか「引き出す力の環境づくり」が重要なのだ。方針としてこれを尊重し優先実行している組織は活力があり、発展していることは歴史が証明している。これができない組織はやがて衰亡する。

土光さんも「チャレンジの人」であった。「チャレンジ・レスポンスでゆさぶりを与えよ。動かない水は腐る」(『経営の行動指針』)と言われる。土光さんは実積で示した、先に話してきたとおりだ。この言葉は企業人全体に対する言葉だ。

渋沢栄一さんも、松下幸之助さんも、日本の文明・経済社会の進歩に寄与した先駆者は「チャレンジの生涯」であった。「今日の日本」を作り上げたのは国民全体の努力の産物であることは論じるまでもないが、先駆者のこの力も大きな原動力である。現状、我が国の繁栄はそれなりに維持されてはいるが（今は「コロナ問題」で少し休息中）、この状況が「先人の精神と足跡の賜物でもある」ことを忘れてはいけない。

若者　そのとおりだと思います。⑤の「人材育成」についてはどうですか。

老学者「個々人の育成」と「集団の活力維持」が重要になると思うが、まずは、個々人の育成をきちんとすべきだ。これにはモチベーション・マネージメントが重要になる。

管理者には配下の個人個人について「何をしなければならないか」「何をやれるか」「何がやりたいか」この三事項をうまく組み合わせていくことが重要マネージメントとして要求される。この三事項が合致することが理想だ。すなわちその人にとって「やるべき課題であり、それをこなす能力があり、かつ自分にとってやりたい仕事である」に越したことはない。だが現実はそう簡単ではない、どれかがずれるのが通常だ。

職場の課題は厳然とある。勤務者にとって「しなければならない仕事」は客観的に山ほどある。それに誰を適合させていくか、ここに強力なリーダーシップが必要とされる。やる能力に欠けたり、やりたいと思わない、いずれかが欠落している場合への対処である。これを管理者たる者は、個別に育成適合させていく重い責任があるわけだ。いずれも人材育成の領域になる。

能力については、訓練する機会を与えることも重要、ＯＪＴ／ＯＦＦＪＴいずれでもよい。とにかく「誠意・情熱」をもって引き出す努力をするのだ。この努力がいずれ実を結ぶ。人材の育成は「地道」にやることが重要。

そこで、育成にあたり重要なこととして常に頭に入れるべきことは、人間はそれぞれ「無限の可能性」を持っているということだ。今言ったようにそれを「引き出す努力」が重要だ。「あれはダメだ」、なんて頭から断じ機会を供与しない人は管理能力なしだ。

米国の産業心理学者アブラハム・マズローいわく、人間の最高の欲求（五段階ある）は「自己実現」であるという。また、同じく米国の経営学者フレデリック・ハーツバーグは、仕事を実行するとき責任者のとる行動には二つあるとし、一つ目は「命令による強制が必要」という「X理論」、二つ目は「自発性を重んじるべき」という「Y理論」である。場合にもよろうが、基本的には「Y理論」が正しいとする。そう思うな。いずれも「育成の重要視点」になる。

また、集団での労働については「証明実験」などがあり、人間は「コミュニケーション」をとりながらの労働の方が効率が上がる、との結論を得ている。これは初期資本主義時代の米国で労働のあり方について、コンベアー方式のフォードなどのテーラーシステムの可否をめぐる理論の中で生まれてきた。相手は生身の人間、人を動かす原理は何かよく考えるべきだ。運営責任者はそういう意味では「心理学」も勉強すべきだと思う。

ここで「メンタル問題」について少し触れる。最近「鬱病」をはじめこの種の問題が多い。一種の社会現象でもある。どう対応すべきか。従業員の言葉を「よく聞くこと」が第一と言われている。コミュニケーションが重要、極力耳をかたむけ「相手が何を考えているのか」引き出すことが必要。良きリーダーに求められる重要要素だ。内にこもるからメンタル問題になる。思いを口外できる環境づくりが第一だ、民主主義の基本と同じだ。組織の長たる者はこの点について充分な理解が必要だ。

『だから、あなたの会社は若い社員が辞めるのです！』の著者三橋幸夫氏は「管理者は誰でもなれる職業だが、誰がやってもいい職業ではない」と指摘され、「管理職のコミュニケーション能力」の重要牲を指摘しておられる。そのとおりだ。若い者が会社を辞める理由は「職場の雰囲気」いかん、これが断然多いとされる。前提には「コミュニケーションの多寡・良否」がある。傾聴すべき見解だ。

いろいろ述べたが、教育学者ヨハン・ペスタロッチも指摘していたと思うが、原点は人を育成するという「情熱」だと思う。これは帰するところ真の「愛情」だ。温かい「こころ」が必要だ。イソップの「太陽と風」の物語を思い出す。

カーネギー（米国・鉄鋼王）いわく「自分の会社は鉄でなく『人間をつくる会社』である」、松下幸之助いわく「松下電器（今のパナソニック）は『人をつくる会社』であり、あわせて電気製品をつくる会社」であると（遊津孟著『松下幸之助の人づかいの真髄』）。経済界の苦労人であり成功者の言葉として味わうべきだ。

企業は「人」で成り立っている。「人材が企業の強さを最終的に決める」と思う。「集団の活力維持」はこの個人の育成の集合結果、これがきちんとなされていることが第一だ。これが充分ならば、自然に得られる。簡単に言えば「横通し」をフォーマル・インフォーマルを問わず常時維持、コミュニケーションの「質・量を常に高める努力」をすることが重要になる。

若者　人材育成の重要性、大いにわかります。「人材」を「人罪」でなく「人財」にするということです。究めると「人」がすべての源泉になりますからね。

老学者　そのとおりだ。企業は「経営の五資源」といわれる「人・物・金・情報・時間」を駆使してその機能を発揮し、日常活動をしている。

このうち最重要資源は何をおいても「人」だ。他の四資源はすべて「人」により「付加価値がつけられる」からだ。物も人により有効になるし、お金も同じ、すべて他の資源は「人」という財産のもとには第二次的存在である。したがって「人」は、国家同様「企業を左右する資源」であり、すべては「人次第」だ。この「人」がおかしくなると企業は時に病気になり死亡もする。

我が国は、戦後二十年代生まれの人間が多く企業を去るにつれ、若い世代がそれに代わる。大いに期待したいところだが、今後の「企業人」総体として盤石か。

現状、表面現象としては、街に溢れ返る安くて高品質の生活用品、道路を走る高機能車、全国を走る新幹線と旅を楽しむ人々、国民のほとんどが所有し楽しむパソコンやスマホ、年々増加する都心に林立する超高層ビル、美味しくて安い多種類の食べ物、どこでも見かける多くの外国人観光客など、どれ一つとっても現在の「経済状況」は相応に力強いものを感じるし、国民もそれなりに謳歌している。現在は「コロナ問題」で休憩中だが。この経済状況は正直なところ、今までの、かつ現在の「企業人の活動に負う」ところ大だと思う。もちろん日本人全体の「活力の産物」でもあることは論をまたないが。

だがこれは「今後の日本」を必ずしも担保しているものではない。これからの日本は将来を託された「人の力」により生み出される。特に「経済社会・産業社会」を前提に「企業社会」の継続性を考えると、国の将来について「企業人」に負うところは大きいと思う。

「第一話」のまとめ

若者　第一話は「今後どのような国を目指すのか」がテーマでした。まとめますと？

老学者「日本の基本的課題」ということで「国力の強化」を目指し、なぜ「高度科学技術」を基盤とする「国（高度科学技術国家）」にすべきか、それをどのように展開していくか、そのために政府・民間（主として企業）のなすべき役割は何か、について話をしてきた。

ただ、これはあくまでも僕の経験・関心事の集積としての考えだ。少年時代から自然科学に興味が深かったことや（文科系に進んだが）、勤務先が科学技術に関連する重工業会社であったことなどが多少なりとも影響はしているとは思うが、そのことに左右されたわけではなく、いろいろと考えた上での「あるべき論」だ。

モノゴトには「さまざまな考え方」がある。今まで話した考えに「異論」を唱える人もいると思う。例えば、核とすべき盤石な「基盤」の確立と言うが、そのようなものは不要、随時総合力（多様な国家）でやればよい、あるいはハイブリッド方式（得意な内容の複合国家）ではどうかとか、仮に必要としても「国力」を構成するものはさまざまだから一つに絞らず時代に応じ変えていけばよい、一つの基盤を科学技術に求めるとしても今後は科学技術など場合により人間を不幸にする危険が大きいゆえ、そう簡単に結論づけできないのではとか、考えを一八〇度変えて「文化国家」を目指したら、あるいはもともとの「農林水産業国」に回帰すべきでは、いや「観光」で生きていくべきだ、「金融のセンター」になればどうか、工業国はやめて「第三次産業、サービス国」に徹したらどうか、などさまざまな見解はあるだろう。

多様な見解があっていいと思う。そこに議論が生まれる。物事の進歩には必要なことだ。とにかく「この国を今後どのような姿にしていくのか」、この「議論をすべき新しき時代にあるのでは」との思いで話をしてきたが、あくまでも「一つの考え」だ。だから副題も「『令和』新時代への『提言』」とした。

ただ、よくよく考えてみるに次のことは言えると思う。日本はもともと農業国であったが、明治以来の「殖産興業政策」の導入により欧米列強に伍していくため、第二次産業に産業資本を集中し工業国家として成長を遂げ、さらには発展に次ぐ発展をし、太平洋戦争で負けはしたが、戦後の猛烈な国力回復の努力でこれを克服、世界に冠たる世界第二・第三の「経済大国」にのし上がった。今日においては産業の中心軸を第三次産業へ傾斜させつつも「グローバルな発展」を続けている。

国の命運は、今後もこの「歴史の示す国の軌跡」の中にあるのではないか。やはり総合的に判断する限り「国力維持・発展の基本」は「資源のない国として科学技術力を前提としたモノづくり加工貿易とサービス提供を中心に、世界的展開をはかる」ことにあると思うのだが。

「人が唯一の資源」なのだ。日本人は、先にも触れたように「優秀な頭脳・勤勉・努力家・平穏な気質・集団力」などに象徴される国民だ。この人的資源の他に資源が少ない「日本が今後いかにして生きていくのか」、この「課題認識」を見失うようであれば国の将来は危うい。

日本は経済的資源からみれば「薄氷の上」と言ってよい。が、現状および今日までの「国の繁栄は、日本人の一人一人が地道・着実に努力を怠ることなく汗を流してきた結果」ではないのか。将来もこれが保証されるかどうかは「今後の日本人の姿勢いかん」だ。

反論はあるだろうが、日本は「科学技術国家・経済国家（企業国家）」が体質として適合しているのでは、と僕は思う。日本にはたおやかで繊細、自然との調和を愛でる優しい「和」の文化があるなど、種々の良さを有する国・国民であることを「充分に承知の上での話」だが。

今後、世の中は「ますます高度な文明社会」になろう。国として「科学技術力」に集約される日本人の「強さ・特質」を今後も維持・発展せしめるべきではないのか。気概・気迫を大いに持つべきと思う次第。
いずれにせよ、国として「基本的な考え方」をきちんと論議し、盤石なものにしていく必要がある。

ここで第一話は終わるが、第二話では第一話の「国の姿」にとってきわめて重要な「人の活かし方、国民の皆がイキイキする」ことについて話したい。人材の開発（発掘・育成・活用）についての話になる。「個々人の生き甲斐・自己実現」は言うまでもなく「国・社会の活性化」にも関する大きな課題だ。

論点は「あらゆる人を活かす」ということ、それには第一に「きちんとした人間観を持ち、悪しき固定観念を払拭すること（すべての人は素晴らしい潜在的能力を有する）」という前提に立つ。

第二に問うべきは「教育の中身」だ。「真の人材開発」「時代・国家・社会の求める人材」は何か、特に「初等教育」の内容・方法（人材を生み出すベースになっているのか）、「高等教育」の質（世界に比し大丈夫か）を問う必要がある。

第三は、国民全員の活性化についてだ。我が国の「最大の資源は人材」、全員からそのエネルギーを引き出し、国・社会全体を活力あらしめる必要がある。「全員参加の社会」の構築は国・社会を元気にし、平和を維持・発展させる原点だと思う。国は「人により発展もするし、腐敗・衰退・崩壊もする」、いつの世も「基本思想」が問われているのだ。

第二話　「唯一の資源・人材の開発」にどう取り組むのか

（多様な人材の発掘・育成と活性化にいかに取り組むのか）

―「意思と能力」を有する人材が活躍できる国、あらゆる国民が参加できる社会づくりを促進しよう―

第一章　「人材開発」について

一　「人材」とは

若者　第一話で「国力」のベースになる「国の基盤」をどうするのか「国の姿＝国家像」について話しました。次に第二の重要課題として「国民全員がイキイキと活躍できること」が、本人の「人生にとって素晴らしいものとなる」とともに「国力」の維持・発展のカギを握るとのこと、「国の姿＝国家像」の具体的展開にも大きく関連します。「人」の問題は爺さんの職業分野でしたね。

老学者　たまたま長年にわたりその畑の仕事を経験してきた。それも幸いなことに現地・現場（現実の事業推進組織）との接点の多い業務であり、「働く人、一人一人の人生の充実（自己実現）」と、「組織を維持・発展させるため、いかに有為なる人材を発掘し、どう育成・活用していくか」が常に求められていた。人材論については「国も原理は同じ」と思う。

若者「国としての人材開発のあり方」についての話ですね。まずは「学校教育」を問うことになりますか。

老学者　学校教育は重要だが一つの過程にしかすぎない。**人材の開発は**「**生涯にわたる**」と思う。人材開発と言うと学校に注目が行きやすいが、それだけではない。幼児から高齢者まで「生涯を通したもの」でなければならない。

いたるところに青山はもとより「人材あり」だ。**人材のありかを「特定集団・時期」に限定してはいけない。**日本人はそれをやりがちだ。学歴、年齢、男女等など「区分けしすぎる」。これらは一つの目安にしかすぎない。

また「発掘・育成・活用」と「自己実現」は、車の両輪（同時作用）でもある。言葉の使い分けとして「発掘・育成・活用（活性化とも表現する）」をまとめて「開発」とし、必要に応じて個別（育成……とか）に使うことにしたい。

若者　人材の供給範囲を限定すると、真の人材を取り逃がすことになりかねません。

老学者　そういうことだ。例えば「年齢」について言えば、アメリカのロマン派詩人サムエル・ウルマン作の詩に「年齢は『心の様相』をいうのであり、生まれた生物学的年齢を意味するのではない」という主旨の詩がある。そのとおりだ。最近の日本は若者より年寄りの方が元気で若いのでは、と思うほどこの詩の内容を彷彿《ほうふつ》させる現象がみられる。人材という意味でも、この詩の持つ意味をよくよく味わうべきだと思う。

とにかく、老若男女等を問わず「人材」を開発すべきだ。ここで必要な思想は「意思と能力」を有する者なら「いつでも参加できる社会をつくる」ことだ。「不合理な理由により排除される者のいない活力ある国」にしなければいけない。**人間は誰しも生まれながら（天与）「無限の潜在的能力」を有している。これを「引き出しその人を幸せにする」とともに「国・社会も活力に満ち溢れている」、これが理想の国家・社会ではないか。**

真に強い国家は「意思と能力のある人材」がアクティブに参加しうる社会が形成されている国だと思う。このような人材を適材適所、社会的に配置していくべきだ。これの実現は「平和国家維持のベース」でもある。また、第一話との関連で国家像の具体的展開にも関係してこよう。この考えは、少子化・人口減少による人材不足が叫ばれその対応策としての意味もあろうが、もともと人口の多寡に拘わらずにあるべき「**人材論の原点**」だ。

若者　大前提はそのとおり「全員が人材」です。ただ、「人材開発」にあたり「理想とする人材像」は必要と思います。教育にせよ、組織にせよ必要です。何となく漫然に、とはいきません。基本的にあるいは今後「国として必要な人材」とはどういう人になりますかね。人材論議になりますと多数の切り口がありますが。

老学者　論点が散漫にならないように「二つの見地」から考えてみたい。

第一は「今後の国を展望した人材の開発をどうするのか」について、第二は「国民全員の活躍をどう確保していくか」についてだ。第一は主として「教育上の育成論」、第二は主として「社会全体の活性化論」になる。

第一について、まずは「人材」とは何か。辞書には「人材」とは「役に立つ人」と定義されている（『広辞苑』）。簡単に言えばそのとおりだが解釈の幅はいろいろあり、とらえ方の切り口もいろいろあろう。特に現代社会は「ダイバーシティー・多様性」が叫ばれる時代。そうでなくても人の生き方はいろいろあるから「自由に自己の意思で自己実現」をはかっていくのが本来ではある。

だから国としての「人材とは何か」を云々するのは難しい課題ではあるが、基本的な考えは必要。国・社会として特に留意すべき「時代としてのとらえ方」が必要と思う。時代・国・社会が自然と要求するものは何かだ。社会には「多様な人材がいる」ことは言うまでもないが、その中でも留意すべき人材は何かだ。これを誤ると国を劣化させ衰退させかねない。長い人類の歴史が実証している。

そこで、二つの「とらえ方」をしてみたい。「機能的とらえ方」と「人格的とらえ方」とする。

まずは「機能的とらえ方」についてだが、話をわかりやすく進めるため単純化し「人材」を大きく二つのタイプに分けてみる。

「改革志向型」……「新価値創造型」とでも言おうか、モノゴトを創造・変革していく人材で、「想像力・創造力（ヒラメキ・アイディア）・思考力とチャレンジ精神が重要」と、「安定志向型」……「既存価値維持型」と言ってもよいが、モノゴトを維持・保守していく人材で、「知識力・思考力が重要」だ。

いずれも必要な人材だ。前者は社会の進歩・発展のためにはきわめて重要だし、後者も社会の平穏維持のためには重要だし、時に前者の（行き過ぎの）ブレーキ役としても必要だ。時代時代に応じその両者の重要性は相対的に比重は変わろうが、いずれも必要な人材だ。人間は、この両面とも持ち合わせているとは思う。濃度が違う、相対的な違いがあるだけだ。

そうではあるものの、**今後は特に「改革志向型（新価値創造型）人材」が「より」必要とされると思う。高度科学技術やグローバル化（多様価値世界）がすごい速さで進み、今までの思考・行動だけでは対応が難しい時代になるからだ。**もちろん、普遍的に維持すべきモノゴトは相応にはあるが。

安宅和人慶大教授はその著『シン・ニホン』において「普通ではない人の時代」と題して「価値創出三つの型」を指摘。「N倍化（大量生産）、刷新（A→B）、創造（0→1）」の三つだ。この中で「異人時代」として、今後は「あまり多くの人が目指さない領域あるいはアイディアで何かを仕掛ける人が、圧倒的に重要になる……一つの領域の専門家というよりも、夢（＝ビジョン）を描き複数の領域をつないで形にしていく力をもっている人が遥かに大切になる」と言われる。今後の時代が求める「創造型人材」の重要性を説いておられると思う。

次に「人格的とらえ方」についてだ。「機能的とらえ方」の両タイプに共通すべき内容ではあるが、**特に今後重要視すべきは「人間としての力」を有する人材だ。この力は「ダイナミックなパワー・元気度・気骨、心のゆとり・豊かさ、利他の精神、倫理感・道徳心など人格的内容」**を意味し、この存否やその濃淡が重要要素になる。なぜなら、世の中がめまぐるしく変化する、より厳しさの増す時代になるとともに、複雑化する社会における人間関係（信頼度）がより重要になるからだ。

本書の主張でもある「国を活性化し、劣化させない」ために、また第一話で述べた「国家像」や「人材論

（リーダー論など）」からも、今後国としてこれらの観点から「多様な人材」をどう開発していくかを真剣に考える必要がある。

人材開発の視点からは、あらゆる人の生涯を通しての課題ではあるが、特に人生の一過程として「学校教育のあり方」をきちんと問う必要がある（家庭環境も重要だがここでは触れない）。この「人材像」を前提に現状の教育の「問題解決への取り組み」と「質的強化」を問うことにしたい。主として「義務教育と高等教育（特に大学）のあり方、それに関連する受験体制など」について話すことにする。義務教育については機能・人格両面から、高等教育については機能面からの話になる。

第二は、視点を変えての話にはなるが、現に活動されている方々も含め「全員がなお一層活き活きと活躍するにはどうすればよいのか」についてだ。全員とは若い人は当然のことだが、特に女性・高齢者・障害のある人すべてについての人材開発（特に活用）のあり方についてだ。

第一・第二とも、求める人材が個別にいようとも、それの「引き出し」を怠れば国・社会の「活力」は減衰していく。きちんとした政策が求められるのだ。そこで、まずはこの二命題を議論するについて「前提とすべき考え」を話さねばならない。

二　「人材開発」の前提事項

若者　「人材を得る」には、まず前提としてきちんとした「人に関する考え方」がないと何をやっても小手先だけのテクニックに終わると思われますが、そのことですね。

老学者　そうだ。「人材の開発」に関し大前提として、①「持つべき基本的人間観」と、②「是正すべき固定観念（一種の偏見）」について問わなければならない。真の人材開発に必要だからだ。この前提がきちんとされていないと、いくら教育問題などに取り組んでも「教育技術論に終始」し根本的な解決にはならない。

「持つべき基本的人間観」とは

若者　まず、①について話してください。

老学者　これは先にも少し触れたが「人材を得る」にはその前提として「人間は誰しも生まれながら（天与）『無限の潜在的能力』を有している」という基本的考えに立つということだ。重要なのは「誰しも」ということだ。

これに関し、僕の「座右の書」である村上和雄（筑波大名誉教授）著『生命《いのち》の暗号』の内容を紹介したい。これは「積極人生」を勧める大変有益な本だ。自己自身もさることながら引き出す側の重要な視点にもなる。「人の活性化」に必要な考え方だ。内容を簡単に「要約」していえば次のとおり。

人間には「六十兆個の細胞」があり、その細胞の核の中に遺伝子がある。その「遺伝子に三十億の膨大な情報」が入っている。遺伝子にはオン・オフ（こういうときはこうはたらけ・こういうときは眠っていろ）の指令情報がある。遺伝子は一分一秒休みなく働いている。遺伝子が働かないと生きられない。

遺伝子にはオンにした方がいい遺伝子とオフにした方がいい遺伝子がある。遺伝子オンの秘訣は物事をよい方へ考えること。すなわちプラス発想。人間の遺伝子は膨大な情報を持ちながら、ほとんどはオフの状態にある。頭で考えると不可能と思えることも可能だ。その可能にする能力を私たちの遺伝子は持っていると考えられる。

人生を充実させて幸せに生きるには、心を通じて遺伝子をイキイキさせることだ。生き物が生まれる確率は「一億円の宝くじに一〇〇万回連続して当たる」くらいすごいこと。人間は生まれてきただけでも大変な「偉業を成し遂げた」のであり、生きているだけでも「奇跡中の奇跡」なのだ。阻害因子を取り除けば人間は一〇〇倍も一〇〇〇倍もその能力を発揮できる。

人間の能力を抑える最大の阻害因子はマイナス的なものの考え方だ。マイナス発想は、好ましくない遺伝子を働かせる可能性がある。「思い切り」と「思い込み」の共生が必要。「思い切り」は従来の方法・慣習を大胆に破ること、「思い込み」は初志貫徹の心意気ということだ。

——などなど「傾聴に値する多くの示唆」がなされている。何度読んでも「新鮮で素晴らしい本」だ。とにかく人間に内在する能力・パワーは誰にも生まれながら自然に備わっている、平等にだ。その能力を開発するには自己啓発ももちろんだが、機会の提供も重要な視点になる。「人材開発の原点」だな。

若者　重要な考えです。関連する重要な考えとして「人生いつでもその能力開発に挑戦しうる社会、一、二度の結果で人生が左右されない社会の考え方・仕組みが必要」です。人の無限の能力の「開花時期は個々別々」ですからね。「誰しもその気になればいつでも挑戦する機会」がないと、人はくすんでしまい人生に失望したりします。人生を割り切るのではなく諦めてしまったりもします。これではいけません。人生は「挑戦の連続であるべき」です。特に将来ある「若者」にとっては重要です。

老学者　そのとおりだ。「人を一、二度の結果」で評価せずに、再挑戦の機会を常に与えること、重要な考えだ。日本人は一、二度の成功談に左右されやすいが、人間の能力は年齢に関係なく「常に開花」しうる。もともとそのような天与の資質を誰でも有しているのだ。

最近のＤＮＡ研究は、人間（誰しも）の能力の「潜在的可能性」についてその「すごさ」を説いている。「医学領域」でもこの分野の研究がどんどん進んでいるようだ。この主旨の話がノーベル賞の山中伸弥教授とタモリさん出演のＮＨＫの最近の番組で報道されていた。

また、もともと人の生き方は自由であり、目覚めるのが遅咲きの人もいるし、さまざまな経験を経てから生き方を選択する人もいよう。また、それぞれの生き方をするには多数の経験が必要な場合もある。とにもかくにも**人生は多様（ダイバーシティー）なのだ。**可能性を一時期で遮断することはあってはならない。その人を不幸にするのみならず、社会的にみても財産（人財である人材）を失うことになりかねない。**人生は「挑戦の連続」でもある。**

余談だが、僕も本書執筆にこの年齢で挑戦している。また、一、二度の結果を重視しすぎ、それで人生が大きく左右されるとなると、教育について話せば「時期特定の画一的・一律教育」に力が入りすぎ、そのような常識的軌跡に馴染まない「特異な人材、天才肌の人物や大人物」を取り逃がすことにもなりかねない。また「経済的理由（教育費用問題）」でこの「一時期」にたまたま教育資金に恵まれずに機会を逃す優秀者をどうするか、の問題もある。この二点は人材を得るに関し教育上重要な課題だ。

若者　教育論で言いますと、日本人は特に「最終学歴」で人を判断する傾向が非常に強く、だから一、二度の結果を重視「何大学・何学部に入るか」に必死になります。それで判断してしかるべき制度ならまだしも、現行の受験制度自体には問題がありますし、仮にそれを是としても多面的・本質的能力が評価しうるものなのか、先ほどの「天与・無限の能力論」からみても疑問です。

老学者　そう思うね。ただ「最終学歴」を何らかの判断資料にすることは「正当で合理的理由」がある限り認めてしかるべきだろう（ケースにもよるが）。

問題とすべきは、正当性・合理性がないにもかかわらず個人の有する「無限の能力」をそのようなことで社会的に判断してしまうことだ。日本社会はその傾向が強い。ゆえに今のような話になる。後の教育論議との関連で受験についての話を前提にするが、このような試験で人間の優劣の序列判断をするなど、まことに「失礼な話」だ。

この種の試験については、その時期にスポーツにあけくれたり大いに青春を悩み哲学に没頭したりして準備不足、受験自体に懐疑的で準備しない、受験の日、不運にも調子が悪い、浪人などしたくないと思い適当なところに入る、競争自体が嫌いな人、いろいろいるだろう。

また、大人物たる素材は大器晩成型もいるし、そもそも要領の悪い生き方をしている人もいるだろう。人生を要領よく生きている人だけにスポットライトをあててはいけない。日本人はそれをしやすい。「（外形的）権威に弱く従順なところがある」からだ。本当の権威ならともかくも、上辺だけのウスッペライものも多分にあるのだ。したがってこのような考えは「天与の能力論」に反していよう。

ケビン・メアさんもその著『決断できない日本』で「七転び八起きでいいじゃないか」と題し、受験について「人生は何度でもやり直しがききますし、何度か失敗したところで長い人生にとっては物の数ではない」と述べ、日本にも「七転び八起きという素晴らしい言葉」があることを指摘、失敗を恐れる日本人をアメリカ人の寛容さと比較して述べられている。そのとおりだ。人生は一、二度のことでは決められないのだ。日本人は、もう少し「大きな眼で人を見る」必要があると思うのだが。発展する社会は、人に何回となく挑戦する機会を与えているのではないか。心すべきだ。

若者 この関連で先に触れられた「経済的理由のある人」について少し話したいです。優秀ながら青年時代に勉学の機会に恵まれない人もいます。「天与の能力論」からみて「機会の平等は保障すべき」でしょう。進学にお金がかかりすぎることで人材を埋没させてよいのでしょうか。経済的理由で学問の機会を失した志の高い人と、その心配もなく身につけた受験技術で入学、卒業はしたものの使命感もあまりない人、この間に生じうる「社会的格差」は大きな問題です。

老学者 憂うべきことだ。人生いつでも挑戦でき、またその人が「何ができるか」を評価基準にするような社会の仕組みにすれば、このような問題も少なくなる。一度社会に出て勉学のための収入を得、機会を得れば大学等に入ることでもよいのだ。これは現状可能ではあるものの、このような人にとって就業機会は不利になっている。常識的軌跡で進学しているかが判断の先に立つからだ。人材を得るには固定的な考えではダメだ。

採用側にも大いなる問題がある。人材ならば新卒に限らない「いつでも採用」でよいのだ。仮に新卒を前提（新卒者にとって安心ではあるが）にするにしても、プラス「いつでも採用群」を人事枠として「常態的に持つ」ような柔軟性が必要。現行の「中途採用」はどちらかと言えば「穴埋め措置」であり、必ずしも今話した主旨のものではない。採用側の取り組み姿勢と学校側・学生の理解・協力が必要。とにかく人事事項の考え方には「柔軟性」が必要だ。

教育費用については、二〇二〇年度から条件付きながら「高等教育無償化」制度が導入されたのは歓迎すべきだと思う。今後すそ野を広げてもらいたいところだ。

若者　関連する話として、世界に目を向けますと「誰でもどこでも大学教育が受けられるシステム」ができている時代です。ＭＯＯＣ（マッシブ・オープン・オンライン・コース）というシステムです。これは、ネット（オンライン）で世界の名門大学が無料講座を開設、世界中の有能な人物が年齢を問わずに講座を受講でき、合格すると修了書がもらえる大規模講義の仕組みです。この修了書はそれこそ権威があり、世界の優良企業・官庁などがその人物を採用できるシステムも構築されつつあるようです。

先年のダボス会議でパキスタンの十二歳の天才少女がこれに関して紹介され、十五歳のモンゴルの少年が満点で卒業、ＭＩＴ（マサチューセッツ工科大学）に合格した話もあります。どう思われますか。

老学者　日本も「ＪＭＯＯＣ」として一部大学が参入し、急速に拡大しつつあるようだが、もともとは授業料高騰による「救済措置」として米国で導入されたものだ。こういう時代なのだな。日本と違い「進歩的で柔軟な考え」を大事にする米国ならではのことであり、日本ではかくなる発想はなかなか出てこない。一部大学が参入・拡大しつつあるにしても相変わらず後追いだ。考えの固い保身的指導層が動かないと世界から取り残されていくだけだ。この種の課題に関し対応が遅い感じがしてならない。

世の指導者は、もっと時代や世界を読み解く必要がある。保守すべき事項も必要な場合はもちろんあるが、何事にも柔軟な発想が必要だ。国として真剣に考えないと「人財」ならず「人罪」で国が衰退することになる。

今度の「コロナ問題」で「オンライン・自宅学習」なる話が俎上《そじょう》にのぼり、現に実施もされている。これを機会に新しい取り組みをしてもらいたいところだな。

とにかく「**あらゆるところに人材アリ**」なのだ。人材開発には「あらゆる機会の提供」が必要だ。「天与の能力論」の基本ではないのか。

「是正すべき固定観念（一種の偏見）」とは

若者　②についてはどうですか。

老学者　軽率に「人を固定観念でみない」ということだ。「人間誰しも陥りやすい」ものではあるとは思うが、特に日本人全体に強い「傾向」として言える。

日本人は四方海に囲まれ長く生活をしてきたためか、思考・行動内容がほぼ「均一的」だ。要するに右向け右と言われればそうする。誰しもがそのようにするから、そう言うから、そう考えるから、自分もそうする、という類のものだ。これは、場合により穏やかな集団的力を生み出すベースになるなど良い面もあるが、えてして誰しもが同種の偏った「固定観念」に陥りやすい傾向を有する。

もちろん日本広しで地域により違いはあろう。例えば反骨心旺盛なる大阪人は必ずしもそうではないとは思うが、全体的傾向としてはモノゴトの「同一性」を好み信じやすく「固定化」し、それを評価する傾向がある。結果、同一性に馴染まない「異別」のものをあまり評価せず、極端な場合には嫌がり排除する。これは一種の国民性？　とも言えるかもしれないが、それだけに留意を要する。

「固定観念でみない」という社会的・実質的意味は「**集団に対する見方を、個人の評価に軽率に適用しない**」**こと、同主旨として**「**人の評価のモノサシを限定的にしない**」**ことだ**。これは僕のもともとの「人生観・人間観」と「多数の経験を通して感じてきたこと」の産物だ。「日本人の傾向に対する留意点」としてそうは間違ってはいないと思っている。

若者「集団に対する見方を、個人の評価に軽率に適用しない」こと、とは具体的にはどういうことですか。

老学者 日本人は個人でなく「その人の属する（した）集団（社会的区分）」をもってその個人を評価する傾向が特に強いと思う。官か民か、大か中小か、中央か地方か、高学歴かどうか、キャリアか否か、組織人かフリーか、いろいろ区分があり、それをもってその人の個別能力などを判断するのだ。「〇〇出だから、〇〇にいるからどうのこうの」と単純かつ感覚的に評価（良し悪し、高いとか低いとか）してしまう。この種の見方が極端になると「〇〇神話」とかを生み出すことになる。ある意味では滑稽だ。

これらは結果として「不条理な社会的格差」を生み出しかねない。**「集団に対する評価と、個人の能力とは別である」**、冷静に見極めないと人材の登用を誤る。人を安易に「分類化・カテゴライズする」とこの誤りに陥りやすい。

ただし必要に応じ合理的目的でカテゴライズすること、あるいは「集団に対する評価」がケースにより重要な第一次的判断資料になりうることは否定しないが。

若者 確かに日本では集団的評価で人を判断しがちです。先ほども触れた「最終学歴」で人を判断する、これがその典型ですね。だから大学で言えば「何を学び、何を身につけて卒業するか」でなく「何大学・何学部を出たか」だけに眼が行き、これに熱を上げ「入ってしまえば、形だけでヨシ」になります。受験制度も含め「教育の本道」を歪めかねません。それで「人の評価を限定的」にしてしまいがちだからです。

老学者 そうだな。もちろん、場合により集団としての評価が「判断の重要要素になる」ことは認める。が「集団に対する見方」を基準として一律に人間を判断することは実に危険だ。ある優秀とされる集団についてその集団に属している（た）から優秀であるとは断定はできない。

集団を構成するものは不思議に正規分布する。上・中・下、二十パーセント・六十パーセント・二十パーセントの分布だ。言うまでもなく、優秀な集団であっても全員が一律の同じ高さの能力を保有しているわけではない。要はピンからキリということだ。常識だが存外認識していない。これをひとからげで同一視すると「大変な間違い」を起こす。

関心の高い大学入試で説明すると、入試問題解答成績の上位群が受験・合格する大学ほど「難関大学」とされることは事実だ。有力大学いかんの世間評価もそれに相関する。しかしこの「難関度合いの区別」はあくまでその集団の「平均値」についての比較にすぎない。平均値はいわゆる難関度順（?）に下方にずれていく。しかしそのズレは大幅なずれではなく、相当部分はより上位群と重なっている。重なる部分は「同等水準」ということになる。

なのに、なぜか上・下に分離・区分されてしまう。難関度が高いほど「有名になり社会的に上位」に位置づけされ、いわゆる「難関大学（これにも序列がつけられる）」と、そうでもない（?）とされる大学との区分が出来上がる。それどころか、学生を個別にみれば全くの逆転も大いにあるのに「その大学生・卒」として上下区分がなされてしまう。全くおかしな話だ。採用の判断材料にもなっている（最近は「個」の重視に変化してきたかもしれないが）。

この区分による判断（「ひとくくり」での判断）は別の面でも言える。例えば、文科系の僕が興味のある天体・宇宙論、原子物理学の話をはじめ理科系のことを語ると、「よく勉強しているな」と誉める人はいるが、「貴殿は文科系じゃないのか」と揶揄嘲弄したりするケースがある。これも「ひとくくり観の産物」であり一種の偏見だ。専攻学問と個人の関心事、持ち前の能力とは別次元の話だ。

若者　要は「外形的にひとまとめ」にして「力の本質的良否を評価」することが問題だということですね。良いように言われている集団は場合により随分「得をする」し、逆は逆だし不公平です。ただ集団として「傾向的にそう言える」というだけであり、個別にみれば能力自体はさまざまと思うし個別に判断すべきです。そうしないと「本当の有能・優秀者を取りこぼす」ことになりかねません。逆に「とんでもない無能な人間」を抱え込むことにもなるのではないでしょうか。

老学者　特に公平性・客観性が求められる「世の高学歴・指導層」は、かくならないように留意しなければいけない。が、存外「この層に偏見が見られる」と思う。憲法にも「個人の尊重」が謳《うた》われている。一人一人が国の貴重な財産なのだ。

人材開発は、外形的評価ではなくその人「個人そのものが有する能力・資質に着眼することがきわめて重要」だ。単に学校だけでなく、あらゆる社会的区分について言えることではないのか。このような問題のある見方により「求めるべき人材が埋没」しているのではと危惧している。

若者　特に「歴史・文明や新しい社会を創造、変革していく」ような「天才肌の（天才と秀才とは違う）異材や、大人物たりうる偉材」、あるいはそこまでいかなくても「想像力・創造力やチャレンジ精神に富む『改革志向型』の人材」を生み出していくには、もっと「個」に焦点をあてないとダメでしょうね。平均的・集団的見方では「取り逃がし」ます。落ちこぼれる人も大いにアリでしょうし。

日本人はこの種の人物を必ずしも評価せず「異端視」するところがある、これが問題です。日本人の旧来の「有能・優秀」人物観では、この種の人の有能・優秀さが「埋没してしまう」ことになりかねません。

老学者　そういうことだ。そこで問われるのが「人の評価のモノサシを限定的にしない」ということだ。特に、有能・優秀とされる人間の「評価幅を大きくする」必要がある。

「平均的人間」を前提にするだけでなく、常識を超えたアイディアの持ち主、壮大な夢とかロマンを語る人間が重要だ。そうしないと有能・優秀者といえど極端な表現をすれば、社会が「機械的な優秀人間、取りこぼしの少ない金太郎飴的人間」の集合体になりかねない。この一群も必要・重要だが、これだけでは面白くもないし、国・社会としても望ましくないと思う。

「異材や偉材」といわれる人は、往々にして「特定領域」にしか興味を持たない傾向にあり、日本人の優良の判断基準にある「集団的な常識的軌跡」に馴染むかどうかははなはだ疑問だ。アインシュタイン、エジソンなどのすごい人はこの類だろう。日本人的「固定観念をベースにした有能・優秀者観」で人を評価することを排さねば、この見地からの「多様な人材開発」はできない、と言える。

今後の世界の動向、社会の変化を考えると、よほど心しないとダメだと思う。これからも相応の知識はベースにはなるものの、ますます「解のない変革の時代」ゆえ、常識にとらわれない発想ができる、ある意味では偏った能力というか「異能の持ち主」「個性的能力の持ち主」が一段と重要になろう。そのようなタイプの人、そのような資質が少しでもある人を重要視しないと変化に対応できなくなる時代が来るのではないか。

物事を「変革していく人物」「新しいモノゴトを生み出していく人物」は「常識的正解」では面白味を感ぜず「違う視点からモノゴトをとらえる」ようなタイプの人が多いのではと思う。この種の人物は着想のユニークさからも「オールラウンド思考ではない人（中にはいるだろうが）」ではないのか。ただその能力がないのではなく（やればできる）「たまたまある分野以外に興味を示さないだけ」ではないのか、と思うが。

その興味に裏付けられた「異別の能力」を、変革のため引き出す必要がある。思考力・想像&創造的能力（「ひらめき」や「自分でモノゴトを組み立てる」能力）など「地頭の良し悪し」が一段と重要になろう。これは学歴・特定大学などにこだわっていると引き出す機会を狭めかねない。この点をよくよく考えないと、幅広い多様な人材開発は望めない。

若者「固定観念」による社会的評価基準で「有能・優秀人材を限定的にしない」ことが重要ということです。「教育のあり方」にも関係しますよね。

老学者　教育の基本（本質論）的課題でもある。能力は、いろいろの分野で開花する。その分野分野で、求める有能性は異なる。重要ではあるが勉学面だけで判断されるべきものでもない。社会は多数の要素で構成され維持・発展している。勉学面に限ってみても「外形的」な優秀さに惑わされてはならない。教育内容（受験制度に反映）に「歪み」が生じることにもなる。

ただ、現行教育が力点を置く知識教育の「知識」は「妥当なる範囲（選抜のための過剰性をもたない）」に限れば大変重要だ。特に文明が高度化するほど「相応な知識」は重要にはなろう。これは間違いない。何をするにしても高度な知識が一段と求められるからだ。特に高度な内容の職業には必須であろう。そのための「妥当な範囲を前提にした選抜制度」は「選抜方法に工夫は必要」だが、重要だと思う。

その意味において、現にこの種の選抜をくぐり抜けた知識秀才（学校秀才）が個々人として（集団的ひとくくりの評価ではなく）優秀視・評価され社会で活躍しているのはこの見地からは認めるべきだし、今後も相応に重要視されてしかるべきとは思う。

この一群に共通する有能・優秀さは、学力だけでなく、まじめに取り組んだ姿勢、忍耐力、要領・テクニックの心得など、人生に必要なものも多々ある。この点からの評価は相応に有意ではあるし、ケースによりこれをもって是とする場合はある。

だが、この一群が「すべてではない」ということだ。これからは「人材」のとらえ方をもっと広げていく必要がある。象徴的にまとめると「学校秀才」は必要かつ重要だが「異能や個性的能力の持主（天才肌の人）」も重要。また「知識」も重要だが「思考・想像・創造」的能力を「より優秀視すべき時代」になるだろう、ということだ。もともと求めてしかるべきなのだろうが、変化の激しい時代ゆえ「なおさら」だ。

また、言うまでもなく「勉学以外」いくらでも国・社会に有能で有用な人物はいる。本来「人材」については「学歴は関係ない」。社会としてこの認識をちゃんとし、しかるべき人材には「光を当てる」必要が大いにある。この考えは教育上きわめて重要だし、社会においても特に「官僚的色彩の強い大組織の運営」には必要だ。

いずれにせよ「固定観念」があることが問題。これを是正することが第一だ。そうしないと「外形的に有能・優秀とされる者」が世の中を動かす「偏頗《へんぱ》な国・社会」になりかねない。現にある社会問題の、背景にその種のものがあるような気がするが。

第二章　今後、国が求めるべき「人材像」と教育制度〈学校教育など〉の「よりよき姿」は

一　今後、国が求めるべき「人材像」とは……「思考・想像・創造力〈ひらめき〉、チャレンジ精神」に富む「改革志向型〈新価値創造型〉人材や異材」と「いわゆる人物」の育成に注力すべし

若者　ところで、国にとって重要とされる人材は多面にわたりますが、本書冒頭でも触れました「特に今後国を元気あらしめ、劣化させないために必要な人材」についてもう少し考えてみたいです。

第一話で話した「国家像〈高度科学技術国家〉」を実現していくためにも、また国家像いかんにかかわらず具体的にどのような人材の開発を今後国としてしなければならないかです。

冒頭で、今後は国として「『改革志向型〈新価値創造型〉』人材と、『人物』たる人材」が重要、との話でした。人材開発上の具体的着眼点は何ですか。まずは「改革志向型〈新価値創造型〉」についてですが。

老学者　くどいようだが、今後は、ますます予測が難しいグローバル時代になる。与えられた既定の内容ではなく「自分で『答え』を創り出す能力」が求められる時代だ。マニュアル的人間よりも、先ほどから話している「思考・想像・創造的能力」の豊かな人材が必要になる。

身近な例は今回の「コロナ問題」、降って湧いた事態だ。「即適用可能の解決マニュアル」はない。このような人の生命に関わる厳しい局限の状況においてこそ、人間の英知、対応能力の良否が試される。今後の世界・社会はウイルスに限らずにこのような「予測のできない事態」が種々発生してくるのではないかと思う。世の中の変化が激しいからだ。ただ、いかなる場合でも想定外で済ますわけにはいかない。「何らかの解答」を出していく

必要がある。求められるものはこれを可能にする人材だ。

ところで、マニュアル的人間についてだが、今後「AIとかロボット」が活躍する時代になると現在の「人による業務」の五十パーセント相当が不要になるとされる（十年から二十年後）。この不要業務こそ「マニュアル的業務」だ。人が介在せざるをえない高度な専門性を必要とする内容ならまだしも、そうでもない業務は「AIとかロボット」がこなしてくれるのだ。この見地からもこの種の人材はあまり必要とされなくなるのは自明だ。もちろん一定の範囲内では必要とされるとは思うが。

それよりも、マニュアルにはない新しい時代・社会を切り開いていく人材、第一話との関係で言えば「高度科学技術の発展（価値創造）に寄与しうる人材」、人類の予想をはるかに超える目覚しい進歩をするであろう高度科学技術に対応可能な、創造的能力を有した（広い意味での）科学技術人材、科学技術的発想の豊かな人材が重要になる。また、発想にとどまらず科学技術の発展を具体的に現実化できる能力を有した技術者や技能者も重要だ。

さらには、世界・国・社会がより高度な文明社会になり、かつ変化が激しくなることは明白なので「科学技術に限らずその道（各分野）の専門的知識に通じるとともに、状況に応じそれを現実的かつ柔軟に応用・活用できる（アイディアに富む）人材」が必要。グローバルな時代に即して必要とするモノゴトを「自由自在に随時世界に発信」できる人だ。「コロナ問題」もこの重要性を示唆しているのではないだろうか。

若者　要は何をするにしても「アタマのヤワラカイ人」、ということですね。「問題の発見と提起ができる人」でもあります。与えられた解を記憶している能力だけで済む時代ではないですから。「豊かな発想・ひらめき」のある人、「アイディアマン」が重要です。

今度の「コロナ問題」も、民間人は「生き残るためにいろいろ工夫」をこらそうと努力をしています。報道を通しても素晴らしい取り組みをしていることが手にとるようにわかります。アタマがヤワラカイと言うことになりますね。そうでないと直面する問題を切り抜けられませんよね。極論すると生きるか死ぬかの問題でもありますから。

老学者　そうだな。「工夫」には豊かな想像・創造力が必要だ。民間人は日々苦労している。日常ナゼそうなるのか、なんとかしなければ、という姿勢が常に求められるので自然に身についたものもあろう。

先に話した塩野七生さんは、その著『日本人へ　リーダー篇』で「想像力」の重要性を述べられている。「疑問を抱く」ことが想像力の原点と言われる。進歩の前提には物事に対する「問いかけ」が必要、この種のものは既成のマニュアルには描かれてはいないのだな。

若者　そう思います。これらは「機能的とらえ方」、主として「クール・ヘッド」の面からの話ですが、「人格的とらえ方」、「人物たる人材」についての着眼点はどうなりますか。「ウォーム・ハート」から見た人材論になりますかね。文明・科学が高度になればなるほど、この点を並行的に重視しなければいけないと思いますし「クール・ヘッド」を活かすのにも重要です。

老学者　そのとおりだ。今後の社会は「人間としての優秀性」がますます求められるし、求めなければいけない。「人の心を大事にする」「社会に思いを致す、貢献する」人間だ。この面がないと「あたまデッカチ」だけで「本当の有能・優秀者」とは言えない。特に高度科学技術社会になればなるほど「人間に対する思いやり、優しさ」が求められる。道徳観・倫理観が重要になると思う。

若者　昨今、テレビでいろいろな分野の幹部の「あたま下げ」が多いです。学理的には優秀者なのでしょうが、この点が不足している結果、問題や事故が発生したりするのではないかとも思います。もちろん学理的な対応不足もあるとは思いますが。

今後はますます高度科学技術社会になります。「巨大科学技術」になればなるほど問題は大きくなりますよね。それだけに「リスク・マネージメント」が求められます。ちょっとでもこれが欠落することは許されません。想定外ではすまされませんね。「人命」にかかわる問題にもなります。これは「ヘッドの問題」は当然のことながら「ハートの問題」でもあります。

老学者　国・社会全体に問うべき課題だ。特に国民にとって「生命」に関わる重大な災害・事故については心する必要がある。このような課題（生命倫理）に関しては関係者「すべて」に「人間としてのアタマとココロ」が問われることになる。特に選ばれたる者には「崇高な責任意識・危機管理意識」がなければならない。

若者「頭も心も真に優秀な本当の人材」を育成していかないといけません。今後「日本の教育がどこかおかしいから、こうなるんだ」と言われるような事態が発生しないようにしないといけません。今の人材論、特に教育について、社会の見方、親の見方、学校の見方、大丈夫ですか。

老学者　国の「人材についての理念・制度・政策」が問われる。人材論議は単に教育制度内容に限らない。もっと広い観点が必要ではあるが、やはり行き着くところは「教育問題」になる。

日本の現状は、ちょっとおかしいな？　と思いつつも現状に従う、というのが現実だろう。体制がそうである限りそれを前提に行動する「心情」はわかる、普通はそうする。しかし、それではいけない。だから「国として今後どうするかの問題」になる。

難しい問題であり、現状をよりよく改革していくのは大変かもしれないが、今の時代に「着手」しないと将来国として「禍根を残す」ことになるような気がする。これこそ今はやり（?）の、林修さんの「今でしょ」問題だよ。

二　教育制度（学校教育など）の「よりよき姿」は

二の一　国の教育制度……「基本」は何か、今後はどうあるべきか

「教育」とは、基本は何か

若者　人材論を前提に、今後の学校教育制度のあり方について意見を聞きたいです。

老学者　これからは人への投資が国を左右することは先に話したとおりだ。また、今後国として養成すべき人材像についても先に話したとおりだが、これを実現していくには教育全般について「基本的なものの考え方の整理が必要」になる。

前にも話したが、今の日本の若者の眼光は弱い。若者といっても学生・生徒が主だが。渡航経験からするとアジアの発展途上国の若者の眼は輝いていた。それに比し眼光は別としても若者全体に「溢れんばかりの元気さ」があるかと言えばどうかな。日本も四十七都道府県全部、旅行や出張などで見歩きしているので自然に比較はできる。もちろん元気なのはそこかしこにいるから、心配無用といえばそうなのだろうが。

だが、調査によると若い人の「将来に対する希望とか現実についての幸福感」は先進国で「最悪」のようだ。これが雰囲気に表れているのだとすれば問題だ。特に若い男子はどうか、草食系男子などと言われているが。女子の方が元気で頼もしいと思うことも多々ある。テレビに顔を出す若い男子スポーツ選手の活躍ぶりを見ていると、すごいと思うし、感心するのだが、全体としてどうなのか。

とにかく「巷に若者の元気さがみなぎっていない」とすれば、その原因について考えないといけない。若者は時に（いい意味で）「ハメを外す」くらいの元気さに溢れていていいのだ。

若者　もし、全体基調として問題アリとすれば、なぜこうなったのですかね。これでは「人材」を開発するにも前提が不安です。「飽食の時代」で飢餓意識が欠乏しているのですかね。

老学者　なぜだろう。いろいろ原因はあるだろうが、僕は「教育についての種々の問題」が影響しているのではないかと思っている。この点からも、先に触れた受験制度を含め「教育のあり方」を基本的に考えるべき時代だと思っている。国民全体が「真の教育」についてもっと関心を持つ必要がある。現状、問題山積ではないのか。『教育クライシス』（吉間正利著）でも、危機的状況として縷々《るる》述べられているところだ。著者は親と子供、教育内容・制度、教師、校長や教頭など様々な見地から、教育の有する危機的状況を述べている。現状はそうであろう。やはり同氏が言われるように、教育の改革は「『児童・子供のために』を『原点』にして、眺め直す必要がある」のだ。国として真剣に取り組まねばならない。

「無限の潜在的能力を有する個々の人間を元気たらしめ、自己実現をはかり幸せにする」ことは「大前提」になるが、特に今後の時代に必要とされる先ほど話した「人材（改革志向型……新価値創造型人材、人物たる人材）」を輩出していくのに、今の教育に問題はないのか問わねばならない。

初等教育については「教育方法・内容」について、高等教育（主として大学・大学院）については主として「学問遂行上の質的問題（一段と高い質の向上を目指す）」がないかを検討せねばなるまい。

今までの日本の教育は、全般的にみれば行政面、現場教育それ自体など、いずれの観点からも諸問題を内包しつつも「よりよい向上を目指し相応の努力・対応はしてきた」とは思う。今日の「世界の中の日本」を作り上げたのも教育にもよる。この点は素直に評価せねばなるまい。特に「知育」の「知識量教育」については過剰とも言えるほどの教育をしてきている。先に述べた問題を有してはいるものの、相応の評価はせねばなるまい。

だが問題は「今後の教育はこれまでどおりでいいのか」ということだ。

若者　問い直すについて、そもそも「教育」とは何ですかね。まずは「基本」の認識が重要です。
その目的としては、大前提としての「個々人の自己実現による幸福の追求」をベースに、「人として生きるための知恵・知識を身につける」、「人生をより豊かにするための教養を身につける」、「人格を磨く」、「職業を得るため知識・技術・技能を習得する」。また、大前提（自己実現）とともに、国・社会も実現を求める「国・社会に貢献するための能力をつける」などが考えられます。

老学者　目的はそうだろう。「教育」とは「教え育てること、望ましい知識・技能・規範などの学習を促進する意図的な働きかけの諸活動」とある（『広辞苑』）。社会生活に適応するための知識・教養・技能などが身につくように、人を育てることなどともある。教育と名のつくものは、なんと四十種類以上もあるようだ（『明鏡国語辞典』）。

また、人を導いて善良な人間にすること、人間に内在する素質を発展させこれを助長する作用、人間を望ましい姿に変化させ価値を実現させる活動などなど「多義」だ。そもそも、言葉の出典は「孟子」とも言われている。英語・ドイツ語・フランス語の語源は「引き出す・引き上げる」にあるとされる。定義はそれぞれそのとおりだろう。

さらに紐解いてみる。『教育の原理』（沼野一男・松本憲・田中克佳・白石克己・米山光儀著）によると、教育の原点とされる思想は「パイデイア」という言葉に象徴される。この言葉の意味は「人間（子ども）に対する働きかけであり、それも『人間』としての『理想なり完成なり』を意識もしくは認識しての働きかけ」で「『人間』と『形成』の二要素が『教育』概念の中核をなす」とする。この言葉と対比される「トロペー」は「動植物が何の手も加えずに自然に育っていく」ことを意味する。「パイデイア」はギリシャ時代に確立した概念であり「子供を一定の理想と完成へともたらすために、知識を与え、訓育をほどこす、人間の意識的な努力（教育）、およびその所産（教養）を意味する」とある。

要するに教育は「人間形成」への働きかけなのだ。福沢諭吉はその著『教育の目的』で、教育は「人生を発達して極度に導くにあり（略）人類をして至大の幸福を得せしめんがためなり（略）至大の幸福とは（略）天下泰平・家内安全（略）これを平安の主義と名づく」と言う。さらに「学校は、人にものを教えるところにあらず。ただその天資の発達を妨げずして、よくこれを発育するための具なり」と論じている。きわめて重要な指摘だ。また『教育の品格』の著者・鵜川昇氏は「時代の推進は『英知』にあり」とされる。この英知を生み出すのが教育でもある。真の英知とは何たるかを問う必要もある。

いろいろ紹介したが、重要な観点は先ほど触れた目的を前提に「育てる」「人間形成」「引き出し・引き上げ」福沢の言う「平安主義と学校の存在意義」だろう。これらは常に教育の基本事項として問われるべきことだ。

繰り返すが「人間は誰しも無限の潜在的能力を有している、これを引き出す」、これこそ教育の基本だと思う。果たして「今日の日本の教育」は「真に人をして育て、人間を形成せしめ能力を引き出す教育をしているのか、国・社会・家庭をして平安たらしめる教育機能をきちんと有しているのか、個々の天与の資質を発育たらしめているのか」、本当に大丈夫なのか。そもそも受験技術用に過剰な知識などを押しつけたり、国・社会・家庭の平安どころか当事者の子供に不幸を強いていることはないのか、真剣に考える必要がある。そのようなことは全くないと言えればよいが、言えないのではないのか。

これら基本を踏まえた上で、さらに先に話した今後求めるべき「人材」の「発掘・育成」に相応しい教育により適合しているのか、問題はないと言えるのかを検証・検討する必要がある。「すべての人材」のベースになる「初等教育」、それに「国の姿、基盤づくりの人材」に直接影響する「高等教育」、いずれも現状で大丈夫なのか、問い直す必要がある。

「学校教育」制度の特にどこに留意すべきか

若者 教育の意味はわかりましたが、それを推進する「制度」がどうかです。教育と言ってもいろいろあります。若者を考えるなら「学校教育」ですね。現状、何が問題かを考える必要があります。

老学者 教育は大きく分類して二類型になる。第一は「学校教育」。社会人になる前の教育として、

①「初等教育（義務教育……小・中学校）」……国民全般だれかれ関係なく「基本的事項」として習得すべき最低限の知識（知育）、人格的要素（徳育）、体力（体育）についての教育。

②「中等教育（前期を中学校、後期を高校とする分類もあるが、ここでは高校と専門の職業学校とする）」……「高等教育機会取得のため」の教育と、職業人として「世の中で活動するため」の教育。

③「高等教育」……職業人として「世の中で活動するため」のより高度な教育、これには「教育をする」と言うよりは「学問をする」と言った方がいい研究が含まれる。

この三つが「学校教育」だ。

第二は「社会人教育」……社会に出てからの人材開発として企業・公官庁など就職先のなす教育、公共機関などが主催する教育などで、第一の③が受け入れる教育でもある。

「学校教育」について、世の中の分類によりもう少し詳しく言えば、「初等教育」は小学校（これに幼稚園も含むとされる）、「中等教育」は前期が中学校（ここでは義務教育として初等教育に分類するが）、後期が高等学校

（普通高校について高等教育に含める場合もあるようだが）・各種専門学校だ。具体的には普通高校（現実は大学進学への予備門にもなっている）と実業学校として工業高等学校・商業高等学校・農業高等学校・水産高等学校などと、簿記・外国語・料理ほか家事専門学校などによる教育が相当、「高等教育」は、高等専門学校（国立高等工業専門学校＝高専が相当）・短大・大学・大学院になる。

この中で人材論議として特に見直しの重要なものは「学校教育」についてであり、それも、①「初等教育」と③「高等教育」についてになる。②の「中等教育」は「普通高校」の位置づけについての問題があると思うが、それ以外は相応になされていると思う。

学校教育問題が難しいのはわかるが「よりよい姿」を常に希求する必要がある。教育「方法」については時代に応じた見直し（試行錯誤）もままあるだろうが、教育「目的」については先の「大前提（自己実現などの幸福論）」と「求めるべき人物論、国家観に基づく理想的人材観」をベースに、国として「確たる考え」が重要だ。これは今までの話を聞いていればわかると思うが、戦前の国家主義の話とは全く違う点は誤解なきよう。

若者　わかります。「中等教育」については、それほど問題はないのですか。

老学者「中等教育」（「中等」の意味は、「前期」については今話した義務教育に入れ、「後期」を意味する）については、「普通高校」教育問題以外はそれなりに機能していると思う。基本的には義務教育ではないゆえ「個人の自由意思」でやればよいが、高校教育のうち「普通高校」について、その位置づけをきちんとしなければいけない。どうもスッキリしないのが正直な思いだ。論議すべきだ。

傾向として約半分が大学進学になるが、進学者については位置づけはそれなりにあるとは思う。ただし、過剰な記憶中心の「知識教育」が限界に来ていることへの改革は必要、要は大学の入学制度の改革が問題となる。それを前提の見直しになろう。教育内容もまずはこれが前提だ。だが、進学しない生徒に関して、そもそも「普通高校」とは何なのか明確でない。皆が進学しているから何となくそうしている者も多いのでは、とも思える。これを問い直す必要がある。

職業に直結する専門教育高校である「実業高校、先に述べた工業高校・商業高校・水産高校・農業高校など、さらには専門学校・専修学校など」はハッキリしている。大学に進学しない五十パーセントの人にとって、いろいろな人生のコースがある（この場合、普通高校卒も含めるが）。多様社会だから大いに「自分の好きな道」を歩むべきと思うが、学校制度の充実と社会として卒業者の受け入れ先の確保に問題がないのか、検証は必要かもしれない。

実業高校出はおおよそ「実業用の勉強」が主となるから、「腕」に自信をつける人も多いのではと思う。実社会ですぐに役立つ力を身につけた貴重な一群だ。コンピューター関連・情報関連など時代の先端を切る技術教育コースも多い。また、アート・音楽・工芸・アニメなどなど多彩だ。趣味人もいるだろうが、社会としてどう活用するか広い視野で考える必要がある。この道を進む人は「我が道を行く」タイプが多いのではと思うので、自由主義が一番いいのかもしれない。

いずれにしてもこのコース（実業高校）については「普通高校」と違い、存在意義（本人も社会も）が明確、ハッキリしているのではと思う。活躍の場を整備し、きちんと処遇することが重要な視点になる。

若者　「学校教育」は歴史（国としてのそれなりの取り組み）を経て今日があるのでしょうが、「初等教育」「高等教育」については、まだまだ課題アリということですね。

老学者　教育問題は難しい、歴史的にも「試行錯誤の連続」だ。

ここでの教育・論議の視点としては「個々人の自己実現と幸福追求」を大前提に、
①いつの時代・社会にも必要な「人としての基本の確立（知育・徳育・体育）」および、
②今後「国として特に求めるべき人材の開発……『高度科学技術国家』として『世界のリーダーとなりうる人材開発』を目指す」について「現状に問題はないか」、この二つの観点からの論議になる。
「初等教育」については①②の視点、「高等教育」については②が中心になる。

二の二　初等教育・前期中等教育（義務教育）……「知育の内容（量と方法）の見直し」と「人間（人物）教育」が必要では

若者　全体像は何となくわかりました。まずは「初等教育」について話を深めたいです。この教育は基礎づくりとしてきわめて重要です。問題は何でしょうか。

老学者　僕は学校教育の専門家ではないが、企業で長く人事・労務担当として採用（面接、リクルーターなど）や教育（いろいろな層を対象にさまざまなテーマの講師なども経験）にも関係してきたので「教育それ自体」には関心が深い。思うところを話すことになる。

「義務教育」については、哲学・社会学者ハーバード・スペンサーの分類による「知育・徳育・体育」についての話になる。この三教育は先に話したように「いつの時代にも国民全体に対して求められる」が、今後特に国が求めるべき人材にも重要な「基本教育」であり、いずれも欠けてはいけない。ただし、その「内容と方法」についての問題を問う必要がある。

国民全体にとって「初等教育（ここでは義務教育としての前期中等教育……中学校教育も含める）」はきわめて重要だ。何をするについても「基礎・基本が重要」だからだ。この観点から言えば「この教育はきちんと徹底する」必要がある。これが「あり方・意義づけ」になる。現状大丈夫か。

これは、国民全体に「最低限度の知識・基本的道徳意識・基礎体力」などを身につけることになるから、原則・全員参加教育だ。僕はこれは小学校教育で充分だと思うが、現代社会では中学レベルのものも必要だとすればそれを含めてもよい。その場合は小・中を分ける意味がない。一貫の九年制にすればよい。今後国として特に求める人材とは別に「人間として、かつ国民として生きていく」という意味では、それ以上の教育は必要ないと思う。昔で言う「読み書きソロバン」に象徴されよう。これは最低限、国民の義務としてやらなければいけない。ただし、全員参加のこの段階でも「どうしても馴染まない学童」もいるとは思う。この場合の「強要は回避すべき」だ、その人を幸せにしない。どうしても学校・勉強が嫌いな者に無理にさせる必要はない。無理にさせるから不登校とか学級崩壊や問題児が出たりするのだと思う。いくらでも生き方はある。周囲の世間的志向で子供を犠牲にしてはいけない。これらのポイントを明確にすべきだ。何となくハッキリしていないような気がする。

まずは「知育」だ。知的能力（記憶力・思考力など）の育成ということだが、これに関しては「記憶力」との関連で教える知識「量」の問題がある。義務教育の目的の第一は「知育」として教科教育をし、国民として有すべき「最低限の知識」をきちんと教え込むことだ。「ゆとりとか、生きる力云々」の問題が指摘されるが、過剰とも思える受験用の知識はともかくも「最低限の知識習得」については「必ず全国民」に「教育しきらなければ」ならない。ただ「どうしても」馴染まない人はいるであろう。この場合は強要することはないと思う。

義務教育において求められる「最低限度の知識は、通常の生活も含め何をするにしても必要」だ。詰め込みでも何でもない。「ゆとり」など考慮は「不要」と思われる。いけないのは「お受験」の話が出てくるからだ。それとの関係で「詰め込み」が問題になり、ユトリの話になるのではないのか。最低限度の知識教育でヨシとすれば問題はそれほどないはずだ。その「範囲」を明確にし、その範囲の限りにおいて「徹底」して教え込むべきだ。「量の削減」を意識しすぎ、必要な内容まで削る必要は全くないと思う。

この点、日本の教育は「お受験用の行き過ぎ」は別にして、今までもよく機能してきたと思う。今日の日本を築きあげた力はこの「知識教育中心の知育」によるところ大だと評価してよいと思う。素地は江戸時代の「寺子屋・藩校」の「読み・書き・算盤」にあろう。

繰り返すが、妥当な範囲の知識教育はきわめて重要。先ほどから話している「思考・想像・創造的能力」にも妥当な範囲の知識は前提として必要なのだ。要は、受験用の「過剰とも思える知識」はどうか、ということだ。過剰なる知識習得については、子供に「無用な疲労を齎《もたら》す」だけではないのか。この点を見直し削減すべきだ。また、この検討は時代に応じ常時せねばなるまい。

もちろん、自らの学習において「自主的」にどんどん知識を増やすのは大いに結構、「教養としての豊富な知識」は人生を豊かにする。この意味での学童時からの知識欲は大事にすべきだし邪魔する必要はない。これが受験用の「強要された必要以上の知識」となると問題、ということだ。

「知育」については「量」の問題とともに「教育手法」についての課題がある。これは「思考力・創造力・想像力・推理力・判断力」など「記憶力」以外の能力開発と関連する。今後はこれら能力がきわめて重要。「手法」について見直す必要はないのか。これらについては、教育学者ペスタロッチの直感重視教育（書籍主義・言語主義に反対）や、注入主義か開発主義かなど、つとに語られてきている。

この議論も含め考えるに、日常の取り組みとして教師の「一方向授業（教えるだけ）はいけない」と思う。「投げかけ授業」が重要だ。**生徒に「考えさせる（思考力・想像力・創造力のベース）」、生徒の「力を引き出す」**ことが重要だ。そして必要に応じ「誉めてやり自信をもたせる」ことも必要だ。グループ学習・個別指導・体験学習・野外学習など現場の実状に応じて教師の自主的判断に任せるやり方でよいが、主旨はこういうことだ。この教育手法は「思考・想像・創造的能力などの開発」には重要なことだと思うし、先に指摘の「大前提（自己実現など）」でもある。

そこで行政に必要なのは、かくなる教育が充分になしうるための優秀な教師、「熱血漢」と言われるほど教育に心血を注ぐ姿勢のある先生（押しつけでない、引き出す能力が高い人が多い）の「人数を相応に確保」することだ。特に手法において「教師と生徒の接点をより多くする」ことが大事だからだ。また、生徒によっては最低限度の知識といえども丁寧な指導を要する。さらに教師の「処遇をよくする」必要もあろう。国立大・教育学部等の学生定数を増やし「優秀な教育人材をより多く確保」すべきだ。かくなるところに税金を使うのは大いに良いことではないのか。

若者 教科内容は過剰でない最小限度に絞り、ただし徹底して教え・考えさせ・引き出す。そのために生徒一人当たりの優秀な教員数を増やすべきということですね。また一クラスの生徒数を少なくすることも同じ主旨として必要ですね。

老学者 そのとおりだ。これらをきちんとやれば知育面は十分だ。その後の知育は個人の自由選択でよい。勉学が嫌いな者に動機づけは別にしても強要する必要は全くない。先に言ったとおりだ。

重ねて強調したいのが「創造力教育」の重要性だ。先の「考えさせる」教育、知識の吸収だけでなく「考え・創造（ヒラメキ・想像も含む）を重視する」教育だ。これが「大いに不足」しているのではないのか。初等教育できわめて重要なポイントだ。伊東乾《けん》・東大准教授は、「現状の日本の大学は、残念ながら創造力に乏しい。それは、小・中・高等学校のカリキュラムや入試問題を一瞥するだけで明らかだろう。圧倒的多数の児童・生徒は科学的創造の実際にほとんど触れないまま学校を卒業する。それが現在の日本の教育システムだ。いきなり大学院以降、独創的な研究などできるわけがない」と指摘されている（『文藝春秋オピニオン・２０１５年の論点１００』）。

そのとおりだ、真剣に考えないといけない課題だ。特に「改革志向型人材・新価値創造型人材」を養成するには重要な視点だ。この基礎的時代に養成しておく必要がある。過剰な受験技術用知識教育などよりも「はるかに重要な視点」だ。今の教育はどこか基本がずれているのではないか。

若者　この点について、フィンランドの教育が参考になるとも聞きます。何も試験競争にこだわるつもりはありませんが、三年に一度ＯＥＣＤが実施する国際的テストである生徒（十五歳）の学習能力を調べる「学習到達度調査（ＰＩＳＡ＝ピザ）」の「科学的リテラシー・数学的リテラシー・読解力」の三分野とも、フィンランドは大体上位にあります。

二〇一八年については日本も数理面ではトップクラス（五・六位）ではありますが、「読解力」（思考力・表現力が試される）は良くなく（十五位）、このところ低下しています。特に「読解力」についていえば、フィンランドはさしてそのような教育をしていないらしいですし、学習時間も日本より少ないようですが、大体日本よりは上位にあります。何か教育上の違いがあるのでしょうね。

老学者「教育手法」にあると思う。フィンランドは何も上位を目指してはいないようだが、結果としてそうなっている事実を注視しなければならない。

フィンランド教育は、グループ教育でなく個人個人の「子供を中心にした教育」であり、教師に求められるものは「子供を中心にしたアプローチ」であり「子供たちを観察する」ことだ（リッカ・パッカラ著『フィンランドの教育力』）。

堀内都喜子著『フィンランド　豊かさのメソッド』によると、同国の教育の基本的考えとして「詰め込み式の勉強はだめだ」「教育で大切なことは情報を与えることだけではない。自分で考える力、問題解決能力、想像力、理解力、適応力を養うことである」、また「教科の楽しみ方を教えることも大切」、試験は「記述式」、クラスは「小人数制」とし「学生のカウンセリングとサポート」を推進する、などがある。教師との対話を介し生徒に問題の投げかけをし考えさせ、生徒間同士で考えを交換し合い思考に磨きをかけていくということだろう。

重要なことは「物事に疑問を持ち、なぜかと考える能力を身につけさせること」ではないか。ＰＩＳＡの「読解力」にこれが表れるのではと思う。教師の教え方も「自由度が高く」各教師が自分で工夫して実施している。日本の場合は、教師に生徒と対話する時間的余裕もあまりなく、一方向的な知識賦与教育なのだ。見直すべきではないのか。

なお、この調査で注目すべきは、ここ十年間「中国勢・シンガポール」が三分野ともトップクラスを走っていることだ。また、総じてアジア勢が強いのだ。これも教育手法の違いによるのかもしれない。もしこれが生徒一人一人の「個」に軸足を置いた教育の結果だとすれば、よくよく考える必要がある。

先に話した『シン・ニホン』で安宅和人教授は「『全員同じ教育』をやめる」と題して、「そもそも才能はそれぞれに違うのが当然であり、こだわるところもつまずくところも異なる。それが未来を創造する芽となるわけだが、それを一人ひとりケアすることが本来、情熱と才能を解き放つ上で大きな力になるであろうことは間違いない」と言われる。

そのとおりだ。フィンランドの教育に相通じると思う。我が国の「一律（右向け右）教育」に最も欠けているところではないのか。別の重要問題として学級崩壊、不登校などの現象も帰するところは、この教育システムにあるのではないかと思う。教育学者・苫野一徳氏は「落ちこぼれ、不登校の最大の原因は、教室の〝同質性〟にある」と指摘される（『文藝春秋オピニオン・２０２０年の論点１００』）。そのとおりだ。

また、これに関する事項として『新しい「教育格差」』の著者の増田ユリアさんは、同著でフィンランドは「教師の育成が充実している」旨指摘されている。具体的には「教員の資格をとるためには、修士号の取得が義務づけられていて、大学で五、六年かけて単位を取得しなければならない（略）単位数は日本の教職課程の三倍にも相当する。さらに教職課程で最も重視されているのが（略）『総合演習』に相当する講座」との指摘だ。「総合演習」とは、個別教科を超えた課題（環境問題とか）について話し合う講座で、個別教科枠に縛られずに多面的にモノゴトを考えていくには望ましい学習講座だ。これも国として優秀な教師を厳しく育成し、生徒個々人を重視し個別の思考力を鍛える教育内容として参考にすべき指摘だと思う。

若者　いずれも重要な指摘ですね。ところで、以前からの課題である「ゆとり教育」と「考えさせる、力を引き出す」という教育手法との関係はどう理解すべきですか。

老学者　履修時間数の多少が「ゆとり教育」との関連で語られるが、本来議論されるべき「ゆとり教育」とは、学ぶ者が「楽しんで勉強ができ自主的に自分自身が考えて取り組むような教育」と僕は解釈したい。あくまで「指導手法の問題」と思う。

この種の課題については、随分前から議論はあるようだ。「一〇〇年も前」に鋭い指摘がなされている。大正十年、寺田寅彦が『アインシュタインの教育観』でアインシュタインの考えを執筆・紹介しているのがそれだ。内容は教育上大いに参考にすべきと思う。

主旨は「有能な人は能力分野が偏ること、特定能力にとってムダな試験とかそのための意味のない教育についての批判」だ。例えば、教育については「『鋭敏に反応する』ように教育すること『精神的筋肉』を養成することが重要」とし、それには「自分で考える修練に重きをおいた教育が有効」「個性的傾向を考えること（略）性に合わない学科でいじめない」「教師はいろんな下らない問題を生徒にしかけて時間を空費している」これは「罪科」だとする。また「教える能力は面白く教えることである（略）生徒の心の琴線に共鳴を起こさせるよう」にすべきと言っている。試験については「無駄な生徒いじめの訓練的なことは一切廃するがいい（略）人工的にむやみに程度を高くねじり上げたもので（略）後ではすっかり忘れて（略）何年もかかって詰め込む必要はない」などなどだ。

また、天才歌人の石川啄木は、明治二十年「日本の教育は……昔の寺子屋教育よりも劣っている……教育のミイラである。天才を殺す断頭台である……日本の教育者は五尺二寸と相場の決った凡人のみを養成しておいて……」と当時の教育制度を批判している。

アインシュタインも紹介者の寺田寅彦も「この時代（二十世紀初頭の話）に」と思うと大いに感心するし、啄木もさすがに天才だと思う。

これらは「特定時期に同類型の人間をつくりあげる」教育であり、これこそ「ユトリなき詰め込み・画一的教育方法」への批判であり、現今の日本の「特定時期に過剰とも思える知識を詰め込む教育」の批判にも通じる。これら先人の見解については「教育の本質論」としてよくよく心すべきことと思う。アインシュタインを例に出していることからも、かくなる教育が「いわゆる天才肌の人材」や気質が類似する「改革型の人材」などにあまり馴染まないことを示唆しているとも理解できる。もちろん中にはかくなる教育内容でも天才肌の人はいるだろうが「ごく少数」だろう。

教育哲学者の村井実氏は「日本の教育は、一〇〇年以上も前の明治時代以来、文部省の姿勢として権威主義であり、創造力の開花を大きく阻んできた」旨の指摘をされている（同氏著『近代日本の教育と政治』）。先の寺田寅彦らの指摘がいまだ改革されていないということになる。

教育問題がいろいろと語られる今日、国としてよくよく噛み締めて考えないと、今後「文明・社会の進歩に寄与しうる人材を生み出しえない」ことになるかもしれない。「いついかなる場合でも真に有為・有能なる人材が生み出せるような仕組み」にしないと、特にこれからはダメだ。そうしないと、国力・社会の衰退を招くことになりかねない。

若者　この課題に関連すると思いますが、最近は「脳科学」でも語られています。

老学者　茂木健一郎先生も学問の領域でいろいろな指摘をしておられる。先生は「ひらめき」を重要視されておられるね。エジソンの一パーセントのひらめきこそ重要だと指摘されている。これとの関連で「過剰な詰め込み教育」を疑問視し、むしろ「発想をゆたかにする」には「自然との触れ合い」の方が必要とも言われる。

また「多変数解析関数論」という、世界でもほとんど理解できる人がいない理論を生涯の研究テーマとされた天才的数学者の岡潔先生も、「自然と日本人特有の情緒」を大事にされていた。

関連する話と思うが『脳には妙なクセがある』の著者・池谷祐二さんは「脳は何のために存在するのか？」と題して、もともと「非言語的な身体的世界に脳は暮らしていた」、言語的世界は生物にとって新しい機能であるとされ、この「ごく初期の生物を見た方が脳の役割がわかる」と言われる。このことからも脳にとって身体を伴う自然との接触がいかに重要かがよくわかるのだ。

「発想」はそういう「ユトリ」から生まれるのではないのか。人生の挑戦の機会を若年の一時期に「限定しすぎる、一、二度で決めてしまう、決められてしまう」から「ユトリ」なき「詰め込み教育」がなされ、結果「ひらめき」とか「発想の豊かさ」や天才肌の脳の基本とされる「直感力」の醸成・育成・社会的評価が阻害されているのではと思う。このような脳の使い方は「豊かな脳」の開発には必ずしもつながらないのでは、と思う。

発達時期に重要な、自然との接触機会を遮断しかねない我が国の従来からの教育制度はどうあるべきなのか。それでも僕らの少年時代は、夏になると木に登りセミをとったり、小川でフナをすくったり、池（「焼夷弾」の落ちた跡もあった）のそばで銀ヤンマなどのトンボとりをしたり、自然に触れる機会は随分多かった。心にユトリがあったし、そういう意味で豊かであった。

現今はどうなのか。生活内容が大きく変化しているとはいえ、野山を駆け巡る子供たちの姿、いればいいのだが、あまり目にしない感じがする。その上、教育制度が改革されないとなれば問題はさらに増す。

若者　「発想」に関連する話としてですが、天才肌の人物には、学習上「何らかの問題」を有する人もいると聞きます。

老学者　一般人とは違うところがあるからな。もともとこの種の脳構造は通常の学校教育にはあまり馴染まないのじゃないのか。「発想・ひらめき・直感力」に「画一教育」など不要と言えるのかもしれない。『天才はなぜ生まれるか』（正高信男著）には、天才と言われた人（エジソン・アインシュタイン・ダビンチ他）の個別的分析を介して、「脳機能の一部不全が、不全でない機能に素晴らしい特別のものを開花させる」主旨のことが述べられている。この「一部不全」（型どおりではない）こそ脳の偏り（全般性・一般性には欠ける（？））が、特定分野は「ものすごい」）を意味するのではないのか。これをどう活かしていくかだ。教育について「別の考え方」が必要だ。「改革型人材・新価値創造型人材」を育成するのにも重要な視点だと思う。

さらに別の角度からの話になるが、米村伝次郎という科学実験プロデューサーが、理科教育をテレビ番組で実施していた。あの内容はユトリ教育の一種と思うが。必要な知識を詰め込むのではなく「楽しんでワクワクしながら」理解しようとするうちに、自然に興味を持ち知識となる教育手法だ。大人でも見ていてためになるし面白い。授業に参加してみたくもなる。このような教育の中に「創造力」は自然に醸成されると思う。

高等教育を改革していくにしても、初等教育段階でこのような思考力を自然に身につけさせないとダメだ。実験の多い理科系教育中心ではあるものの、文科系教育でも「工夫次第」でできると思う。いずれにせよ「ユトリ」の意味をよくよく掘り下げる必要がある。

なお、このような詰め込みでなく「楽しく学べる」ような教育手法でも、勉強嫌いな子はいるだろう。それはそれでよいではないか。無理に勉強はさせずに勉強とは別の道を見つけて伸ばすべきだ。無理に押しつけてもその人を不幸にするだけだ、と付け加えておく。

若者　そう思います。次に「徳育」「道徳教育」が言われて久しいです。どうなっていますか。「徳育」は知識のみならず、人格・情操を高める教育で「実践」も重視されます。先に話のあった「人物たる人材」の開発には必須ですよね。

老学者　義務教育で重要なのは、「人間教育（『人物教育』とか『人格教育』と言ってもよい）」だ。現状、不足しているのではと危惧している。「徳育」とされるこの教育はきわめて重要だ。まずは「人間としていかにあるべき」か、生き方の基本になる、ものの見方・考え方を学童時にきちんと（平易に、素直に）身につけさせる必要がある。早い方がいい。純粋な気持ちで受け入れられ「おのずと身につく」からだ。

昔は幼少時に親孝行など「偉人伝」とか「昔話」などで「模範となる人」が語られ、自然に習得したものだ。歴史などを通じて「人間として立派な生き方をした人」を紹介するのも「徳育」になろう。関連するものとして国・社会に対する「国民としての意識の持ち方（公に思いを致す）」の教育も必要だ。国旗掲揚・国歌斉唱云々などの外形行動面もさることながら、自国に理解と誇りを持つ教育ということになる。

これができない人が「国民としての幸福論」を語ることはどうなのか。この種の話がなされると右翼とか軍国主義などと批判する人もいるが、誤解も甚だしい。これはきわめて素朴な次元の「人格形成」の話だ。

もっともこのような教育を受けなくても、自然に国・社会に対する関心の深い人も多数いる。阪神淡路大震災・東日本大震災やその後の自然災害などでの奉仕活動にみられるようにだ。これらの社会への奉仕の精神のある若者はたくさんいる。立派だ。

だが、きちんと教育をするに越したことはない。先に触れた「人物とされる人材」（人間としての優秀者）の源泉にもなる。人生には「人を思う心」が大事、これを幼少時に習得させることだ。物質文明が発展すると、この点が大いに欠落してくる。欲得にかられた利己主義的な人間が増える、嘆かわしいことだ。

徳育に関しては「歴史教育」も重要だ。日本の歴史教育に現代史教育があまりないことは問題だと思う。学童期（高学年）から親しみやすく易しく教えるべきだ。「身近に感じられる」現代史に触れ、人間の繰り返した行為を知ることにより、自然と「徳」なるもの、「善悪」についての認識も生まれる。現代の世の中の激しい変化・動きを学べば、それを通して「人間なる者の何たるか」を相応に理解できるであろうし、あるべき姿も思い描くことができよう。その中に「道義」を重んじた現代人物伝を入れればなお参考にもなろう。

「徳育」に関し強調したいのは、「芸術教育を大いに充実」すべきということだ。人間を豊かにする。音楽・絵画など知識的教育だけでなく「観賞、実演・創作」授業に力を入れるべきだ。これは「美育」という独立したとらえ方があるが重要だ。

例えば音楽について言えば、日本の抒情歌。いつ聞いても心を洗われる。素晴らしいではないか。日本の原風景を彷彿させるし、季節の到来を感じさせるなど心が和む。幼少期に耳に触れさせ自らも口にするなど豊かな心を醸成すべきだ。西洋音楽も同様。何かを思考するとき耳を傾けると本当に素晴らしい。自ら楽器を手にするのも大いによい。音楽のみならず絵画も同じだ。晴れれば野山に出かけ風景を描くとか動植物を観察し絵にするとか、自然との触れ合いもできて良い。

ユトリ教育を掲げるならば、授業時間の長短や教え込む知識量の多寡を論じるだけでなく美育の充実も重要、これは「徳育」と同根だ。人格形成の一助をなす。「こころのゆとり」、本当に大事だ。良い意味での「遊びごころ」にも通じる。モノゴトの進歩には重要な要素であり、小さい時から養う必要があると思う。

最近は「高度科学技術」にもこのセンスが活用されているくらいだ。例えば、近未来の無人自動車、これは室内が「遊びの空間」になっている。動くリビング・ルームでもある。「人間性と科学の融合する時代」なのだ。

いずれにせよ、「芸術教育」については習い事も否定はしないが、経済的理由での格差を生む。やはり学校でこの教育時間を充分にさくべきではないのか。

とにかく「知識」ばかりに眼が行き、それを社会的評価の対象にしすぎると、「頭デッカチのココロなき人間」になり、そのような者が世の指導者になるとイザというとき責任感もなく「自己中心、自己保全・保身」の「真心・タマシイを感じない言いのがれ・言い訳・へ理屈」などに走るロクデモナイ人間社会を生み出すことになる。

これは社会を腐敗させることにもつながる。今後文明が進歩すればするほど「こころの豊かさ」が求められよう。教育の重要着眼点として腰を入れて取り組まねばならない。

この「徳育」はそれに関する知識も必要だが、「実践教育」も大事だ。口だけでなく肌・行動を通して体験学習し、身につける必要がある。

また、課題とされてきた「生きる力」との関連では、古来より語られてきた世の中のために身を投じた歴史的人物についての紹介教育（伝記・偉人伝、苦労話）を、生まれ育った地の訪問などを通して肌で感じさせるとか、伝える方法に工夫をこらせば、生徒はおのずから生きる意味や生きる力について考える機会を得るのではと思う。

また、夏休みなどを活用してボーイスカウトやガールスカウトなどの体験入隊などを経験させ、ボランティアとか奉仕の精神を身につけさせるのも必要だ。学校でそういう機会をつくるのだ。放課後すぐに「塾通い」など、言いにくいが「どうなっているんだ」と思う。そこまでして、人・社会・国のための人間になれるのか、疑問だな。

「地域の人（高齢者）と語る時間」を学習内容にするのもよい。さまざまな人生経験（生きる知恵を知る）を耳を通して聴き感動することも「力」になろう。また「農作業・野菜づくり」などを手伝い、自然と触れることも「力」になる。土に触れたり、動（昆虫など）植物の生きる姿の素晴らしさを体得できる。履修内容にしたらどうか。

若者「体育」はもっと強化しなければならないと思います。今話した「人格形成」にも連動します。「体育」の目的は「健全な身体の発達を促し運動能力や健康で安全な生活を営む能力を育成し、人間性を豊かにすることを目的とする教育」とあります（『広辞苑』）。また、学習指導要領にも「健康の保持増進と体力の向上をはかり、心身ともに健康な生活を営む態度を養う」とあります。「健全な体」は「健全な人格」にも相通じます。世の中では「心身のバランス」が常に問われますよね。運動・スポーツ・体操などはその方法・手段になりますが、上手・下手ではなく、基本は「体を動かす・鍛える・基礎的体力をつくる」ことが重要なのです。「体育」授業を云々する前に、今の時代、あまり外で逞しく遊んでいる子供を見かけません。そもそも、体をどう鍛えているのか心配です。

老学者 日本の教育は総じて「頭デッカチ」だ。これではいけない。健康な体の維持・向上は生活上・人生上きわめて重要だ。そのための教育の重要性は論じるまでもない。「彼は、体育会系」などという言葉に象徴されるように、体育系となると偏見を持つきらいが日本人にはあるようだが、とんでもない話だ。健全な肉体の涵養《かんよう》はすべての前提だ。学童時代に外で思い切り遊ぶことは当然のことながら、都会で環境に恵まれない場合は学校としてそれに代わる何かを考えるとか、とにかくもっと「体を動かせ」ということになる。

このことを前提に「健全なる肉体」構築を目指し、これを初等教育時代にどう展開するのか。教育としての「体育」について、その目的がきちんと樹立されている必要がある。宮下充正氏はその著『体育とはなにか』で「スマートな身のこなしの獲得を」と題し、脳の発達を活発にするためにも「体力の構成要素の発達を考慮したカリキュラムをつくり、自由な身の動きのできる子供を作りあげるという点に、体育の目標を置くべき」と言われる。重要な指摘だと思う。

「体を動かす」という基本的なことの重要性、存外忘れていないか。生活（人生）の基本的重要要素なのだ。先に触れた外遊びも「体を動かす」ことの自然な姿なのだ。

昔、僕らの少年時代は日が暮れるまで外で遊んだものだ（トンボとり・セミとり・フナ釣り・ザリガニとり・メダカすくい・カエル釣り・ターザン遊び・くぎ差し・たこあげ・コマ回し・石ケリなどなど）、いつも「勉強もせずに何をしておるのか」と親に叱られたがね。これが、自然に体を丈夫に仕上げているのだろう。同時代の皆さんも「よく遊んではいた」が、今の日本をつくりあげるのに貢献してきているではないか。

学校も「外でよく遊ぶ生徒を評価するシステム」を導入したらと思うくらい、今の生徒は外で体を使う遊びをしないのでは、大丈夫なのか。都会だけの現象かもしれないが。

いずれにせよ、このような基本的考えが教育上重要な視点になろう。国民全体の「体力&健康の維持・向上を目途とする教育政策」をきちんと出さねばいけない。人材育成の一つでもある。「体育は人間教育」にもつながるのだ。教育目的を散漫にしすぎてはいけないが「文武両道」とも言うだろう。「知力」も「体力」「精神力」がなければ発揮できないとも言える。

文武の「武」の意味するところは、高橋華王著『武道の科学』によると、

「日本武道には（略）精神的修練の苦しみのなかより自己の安心立命の境地を得ること（略）が求められています。しかし、もともと武道とは（略）術を究める道を説くものであり、技を反復訓練し自らの心身を鍛えるものです（略）科学万能の時代になっても本質的には不変のものです」とある。よくよく噛み締めるべき内容だ。

義務教育時代に先ほどの「外遊び」も含め、「体を動かすことにより体力の基本をつくり、体を鍛える」教育と生活指導を強化・推進してもらいたい。言うまでもなく、モノゴトの「改革」をなしていくには心身ともに健

康でなければなしえない。「改革志向型人材」「人物たる人材」にも当然求められる重要要素でもある。

ちなみに僕も学校時代（義務教育時代も含め）に基本的体力醸成（水泳・筋肉を鍛練する運動など）のクラブなどにいたおかげで、ベースとなる体力は今のところ維持されている。幸いにして同窓で集まる元気な友人も、全員何らか運動歴（剣道・柔道・空手・ボディービル・登山・テニス・スキー・スケート・野球など）のある人たちだ。

若者　基本をきちんと踏まえた上でスポーツにチカラを一段と注ぐことになりますね。競技の上手・下手が話の先に来ては本末転倒でおかしくなります。

老学者　そのとおりだな。指摘のとおり体育とスポーツとは違う。スポーツは「体育」のための方法・手段であり、競争と遊戯性（楽しむ、スポーツの語源はラテン語の「遊ぶ・気晴らしする」に由来する）を有する運動競技の総称だ。「体育」は二〇二〇年のオリンピック東京開催（「コロナ問題」で二〇二一年に延期）を契機にするまでもなく「本来力を入れるべき」ものなのだ。

ゆえに、スポーツ基本法の制定やスポーツ庁を設置したのはよいが、その目的は単にオリンピックをはじめとする競技技術の向上だけでなく（もちろんそれだけを目標とするものでないことは承知の上だが）、「世界に冠たる人材は、健全なる肉体が前提」にあるとする基本思想の普及も重要な役割だと思う。各種国際試合のメダル数が多ければソレデヨシという表層的なことだけではない。

「スポーツ力」は「国力」を反映していると思う。メダル数はその一部を反映しているにしかすぎない。重要なのは、豊かな市民生活実現のため国民一人一人の「健全なる肉体」の維持向上であり、すなわちそのための「体力の維持向上」なのだ。

その上で、競技などの話になる。競技力について言えば、日本の現状を見るに最近の各スポーツ界での活躍は目をみはるものも種々あるが、まだまだだ。それも競技試合の関連で言えば現在のところ、選手個人の努力やスポーツ団体への民間の支援に負うところだが、国として長期的視野に立ったスポーツ政策とそれを担保する予算も確保し相応の支援をしていかないと、活躍が限られた範囲になり一時的なものに終始することになりかねない。だから、この面での人材育成にも長期的に取り組む必要があろう。学童時代に優秀なスポーツ選手の活躍ぶりを見聞きすることは教育上よいことだ。それを目指す人材教育にもなろう。これも「体育の一種」になる。

課題とされる「生きる力」との関連でいえば、競争とか技という技術的側面もさることながら、「忍耐力とか持続（持久）力」を養成できるスポーツ・〇〇道にも力を入れるべきだ。「高い精神性」を同時に養成できる競技も科目として力を入れるといい。「心身の鍛練」をこの時期にピシッと基礎づける必要がある。

戦争直後のような貧乏時代でない飽食の時代だからしようがない面もあるが、本来「生きる力」たるもの、人にとやかく言われるものでなく「自然に習得されてしかるべき」とは思うが、教育も必要。総じて「逞しく育てる」ことだ。先に話したフィンランドも、何事にも屈することのない「フィンランド魂」養成を教育目的の一つにしているようだ。

若者「三育」について「きちんと厳しく教え込み、投げかけ、個の力を引き出す」のが義務教育の役割ですね。この教育に「甘やかしは不要、ただし、楽しく豊かに」だと思います。

これと「無用な受験教育」とは根本的に違います。無用なことに力を入れて肝心なことを看過してはいけません。普遍的目的（「本来人間としてどうあるべきか」）はもちろんのこと、「国としての人材養成」からみても重要な教育期間です。

国もいろいろ取り組んでいるとは思いますが「真の人材育成」という大きな課題にはまだまだ課題山積ではな

いでしょうか。義務教育はこの両視点からのベースづくりになります。

老学者　現状、何となくスッキリしない。社会が教育機会（特に大学）を「世間的に良いとされる職業」を得るための「便宜的手段」と位置づけし「難関・有名大学」を目指すことに目を奪われすぎる傾向にあるため、学童時代から「過剰とも思える知識教育（お受験教育）」に走りがちだ。その結果「あるべき知育」と「徳育・体育」が軽んじられることになってはいけない。「知育」も受験用の「その時限りの知識習得」では話にならない。そういう傾向が強いのでは、と思う。

義務教育は受験云々は切り離し「人間としての基本」を教えるべきところだ。ゆえに**「知育・徳育・体育」とも「基本事項の習得は厳しく徹底すべき」であり、これを「個性」を尊重しつつ「思考・想像・創造的能力」を育成する「自由性に富んだ教育手法」で実施することだ。教師による一方的教育ではいけない。自分で取り組むとか考えようとしない、あてがいぶちの小さく固まった面白味のない人間しか生まれないような教育ではダメだ。人格教育も重要、いわゆる「人物」もこの時期に素地が養成される。**「善良なる人間」はもとより「歴史を創り世界をリードできる人物」の思考・行動の「基本」はこの時期に養成される。

先にも触れたが、歴史をたどれば日本が近代化に即応できたのも、それまでの「寺子屋（庶民子弟）・藩校（武士子弟）」などにおける「基本教育（学問・武芸を教えた）」が全国的に普及していたことがベースにあるとも言われている。その歴史的延長とも解釈できる義務教育は「きわめて重要な人材養成の基礎」になる。

二の三　高等教育（大学・大学院教育）……一段と「質的」強化が求められる時代だ……「体制の改革」と「選抜方法の見直し」が必要では？（世界に冠たる「頭脳集団」づくり、「偏差値、関連する試験制度や学力の社会的評価など」）について考える。また、「多様な人材」の開発などなどの課題を問う

「高等教育体制」に「国際的視点」から一段と強化しなければならない

仮になくても「質」の低下はないのか？

若者　問題は「高等教育」です。「高等教育」は「高校普通・専門教育」を含む場合もあるようですが、これは後期中等教育と位置づけ、ここでは主として「大学・大学院教育のあり方」を前提に話をしましょう。

今後「高度科学技術」を国力強化の基盤（ベース）にし「高度科学技術国家」を目指すとなれば、きわめて重要な課題になります。大学・大学院の教育・研究体制をどう強化するのか、また人材をどう選抜・育成していくのかを問う必要があります。国・社会を「進歩・変革」させていくリーダー（「改革志向型人材・新価値創造型人材」）を養成するにも重要です。

老学者　**大学の基本的「存在意義」は「知の拠点」として「人類文明の進歩に貢献し、時代を切り開いていく」ことにある。**日本の大学は、現状いろいろ問題を抱えていると思うが、**なかでも大きな問題は有識者から「質の低下」が問われていることだ。**「存在意義」からも「質の低下」など当然のことながらあってはならないはずだ。

個別の大学（院）にもよるが、**仮に質の低下がない場合でも「国際的レベルからみて一段とレベルアップをはかる必要性がある」と言われている。何らかの手を打たないと、世界の優秀な高等教育機関に水をあけられてしまう。**「高度科学技術国家の維持・発展」どころの話ではない、真剣に考えないといけない。

時代はますます「イノベーティブ社会」になる。第一話でも述べたように、今後は「高度科学技術」社会の急速な進歩により、一段と「思考・想像・創造的能力など革新的能力」が求められる時代・社会になる。ゆえに先に述べた「改革志向型人材・新価値創造型人材」がますます重要になり、この「活性化」には真剣な論議が必要だ。我が国は、この命題に「充分対応しうる高等教育・研究体制」であると言えるのか、そのための「人材の選抜・育成」に問題はないのか、これを真剣に問う必要がある。

仮に優秀な「改革志向型人材・新価値創造型人材」がいても、これを「活かす」に充分な教育・研究体制でなければ「宝」の持ち腐れになる。人材の多くがより進歩的な環境を求めて「海外に赴く」ことになる。これではいけない。

まず「体制」についてはは質的に問題はないのか。第一話でも話したノーベル化学賞受賞者の野依良治さんは、「基礎科学の指標である論文発表シェアが十年間で八・五パーセントから五・四パーセントへと激減している」、また「論文数は五位、被引用数トップ十パーセント論文数は七位で、割合はＯＥＣＤ加盟国を中心とした主要四十カ国中三十一位と悲惨である」（二〇一三年時）と指摘、「教育研究のシステムを時代に適応すべく刷新する必要」を訴えられている。また同氏は「旧態依然たる高等教育の状況が心配だ」とも言われる（『日本未来図・２０３０』自由民主党国家戦略本部編）。

これに関し、最新の『科学技術白書（二〇一九年版）』では、二〇〇四〜二〇〇六年から二〇一四〜二〇一六年の十年間で国際比較において論文数は二位から四位へ、被引用トップ十パーセント論文数は四位から九位へ後退しているとのこと。大丈夫なのか、と言わざるをえない。

科学ジャーナリストの馬場錬成氏は「日本の科学力はどこまで落ちるか」と題して、主要国における科学技術予算の推移、研究費の政府負担割合、大学の特許出願件数、質の高い論文の世界的影響力などについて「いずれも低い」と日本の科学力の問題点を指摘されている（『文藝春秋オピニオン・2018年の論点』）。

二〇一九年、令和最初のノーベル化学賞（リチウム電池の研究）を受賞された吉野彰氏（旭化成株式会社・名誉フェロー）も、日本の研究力について心配されている。

また、先に話した『シン・ニホン』で安宅和人教授は「5章　未来に賭けられる国に－リソース配分を変える」と題して、「1　圧倒的に足りない科学技術予算、2　日本から有能な人材がいなくなる……」などなど、科学技術について多くの問題を指摘されている。

例えば、1では「『人づくり』とあらゆる国力のもととなる『科学&技術開発の力』がもっとも大切なアジェンダでないような国や企業に未来などはない」「科学技術予算は入れれば入れただけ論文数、すなわち競争力につながる……相関係数は〇・九五二」と指摘される。

2では「若手の助教、講師クラスで世界クラスの研究をしている人はポロポロとこの国を去っていっている（略）このまま続けば、トップ大学の教員といえど（略）ある種B級人材が大半になってしまう可能性もある」など鋭い指摘・警告をされている。国・政府はどこまでこの辺の問題を認識しているのか。大丈夫なのか、大いに心配だ。

若者　いろいろ問題アリですね。論文に関しては質の高低・数の問題もさることながら、不正事件も指摘されてきています。先のSTAP細胞問題は世間を大いに騒がせましたが、かの東大でも少し前の話ですが疑義のある論文不正事件があったとのこと。榎英介氏が『文藝春秋オピニオン・2015年の論点100』で論評しています。
米国・学術情報調査機関（クラリベイト・アナリティクス社）が二十二分野別・被引用論文数世界上位一パーセント（「高引用論文」という）を毎年順位を付け発表しています。その上位一パーセントに入る我が国の研究機関で断然トップを行く東大（「本当に強い理系大学」週刊・東洋経済による）において、そもそも話題になること自体がどうかしていますね。なぜなのか。もし、これが「体制」のなせる結果だとすれば問題です。

また、日本では良い論文を作成しても、ノーベル物理学賞受賞者の中村修二カリフォルニア大教授が指摘されるように、研究内容についてその道の権威者とされる先生の論文を引用しないと「ボツ」にされるとかがあるようです（同氏著『怒りのブレークスルー』）。これじゃ話にならないですし封建的極まりないです。これも「体制」問題の一種でしょうか。米国では内容次第でスムーズに評価される、当然のことですが。純粋であるべき学術の世界でこのようなことでは。やはり体質に問題アリですか。

老学者　高名な有識者の指摘だ。体質に何らかの問題があるのだろう。今後、日本の科学教育&研究体制、その象徴である「大学・大学院」をどういう存在にしようとしているのか。基本に立ち返り問題を解決する必要がある。

特に国立は国立大学法人として「国民の税金（運営交付金）で運営」されているのだから、一段としっかりする必要がある。「質の低下は納税者（国民）の期待を裏切る」ことにもなろう。ゆえに国の責任においてきちんと問い直す必要があると思う。私立大学は「良識」のあるところは原則「自主独立」で、それなりに「建学精神」に基づき運営していると思うし、もともと自由に運営してよいとは思うが。

いずれにせよ「大学・大学院」の質の向上については、社会的責任があることは論じるまでもない。

若者　入試は塾に行かないと解けないほど難しい問題になっているのに、入学できた学生とそれを指導する教職員の「質が問われる」とは、おかしな話です。これは体制の質的問題のみならず人材の選抜・育成方法にも問題があるのでは、と思います。

一方で、国としてはノーベル賞受賞者を増やそうとしています。大丈夫ですか？

老学者　ノーベル賞について二〇〇一年の「第二期科学技術基本計画」では、今後五十年間で少なくとも「三十人の受賞者」を出そうとしている。日本は物理学賞に強い、特に実験物理学に強いのが特徴だ。これは応用技術を生み出し、特許とか産業の振興にもつながる。国として力を入れるべき視点だが、この点からも「体制の質的低下は大問題」だが、人材の選抜・育成についても問題がある。この点は先にも触れたが後でも詳しく論じたい。

ノーベル賞の吉野彰氏は、現在科学がいかに発展したといえど、人類が解明すべき科学的課題はいくらでもある、まだまだ「一、二パーセント程度」にすぎない、と受賞の喜びの対談で言われている。科学技術の開発・研究はまだまだこれからも続く。

この課題も含め「体制の強化や、人材の育成」の必要牲は今後も永続する。ゆえに高等教育の「質を一段と高める必要性」はますますある。主として科学技術を念頭に置く話になるが、全体的事項にも関連する。

いずれにせよ、思い切った改革など何らかの対策、さらなる取り組みが必要。難しい課題でもあるが一段と本腰を入れて取り組まねばならない。

大きく三つの課題がある。第一は「**体制**」**の問題として**「**高等教育**（**大学・大学院**）**の現体制の見直し**」、第二は「**人材選抜**」**の問題として**「**選抜方法**（**入試**）**の見直し**」がある。この二つは改革事項だ。第三は、今後の留意事項（取り組み推進）として「**多様な人材の育成、研究者の活気の維持・向上、研究拠点づくりの促進、ユニークな大学・学部の設置や運営方法の推進、地方創生への貢献、大学数の多寡の検討、国際化への対応**」がある。いずれも国公私立大の共通課題だが、第一については「納税者の立場」から「国立大を念頭」に話す。

Ⅰ　「体制」の問題

「大学・大学院の現体制」を見直したらどうか。「現状のドラスチックな改革」か「現状を前提に体制の強化」か（納税者として、国立大学を念頭に考える）

1　「現状のドラスチックな改革」について

若者　第一課題（体制）について、改革も「現状をよりよくする」と「現状を打破しドラスチックに変革する」とがあります。前者ですと学術予算を増やす、研究設備を大幅に更新する、学部の構成を変え再編する、講座の内容を刷新する、時代に適合した学部を新設する、教授陣を見直す、運営・評価体制を改善する、学生数を絞るか内容により増やすなどが考えられます。真剣に取り組めばそれなりの改革はできるとは思いますが、日常的発想にとどまり抜本的にはならないかもしれません。仮に現状を「大きく変える」としたらどのような考えがありますか。

老学者　先に話したＭＯＯＣ（ネットによる世界の大学授業の無料・受講システム）なるものが世界的に波及しつつあり、普及次第では「従来の大学は不要になる」とも言う。将来大学は「研究機関」としては残っても、教育機関としては不要になるかもしれない。このような時代に鑑みると本当は思い切った改革が必要なのかもしれない。

いずれにせよ改革により目指すところは「**世界に冠たる、日本発の総合的・頭脳集団づくり**」だ。とにかく大学・大学院を質的に「さらに一段とレベルアップさせた頭脳集団」にするにはどうするかだ。

特に税金を投じている国立大が矢面に立たねばならない。僕の経験からすると、国立大のそれも理科系は学問的優秀者が多いはず。きちんとした学術政策を国の責任において考えないと人材を失うことになる。

若者　大前研一さんは『最強国家ニッポンの設計図』で、国立大学について、時代における存在意義のなさ、皆同質で特質が見られない、私立大学のパワーアップなどの見地から「不要」としていますし、中川秀直さんも前出の『官僚国家の崩壊』で道州制の導入との関連で触れています（道州立にする見地から不要とする）。今日に至っては、「不要論」も極論ではないかもしれませんが。

老学者　僕は不要とまでは言わないし思わない。個別に大学をみれば、皆相応に頑張っていると思う。世界にある多数の大学の中で「上位校（五パーセント）」とされる大学のうち日本は米国に次ぐ位置（数）にあり、そのうち「国立」は相当数を占めている。だから「低下をさせずむしろ強化する」必要がある、とするのが僕の考えだ。

「必要」を前提に「どのように一段と質的に高めるか」の問題だ。現状を前提の強化は当然だろうが、「大きく変える」とすれば「思い切り仕組みを変えてみる」ことになるだろう。ゆえに国の責任においてよほど腰を据えて取り組まないといけない、どう見直すのか。「国立大学協会」は当事者として真剣に取り組もうとしているとは思うが、僕のような市井の者が「国税納税者」として自由に思いを述べるのもよかろう。

「思い切り」だから、あくまでも「理屈上」ではあるが、考えを話そう。案としては、

①国立大学を「すべて国の高度研究機関」にし、重複する部門を統廃合する。
②「一部有力国立大学を国の高度研究機関」にし、重複する部門を統廃合する。
③国立大学を「すべて大学院大学（学部はなし……全学部ないしは理科系学部対象）」にする。
④「一部有力国立大学を、大学院大学（学部はなし……全学部ないしは理科系学部対象）」にする。
⑤国立単科大学の統合による総合大学化と、地方の国立大学の地域を超えた統合をする、など何らかの形態を

もって複数の大学を統合する。

⑥国立大学を全部私立大学にする。

の六つが「変える」方法として考えられる。

このうち発生が予想される現実的諸問題を一応抜きにし、「世界に冠たる、日本発の総合的・頭脳集団づくり」を目指すならば、④の「一部有力国立大学を大学院大学（学部はなし）にする」という考えと、⑤の「国立単科大学の統合による総合大学化と、地方の国立大学の地域を超えた統合など何らかの形態での複数大学統合化」の二つが、大学・大学院の「質的強化論の観点」から「議論に馴染む」と思う。

まず前者について言えば、世界を相手により強化すべきは科学技術分野だろうから、「理科系学部を対象にする」ということでもよい。仮に理科系学部対象ということでも、この考えに立てば一部有力大学院大学に理科系学部分の予算を投じることができるし、さらに「全国の大学・理科系学部から優秀な頭脳」をこの大学院に集めることにすれば増えた予算も生きる。学生の集め方も現行の学部学生用の入試でなく、本質的な「学問的頭脳の選抜」をすればよいのだ。

また、有力大学理科系学部がなくなれば、学部入試の理科系大学序列は緩和されるだろう。さらには現行序列の結果として、国の文教・研究予算が一部の有力大学学部に偏ることも少なくなろう。

高橋洋一著『日本は世界一位の政府資産大国』によると、少し古いが二〇一一年度の東大に対する国の出資金は一兆円を超え、この額は他の旧帝大と比較して桁違いだと指摘されている。他は約一五〇〇億円から約二七〇〇億円だ。事実ならあまりにも偏在しすぎではないのか。この場合は文科系・理科系合計金額だろうが。

現在はどうか、変わっていなければ、より平準化しないと全国的に見て隠れた人材を失うことにならないか。今話したように改革すれば、このような偏在問題も少なくなろう。

参考までに著者の高橋氏は元・旧大蔵省官僚であり、同著で母校・東大の私大化についての考えも述べておられる。ついでに話すと東大をはじめ有名国立大学を優先的に「私学化すべき」と言う評論家もいる。理由は、国の管理・干渉を受けずに優秀者が大いに「自由な研究ができる」からだとする。

いずれにせよ、この考えでいけばこれ以外の多くの国立大学の歴史・社会的貢献内容や現状の活躍内容を阻害することもないし、改革に要する時間と膨大な費用、あるいは改革後の効果への疑念や予想されるプロセス上の混乱なども抑えられよう。また、総体的に地方の大学・学部の強化がはかられるだろうから「地方創生」にも寄与できる。並行して、必要ならば国立の理科系研究機関の再編をも推進すれば、同一テーマでの頭脳の拡散もないし、過度な研究競争も減殺《げんさい》されると思われる（もちろん、適度な競争は必要である）。

若者　「有力大学の理科系・大学院大学（学部なし）」ということですよね。もともと一九八七年に始まった（大学審議会の諮問）、大学改革（九一年の答申による）は各大学の内部改革が中心でしたが、国ベースの大きな改革としては「大学院大学（独立大学院）創設への取り組み」になります。「総合研究大学院大学」をはじめとして「先端科学技術大学院大学」「政策研究大学院大学」や「専門職大学院大学（法科大学院・教職大学院など）」などが設置され、これに伴い「大学院重点化大学」もできました。

高度知識社会を前提にした「この流れ」を考えますと、今話した考えは「理屈の上」でも決しておかしな話ではないと思います。

老学者　ただ、仮に国立の一部有力大学を理科系大学院だけにした場合、有力私立大学・理科系学部への進学が激化したり、有力私立大学の理科系大学院の位置づけはどうなるのかとか、別の問題が出てくるかもしれない。現実を考慮すると悩ましい限りだ。改革と一言では言えるが、なかなか難しい問題ではあると思う。それでも「何か一石を投じないとモノは動かない」からね。とにかくにも「国際的見地から、高等教育の質的強化は喫緊の大きな課題」なのだ。

後者の「国立単科大学の統合による総合大学化と地方の国立大学の地域を超えた統合など、何らかの形態での統合化」については、今後の少子化を考えると現実的な対応策だと思う。これは、国・地方自治体・相当する各大学の考えとして現に俎上にのぼりつつあるようだ。そうなら議論を深めてもらいたい。

ただ、単科大学の統合は該当大学の伝統、得意分野、実績などなど諸要素が関係してくるので、充分な意見交換と納得が必要になる。地方の大学統合についても地域地域の特性などがあろうから、充分な論議が必要だ。やはり、相乗効果による「新たな知的価値創造」がポイントになろう。これらは現にさまざまな動きがあるようなので注視したいところだ。

若者　六案とも考えとしては面白そうです。不要論ではなく「強化を目的に前向きの見直し」ということで一部有力大学を大学院大学化する考えは、全く現実的でないとは思いません。理科系対象ということならなおさらです。

ところで、先ほど少し触れましたが、これまでも国は「大学のあり方」について議論をしてきています。質の強化についても検討してきたのではないのですか。

老学者　時期が随分と飛ぶが、大学教育について国としての議論は、臨時教育審議会の流れの中で一九八七年に設置された文部省の「大学審議会」が始まりのようだ。ここではその方向性として、大学の「高度化・個性化（多様化）・活性化」をキーワードとし、一九九七年に「二十一世紀の大学像と今後の改革について」という諮問がなされている。ここに至るまでに九一年の答申により改革案が種々個別に出されて実行に移されてきてはいる。

例えば、教養部の廃止・再編とか、セメスター制の導入や先ほどの「大学院制度の弾力化」だ。これは、大学院における社会人教育・専門職業教育機能の重視、大学院進学の容易化、さらには大学院の拡充についてだ。

また、大学管理についても諮問がなされ、大学人の評価をきちんと履行することにより評価内容を高め、真に高度な研究者の養成を求めようとしている。これは自己評価のみならず、第三者評価システムの導入というところまで変化しつつはある。ただし、これらのシステムについての評価はいろいろ分かれてはいる。

一方、長足の進歩を遂げる科学技術をフォローアップするため、政府の出す「科学技術基本計画」に基づき、競争と評価の充実、研究資金の充実、若手研究者の育成、産官学の交流強化促進などが目標として掲げられている。「頭脳の棺桶」と言われないように「大学の研究教育の質の飛躍的向上」をめざし、「知」の再構築のため「教育研究の質の向上、大学の自立性の確保」を目的に「組織運営体制の確保と多元的評価システムの確立」を手段として導入すべく諮問している。

国として時代に応じて改革していこうとする姿勢は評価すべきとは思うが、全般論としては「まだまだ大いなる問題アリ」が現状だろう。識者の指摘のとおりだ。特に「今後の世の中の変化」を考えると認識を新たにせねばならない状況にある、と言える。高度科学技術がモノを言う社会を考えると、ドラスチックな改革も視野に入れないと世界から脱落しかねないのでは、と危惧している。

若者　わかります。国としてさらなる危機感が必要です。

さて、現行の人材の選抜・育成方法についての見直しは後で話すとしますが、今の話の関連で先取りして、理科系対象だけでなく文科・理科全学部について一部有力大学を大学院大学にした場合、「大学院生の選抜」はどうすべきですか?

老学者　これら「一段と優秀な頭脳」集団を生み出すためには「学問的に真に優秀な人材」を選抜・育成するこ

とになるが、この集団へ入る者は出身大学・学部は問わないことは当然、その能力があれば極端な話、小学生・中学生・高校生からでも「飛び級」で入れることにしたり、「社会人」からも能力さえあれば「年齢を問わず」に入れることにしたらと思う。

要は「一段と質的に高い人材集団」を目指す高等教育機関にすることだから、その選抜も今のような「傾向と対策」次第のテクニカルな選抜方法ではなく、その種の準備を必要としない「本質的能力」を問う内容とする。「学問的研究能力や思考力・想像力・創造力など」を試す方法になる。現今の受験勉強（解答技術&要領・過剰記憶など）にはあまり馴染まない「地頭を試す選抜」だ。

先にも触れたが、理科系については「高度な学術研究&科学技術開発に必要とされる本質的頭脳を選抜（天才的頭脳の発掘）できる」内容にする。文科系については「高度学術&国家戦略研究等の専門職業教育機関」としての位置づけをきちんとし、その目的に応じた高度な専門的能力を判別しうる選抜内容にすればよい。

文科系については、学術研究のための大学院の他、現在ある専門職大学院（法科大学院〈ロー・スクール〉とか教職大学院など）以外に、「国際外交大学院」「行政大学院」「国際経営大学院」などを創設していくことにより専門職大学院の拡大・強化をはかることが考えられるが、これらに必要な能力の選抜になる。

結果、理科系中心の「高度学術研究&科学技術研究開発集団づくり」と、文科系中心の「高度学術研究&国家戦略研究等の専門職集団づくり」を目指す「仕組みづくり」ができ、より優れた人材選択ができるのではと思う。

日本は「人材が唯一の資源」だということを忘れてはいけない。時代と世の中の変化に適応しうる「本当に必要な人材」を開発せねばならない。

若者　こうなれば他の「学部大学」の入試の序列問題は緩和され、昔のような「教科書」さえやっていれば済む素直な試験内容に戻せると思います。

ところで、これからはますます国際競争の時代になります。世界を相手に日本として打って一丸になるということなら、別の課題として「大学付属の研究機関」も含め「国の研究機関」のあり方についても一段と強化することについて考える必要があるのでは。関連事項としてどう思いますか？

老学者「体制」の全体的「強化」についての話だから重要だ。大学付属の研究機関も含め、種々の国立の研究機関がある。各省管轄の研究機関（独立法人）だけでも、例えば文部科学省管轄の「理化学研究所」「物質・材料研究機構」などがある。その他にも「産業技術総合研究所」「国立がん研究センター」「国立感染症研究所（コロナ問題で活躍中）」など国際的見地からみても優秀な研究機関はいろいろあり、地味ながら真面目に日夜研究に励んでいる。個々の研究者は本当に真面目で優秀な人の集まりだ。

この各種研究所について、主として理科系を前提にするが高等教育機関同様全体的に一段と強化していくに越したことはない。

強化の視点は二つある。一つ目は、国として国家戦略的に強化すべき研究内容であること。研究数が多い中、一段と強化するには国の科学・技術戦略として的を絞る必要があるが、今後の「国の政策上きわめて重要な研究課題、世界に抜きんでるべき研究開発事項、膨大な予算と多数の人材と相応の研究期間を必要とする難しい研究課題・戦略的先端科学など……特定分野」についてとする。

二つ目は、「複数の機関がその研究に携わり、単独より相互協力が相乗効果を出しうる場合だ。この二つの要件に合う場合は特に強化せねばならない。

強化策として、組織論として「機関の一元化（統合）をはかり関連する資源を集約・強化」することを議論すべきだ。人材（ヒト）、研究器材・施設（モノ）、予算（カネ）、情報の重複投資や研究格差の是正がはかられるのみならず、ここに「最高の頭脳と可能な限りの予算・設備を投入」することができるのではないか。

ここでの研究者はきわめて優秀な者を選抜し「高額の給与を保障」する。同一あるいは類似のテーマについてバラバラに幾つも研究機関があることは、相互に競い合うという良い面もあるかもしれないが、予算の重複とか偏在、あるいは予算を巡り過剰な競争（成果主義の弊害）を生み出し、場合により不正を生み出すことにもなりかねない、世に言う「研究倫理違反」だ。

これは研究予算獲得のため、成果を急ぎ実験データによる検証が不充分な研究などを指す。また、予算が限定されると「腰を落ち着けてやらねばならない基礎的研究分野」がおろそかになる。一元化によりこれらの問題も解消できるのではとも思うが。

もちろん今のままで各研究機関が良い意味での競争をすることに意義はあるし、真面目に取り組んでいる現状を邪魔してもいけないので悩ましい話だが、「強化策」として議論には馴染むと思う。少なくとも一元化すべきケースと、良い意味での競争的位置づけ（今のままで残す）との間の「線引き」の議論はしてもよいだろう。財政は厳しさを増し人材は数的に少なくなっていくことなどを考慮すると、国民の税金を有効使用たらしめるには必要な議論と思う。

卑近な例として「コロナ問題」について言えば、「感染症」に関する国の研究組織は複数あり該当する各省ごとに付属しているようだが、今後「人類との最後の戦い」とも言われる「ウイルス問題」について、国家的見地からこれらを一元化し強化することはどうなのか、議論すべきだ。

いずれにせよ高等教育全体については「大きな視点」から問題意識をもって対応していかないといけない。これからはますます「先端的取り組み」が求められる厳しい時代になることは承知すべきだ。質の低下は許されない。この視点から国立大学と国立研究所の両方について強化のための見直し議論は重要性を増すであろう。

2 「現状を前提に体制を強化」するには

若者 現状を打破するという見地からの話（ドラスチックな改革）は、大きな考えだと思います。現在の体制でも若くしてノーベル賞を受賞された山中伸弥教授のような優秀人材は相応に輩出されるとは思いますが、ドラスチックな改革をすればもっと多くの人材が生み出されるかもしれませんね。

次に「現状を前提に強化する」場合、何が課題になりますか。

老学者 先ほど指摘したように日常的取り組みとしていろいろ切り口はあるが、二つ重要なことを指摘したい。一つ目で重要なのは「学術予算」の強化だ。個別の大学当局への予算配分のあり方もさることながら、国あるいは産業界などによる絶大なる協力が必要かつ重要だ。国による研究費補助額の一段の拡大、産業界からの大幅な資金供出も必要だ。

大企業の「内部留保」は今や数百兆円（四六〇兆円ともいわれる）にもなるようだから、これを「寄付」という形で拠出させる仕組みを国としてつくるべきだ。これは生きた投資資金であり、やがては投資元に還流される。企業人も長期の視点に立つ必要がある。日本企業の拠出額は三パーセント程度で、そう多くないのが現状だ。まずはこの辺から具体化すべきだ。そのつもりでやれば何でもないことだと思うが。財務部門に叱られるかもしれんがね。

山中伸弥教授も再生医療研究の先頭に立っておられるが、テレビ番組で研究予算について大変ご苦労されている旨話されている。初期（研究開始）と終局（モノになる）段階には支援が得られても、その中間の長い期間（デス・バレー＝「死の谷」と言うようだ）が厳しいとのことだ。同教授が所長の研究所は、国として重点的に支援されていても大変とのこと。だから他の研究機関については「推して知るべし」ということではないのか。他国に遅れをとらないように何とかすべきだ。山中教授がマラソンを通して寄付集めに奔走している理由はそこにある。

二つ目は「博士課程」をめぐる課題だ。

大学院は今後その重要性を増すことは論じるまでもないが、課程修了者と就業についての問題がある。特に理科系についてだ。

大学院は「修士課程」と「博士課程」があるが、修士課程のうち、高度な研究開発などの高等専門職に就くために進学する者は、修了後相応の職に就くが、さらに「博士課程」に進学する者が修了後に職を得るにつき現状は厳しい。進学者は優秀な人材であり、この扱いを適正にしないと国として大問題だ。

まずは民間についてだが、組織における扱いの難しさから受け入れが少ない。今後の世界情勢に鑑みると、もっと受け入れ体制を整備し、門戸を開放すべきである。

一方、そのまま学術研究者を志す場合、学者としてのポストの関係で狭き門になる。「博士浪人」の話にもなる。

これの解決策として、ポストドクター（ポスドク＝有期契約研究職者）があるが、これは一種の後述する非正規従業員であり、安定的職業ではない。国の大学院充実政策により、博士課程進学者が増えた結果が裏目に出たことになっている。何らかの解決策が必要だ。

正規の大学職員になるまでの期間、頭脳の有効活用を前提に「研究を継続すること自体を職とみなす（相応の給与支給）制度」は考えられないものか。そうでもしないと「モッタイナイ」のではないか。ムダなことに税金を使うのではなく、かくなるところに使うべきではと思うが。

いずれにせよ、何らかの手を打たないと、有能な人材が、扱いのより良い海外に流出することにならないか。

若者　まとめます。「高等教育の強化策」として、第一課題の「現状の体制見直し」について「ドラスチックな考え」として、「国立の大学（院）」については一部有力大学の「大学院大学（学部なし）」化（一応理科系を前提とする。できれば文科系も）により一段と「質的強化」をはかること。また「国家戦略的・特別研究事項（『世界に抜きんでる研究開発事項など』）」について「国の研究開発組織の一元化」を考える、ということになりますね。さらに、学術予算の強化・大学院博士過程修了者の位置づけ等現状前提の見直しも重要です。とにかく一段と質的強化をはからなければということです。

Ⅱ 「人材選抜」の問題

1 「選抜方法（入試）」について、現状の見直しが必要では

若者 次に第二課題についてです。現体制を維持するにしても「人材の選抜・育成方法」について見直す必要はないでしょうか。

まずは「入試内容は改革すべし」と思います。これは国公私立を問いませんが、試験科目の多い国立を念頭になりますかね。目的は高等教育を質的に一段と強化すべく見直すということ。この点からみて「学問的能力の選抜方法」として問題はないのでしょうか。特に国立の場合は税金で学ぶ人材ですから、きちんとした人材選抜方法を実施しないとムダ金を使うことになります。

前に話したノーベル物理学賞受賞者の中村修二教授はその著『怒りのブレークスルー』で、大学入試を「即時完全廃止」とまで言われています。まさに教授の怒りの対象なのでしょうね。

老学者 教授のように個性豊かで能力のすごく高い人からみれば、日本の古い権威主義的な体制はガマンならんだろう。この古い体質で大変ご苦労されたと思う。この是正すべき体質、それに対する純粋な怒りだ。よくわかるな。

ところで入試についてだが、教授の求める天才的な人材とか異能の人材を発掘するには、試験は不要だと思う。全く同感だ。僕も先に言っているように、今の試験制度では特にそう思う。

ただ繰り返しになるが、求める人材によっては相応の試験は必要だとも思う。例えば、先に話した「かなりの知識を必要とする高度専門的職業」に就く人材選抜用にだ。この段階から試すのもいい。ただし、それでも今のような過剰な偏差値試験は不要だがね。もともと本質的能力論を前提にすれば、試験などこの世の中で無用なものかもしれないが、人生のどこかで「何らかの選抜は必要」とされるので、現実的には全くなくすのもどうか。

なかなか悩ましい話ではある。
結論としては、国として「多様な人材」を得るために「そもそも選抜制度は必要かどうかも含め、必要とした場合に選抜方法はどうあるべきか」を議論することになる。少なくとも現状の過剰と思われる知識重視の「難問・奇問の入試内容は何とかせねば」ならない。もっと「素朴で素直な入試」に変えられないのか。塾・予備校に行かないと「難関大学」に入れないとは、どうなのか。昔はこんなことはなかった。普通の教科書（プラス多少の参考書）を「きちん」とやっておればよかったのだが。

若者　この「受験技術の行き過ぎ」が親の所得格差にも影響され、最近は東大生の親が一番お金持ちとのこと、試験問題解答技術の習得にお金がかかるということです。お金があるゆえに受験勉強で人生上有利になるのでは大いに問題だと思います。最近は「マナビー」とかいう「ネット学習」があり、無料で現役の東大生らが教えるシステムがあるようで良い取り組みとは思いますが、根本的解決にはなりません。
塾・予備校に行かなくても大学に入学できることは無理なんですかね。現状はますます過熱化し、塾・予備校は合格率・数を競っています。受験産業もビジネスです。時代・社会が必要としているから産業としてあり、競い合うのでしょう。受験産業を云々する前に、そういう受験制度の是非を問う必要があるということになりますね。

老学者　受験産業も社会的需要があるから存在する。一昔前にはこのような受験産業がしのぎを削る現象などなかったと思う。しかし社会に貢献している人はきちんと輩出・育成されてきている。
昔は、聞いたこともない（失礼な言い方ではあるが）田舎の学校から農業の手伝いをしながらも、また新聞・牛乳配達をしながらも、教科書（プラス多少の参考書）をきちんと学んだだけで、東大をはじめ難関大学に入っている。この時代に戻せないのかとも思う。

もともと塾・予備校は「いわゆる通常水準に達しない生徒を支援する」のが本来機能だったのではないのか。この機能は「社会的には大いに重要な機能」だとは思う。今やこの一大産業（国内総売上高・約一兆円）も少子化や国の試験制度の見直しなどで、これからは大変だろう。今後は、難問・奇問の解答技術教育もさることながら、先に話してきたような時代を先取りした「偉材（ある意味で英才だ）」の発掘・育成とか「勉強嫌いを大好きにさせる」など「少数者の潜在的能力引き出し」役として貢献願いたいところだ。

付言するに、今後については「ますます増大するであろう日本で学びたい・働きたいと希望する外国人向けの日本語・語学習得支援とか、拡大し続けるグローバル時代にいろいろの外国・地域に赴任する日本人の外国語・語学、文化の教育・研修とか、これも増加するであろう退職後再度自己研鑽を希望する高齢者の支援研修」などの社会的教育支援事業も期待したいところだ。話がそれたが、関連事項なので参考意見として話した。

2 「受験制度」と「背景にある教育制度」に内在する問題

老学者「選抜・育成方法」については現在の「受験制度」について種々の角度から問題を検証する必要があろう。受験の前提となる教育について、日本のこれまでの知識に重点をおいた教育は国・社会の発展過程に鑑みると相応に重要ではあったし、これを前提とした選抜制度はそれなりに必要だったとは思う。

ただ、今や「過剰とも言える知識の多寡」による選抜になってはいないか。今のままだと「受験技術上の知識偏重」教育にならざるをえなくなる。

学校教育（初等・中等教育を前提）で対象となる「知識」を僕なりに分類すると、
①生きていくための知恵のもとになる、あるいは教養としての知識。
②思考や創造力など真の学問のベースになる知識＝高等教育のベースとなる知識。

③選抜のための知識＝一定の範囲内では高等教育のベースとなる知識だが、往々にして「過剰な内容が求められる」知識。

この三つになる。僕は「①と②は必要」と思うが、③の選抜のための「あまりに技術的で過剰な知識教育」については問題ありと思っている。むしろ相当程度「無用？」じゃないのか。

①②を前提にした「常識的範囲の知識」はきわめて重要だと思っているので、その意味での義務教育は国民としての最低限度の知識を教えるために絶対と言っていいほど必要だと思う。だが、大学入試を前提にした進学高校・中学に象徴される教育（予備校ならびに予備校的教育の色彩が強い）内容に問題はないのか。①②と③の分岐点が問題だ。

この点を見直していかないと、必要とされる「学校秀才」が「奇問・難問解答用のあまりにもアタマ・デッカチ（象徴的表現をすれば『クイズ対応型頭脳』）揃い」になると危惧している。

若者「偏差値」を意識した教育が問題だということになりますか。「序列化」を促進するために「より過剰な知識を一時的・一方的に詰め込む」ということになります。

試験とは、単純化して言えば「1プラス1は2」という勉強・解答をすれば一〇〇点がとれ、優秀であると認定されます。現今の試験は、このような簡単な知識についてでは振るい落としが難しいので、「差」をつけるため「過剰とも思える知識」を前提に実施することにしているのではないでしょうか。その種の問題を出せばおのずから差がつき「序列化しやすく」なりますからね。結果、これに対応できる「学校秀才」は、自然に試験技術にたけた「テクノクラート」的人材になっていきます。

もちろん、この種の人材は社会でも相応に必要であるとは思いますが、選抜は「常識的範囲」でよいのです。むしろ「先が不透明で課題多き時代を乗り越えていく能力を有する人材や、変化の激しい世界に冠たる人材を得る」にはどうすべきかを考えるべき時代です。テレビのクイズ番組に象徴される過剰知識を有する者の「優秀者観」が教育の世界に蔓延しすぎると、世の中がおかしくなりませんか。

老学者「偏差値」が選抜の一手段として機能しうることは「現実論」として理解するとしても、選抜内容が「行き過ぎている」ということだ。社会として「学校秀才」を選抜することは必要とは思うが、ここまでする必要はないのではないか。「基本的事項・能力」を問う範囲でよい。見直す必要がある。まして「異材（天才肌、異能や個性的能力の持ち主）、偉材、人物」などの選抜には今の方法は全く馴染まないと思う。現状このような傾向が教育の世界をあまりにも支配しすぎているのでは。何についても「行き過ぎ」は大いなる問題を残す。

茂木先生も「脳はどこまで強化できるか」のテーマについて「あなたの脳はよみがえる―脳が喜びを感じる『教師なし学習』のすすめ」と題して、

「今の日本人に必要なのは、『正解』が決まった問題を従順にやるようなメンタリティを脱して、人生という何が起きるかわからない大海に乗り出す勇気を持つことではないか。勇気をもってどうなるかわからない未来に向かう。そのことで脳の潜在能力を最大限に発揮することができるのである」（『日本の論点・２００９』文藝春秋編）と言われる。

そのとおりだと思う。これからはますます「解のない時代」になろう。ゆえにこのような「能力観」「考え方」が必要になるし、これに対応できる人こそ「有能・優秀者」として世の中の一角を担うのではと思う。この点にも立脚した受験制度とベースになる教育内容の構築が重要だ。

若者　別の観点からではありますが、同主旨のことが『若者はなぜ3年で辞めるのか?―年功序列が奪う日本の未来―』（城繁幸著）に指摘されていますね。

少し前の話ですが、いわく日本の高校生が希望する将来の職業はというと、「三割を超える高校生の支持を得て栄えある第一位に選ばれた花形職業は公務員だ。もし第二位の教師も公務員にカウントするなら、実に半数近い割合になる（一九九九年日本青年研究所調査）」「若さのにじみ出る無謀さのようなものが微塵も感じられず、とても未成年の発想とは思えない」。この原因は日本の「学校教育システムにある」とし、「諸外国に比べて、日本の若者に極端に起業家精神が低く」、この精神は『国際競争力年鑑二〇〇五』によると「六十カ国の五九位」だ。これは「与えられたものは何でもやるが、特にやりたいことのないからっぽの人間を量産するシステム」の結果、と指摘されています。

少し前の話にしても、傾向はあまり変わらないのではと思います。この「与えられたもの」は「一方向的な過剰知識教育」をも意味すると思います。

老学者　傾聴すべき鋭い指摘だ。同じ主旨の話を生物学者の福岡伸一青山学院大教授が「同一タイプの人間」についてされている。「クローンで自分を複製し子孫を残す昆虫などに似ている……特徴は環境が一定なら順調に自分を複製・育成するが環境の変化で一気に死滅する」と。今の制度は、この種の人間を生み出す制度になってはいないのか、同一タイプの人間しか評価されないし生まれない仕組みについてどうなのか、ということだ。

先に話した村上和雄さん著の『生命《いのち》の暗号』では、「ノーベル賞をとる人はほとんど偏差値秀才ではないと思います。（略）マニュアルにない何かを創造する人間には偏差値秀才はなかなかなれません」と言われ、ノーベル化学賞を受賞された福井健一先生と話をされたとき、先生は「『共通一次試験の問題を解いてみたら難しくて解けなかった』……ご自分の専門の化学の問題が解けなかった」とのことだ。その福井先生いわく、「『いまの教育は活字を頭に入れて、それを今度はペーパーの上に吐き出させる活字の記憶術みたいになっていますが、これだけで人間の能力や価値を判断するのは絶対に間違っています』と強調しておられました」と記されている。茂木健一郎先生もその著『超東大脳』で「偏差値の壁をぶち壊す」と、今の日本の教育について大いに問題のあることを心底危惧されている。

また、この課題に関連することとして、今後日本社会に必要とされるプログラミング教育（機械化・ＡＩなどへの対応人材育成）について、筧捷彦《かつひこ》・早大名誉教授は、主旨として、「世界に影響を与えるプログラミングを書ける人は一〇〇万人に一人いるかいないかだが、日本にはこのような天才を支える枠組みがない。プログラミング能力を競う『国際情報オリンピック』に出場するような日本人の中高生代表は大卒後ほとんど日本の企業には就職しない……受け入れる仕組みがないからだ」と指摘されている（『文藝春秋オピニオン・２０１９年の論点１００』）。

現状、日本の「ＡＩ人材」は先進国の中で数でも率でも低く、最近の政府の発表では二〇三〇年には十万人も不足するとのことだ。世界を相手に大丈夫かということだな。

これら識者の見解からも、現状の制度では「天才」はもちろんのこと、さまざまな環境を克服していく「偉材」、環境を作り変え歴史的偉業を成し遂げる「大人物」や「創造的人物」を選抜することについては大いに問題アリだろう。

少し前、戦後七十年ということで、戦後日本の発展に寄与した人物や神ワザを持つ人々の人物伝がテレビでも報道されていた。中には有名大学卒業者ももちろんいるが、相当数は規定のレールとは無関係で「自己の天与の地頭と努力」で事を成し遂げた人が多いのではと思った。これからはこのような人物がますます必要になるのではないのか。現行の教育制度・受験制度でこのような人材を選択しうるのか、はなはだココロモトナイ。

今の制度を弁護・評価するなら、「与えられた課題をマニュアルに従い専門的に解く能力育成」、すなわち先に話した「安定志向型」人材、「管理的組織人（高度ではあろうが）」を育成するには「相応に」適しているかとも思う。現今のような高度管理社会でのデスク中心の業務遂行上、有能に適応しうるからだ。

現行制度のもとでも「極少数」だろうが天才肌の人材や偉材は輩出されてはいるとは思うが、現行制度にメスを入れ「さらに多く発掘できる」ようにすべきではないのか。

「解のない時代」にますますなっていく。「思考・想像・創造的能力、ヒラメキ、アイディア」を縦横に駆使し、これを「楽しみ」ながらも「状況に応じ柔軟に対応せねばならない」時代が来る。日本社会として「人材」を「大きな視点に立ちもっと広げ再考する必要」がある。そのためにも教育制度・受験制度を基本的に見直す必要アリと思う。

3 「偏差値」の効用と弊害、関連する事柄（入試自体、学力と社会的評価、偏差値とは別のモノサシの必要性）について

若者 ここで「偏差値」の「社会的問題」について話したいです。大学入試用に判断資料として使うのは仮にヨシとしても、何かというとこの言葉が「人の全体的評価の象徴」として安易に使われすぎていませんか。「あの人は偏差値が○○だから云々」とか「ヘンサチ・ヘンサチ」と口にされます。これでいいのでしょうか。

老学者 課題とすべきことが四点ある。第一は「効用と弊害」、第二はそれで評価される「入試自体」、第三は関連が強い「学力と社会的評価」、第四は「偏差値は偏差値とし、それとは別のモノサシの必要性」についてだ。

第一（効用と弊害）についてだが、偏差値はあくまでも「受験用・難易度」のモノサシということだ。僕は「本来はなくてよいし、なくしていくべきモノサシ」と思うが一応現実の話を前提として、この範囲なら世間で騒ぐほどのことはないにしてもそれなりの効用はあると思う。大学の受験時だけでなく卒業時の資格取得・国家試験（司法試験等の難関試験）との相関性もあるのではないか。受験時「偏差値の高い大学＝難関大学」は資格試験にも強い傾向にあると思う。

ただし重要なことは、人の全体的評価や人材開発などに活用してはいけないということ。この認識がないと「人（すべてが多様で無限の能力を有する）の活性化」を誤りかねない。

その一つ目として、論じるまでもなく人材は「偏差値」の高い人に限らない。少し大袈裟な表現になるが「国家的偉材・世の中をリードしうる人間」や、今後注視すべき「思考・想像・創造的能力」がある人材の発掘に適しているかどうか、答えはおのずから明らかだ。

また、大学（学部）自体の「学問水準・『質』の高低」を偏差値でみることはできないし、学生の「真の学問的能力（物事の本質を究め探求していく能力）」のモノサシでもない、学習能力との相関性がそれなりにあるとしてもだ。これを誤用すると、入学するときのみに精力を使い「卒業はいい加減」という現象が起きる。人材開発上問題だ。

二つ目は社会的問題だ。受験用・学力判断だけならまだいいとしても、世間で「人間の諸力《しょりょく》の印象的評価」にまでなっている傾向があり、拡大・誤用されているとすれば問題だ。もちろん「あってはならないこと」だ。多様な能力を有する人間の全体的評価として使うモノサシではない。

実状はどうなのか。「社会的誤用」も含め評価概念として不動に近いほど「広く定着」している感じがする。このようなモノサシで「人の優劣」が特定されてはたまらない。国民全体がきちんとした認識をすべきだし、軽率にこれを使用してはならない。その意味では現今あまりにも偏重されすぎている感じがする。

若者「偏差値」は教育統計用語として一九七〇年代から使われてきていますが、「識者から問題視」されてきました。学力評価の面からしてもその尺度・観点は「多様」でしかるべきですが、これに一元化されています。

世の中に相対的序列があるのは事実なので参考資料として「範囲を限定して使用」するのはよいとしても、そもそも人間の能力は「無限の可能性」を有し、いつ開花するかは個別的です。この簡単には計量できない（といそれで固定する」など「非科学的」極まるし、その人を不幸にします。
うよりしてはならない）能力を、一時期に特定・数値化し「試験のみの使用ならともかく、その人自体の評価を

老学者　使われ方次第では、人の将来の「可能性を一時点で遮断」し、真の人材の開発を誤ることになりかねない。誤った使われ方ならば教育問題として看過できない。**人生を左右する評価や、時代の求める能力・多様な人間の本質的能力を判断するモノサシとして「誤用」してはならない。**

また、先にも触れたが「学校秀才（偏差値が高い）」が卒業後も社会的に有用な人材が相対的に多いことは認めるとしても、だからといって「偏差値を偏重しすぎる」ことは「多様な人材の活用を誤る」ことになる。

そこで、第二（入試自体）について触れたい。正直なところ象徴的に言うならば大学の「入学試験の合格いかん」は「勉強方法の要領（一種のテクニック・技術）次第」とも言える。東大をはじめ難関大といえど同じだ。「要領」いかんは大学の「真理を探究する高度な学問」とは基本的に違う。この「要領」を心得た者が必要得点をとれるようになっている。

「要領」とはわかりやすく言えば、過去問題（その大学に見られる傾向がある）の勉強を通して同類問題の解答方法を努力を重ね「より多く記憶し馴染む」ということだ。もちろん、難しい問題を解くための要領を得る「技術的能力」は評価に値はしよう。よく難問を解けるなと感心さえする。世に「難関とされる大学」ほど難しく「より高い受験技術能力」を必要とされることは事実だろう。

ただ、いくらアタマがよくても要領を教えない地方ののんびりした学校の生徒とか、学問的アタマが良すぎて特定の勉強科目を深く堀下げたりしているタイプの生徒などは、必ずしも必要得点が取れるとは言えない。メンサ会員（超高度頭脳の集団）でＩＱがきわめて高い人が大学入試に馴染むとは限らないし、大学に入っていると は限らない。隠れた人材になるわけだ。現にメンサ会員で「ＩＱ１８８」の特別に知能の高い人がそれを物語っ

ている。

このような本質的知能の優れた人が「改革志向型人材・新価値創造型人材」として潜在しているのではと気になる。「傾向と対策」次第の選抜方法ではない何らかの発掘方法を真剣に考える必要があると思うが。

それはそれとして、要領を得るという「解答能力を評価する」という意味において、偏差値はそれなりに有意ではあろう。その点を否定はしない。が「要領を得る」ことができれば、東大をはじめ難関とされている大学でも「標準的（特別ではないという意味）アタマの持ち主」で合格することはできる。だから「あの○○さんが、なぜ入学できたのか」などという話になる。「本」にもなっている。

このための教育（訓練）を実施しているのが、塾・予備校・通信添削会・有名私立高校などになる。訓練次第なのだ。訓練には資金が必要、これが教育格差を生んでもいる。いずれにせよ一連の事象について、賢明にして良識ある大学生は皆内心ではわかっている。余計なことを言わないだけだ。要は「傾向と対策」次第でもあるのだ。

ゆえに「やれ、東大・難関大」などと気持ちは尊重・理解はするし、難関を突破しえたことの評価は惜しまないが、「世間で騒ぐほどのことはない」のが内実だと思う。ただ変動多き国家社会はもちろん、山・谷ある人生を要領よく乗り切れるような「傾向と対策」（マニュアル）は、特定の決まった人生コースを歩める「封建的組織」ならいざ知らず、世の中には「まずない」と言っておきたい。

付言するに「傾向と対策次第」といえど、それとはあまり関係なく合格しうる人はそれなりにいるし、たいした勉強もせず運動やクラブ活動などをしながらも悠々と東大をはじめ難関大に合格する人も「少数」ながらいる。これらは技術・要領以前のアタマの持ち主になる。「奇才」はいるものだ。

さらにその少数の中の「ほんの一握り（極少数）」の人に「ものすごい、宇宙人（？）ではないかと思うくらい尋常ではない脳力の持ち主」がいるのも事実だ。特に「理数系—天体物理学などの研究者など」にだ。難解極まる数理的問題がわかる頭脳の持ち主で、世間で大変優秀とされるレベルの人でさえ「すごい」と認める（唸る）人のことだ。

そこで注意を要するのは、だからといって、言いにくいが前述の他の「大多数」の標準的（特別ではないという意味）な当該大学の学生・卒業生まで「すごい」と判断・評価するのは「大いなる間違い」であり、人材開発上留意せねばならない。これは「〇〇大神話（『すごい人の集まる大学』という誤解・幻想）」を生み出し、ある意味では滑稽でもある。その人にとっても社会にとっても好ましいことではなかろう。

若者　「すごい人」はまれにいるものです。ところで「傾向と対策次第」といえど、現行の受験制度は「知識重視」の「安定志向型」の人材、特に「高度な知識専門職者の選抜手段」としては「有意性・社会的意味」はそれなりにあると指摘されましたが、そう思います。高度知識社会ですから、より多くの知識を早期に習得できる能力が求められるケースは世の中に相当あるからです。

制度としての良し悪しは一応さておき、一、二度で多くの知識を前提にした難問・奇問？　をクリアできることは、それに対応できる能力・資質ありと推定できますよね。全体的比較論でみれば「難関とされる大学の学生・卒業生」ほどこの能力は高いと言えるとも思います。

老学者　天才肌・異材などの選択手段には全くと言っていい程馴染まないと思われるがその種の職に就く人材の選択手段としては、その主旨においては有効とも言えよう。いわゆる学校秀才の選抜になるが、経験的にはこの一群は、社会に出ても「何事もソツなくこなす取りこぼしのない、安心できる者が多い（もちろん、全部ではないが）」のも事実だ。また、基本的に「安定志向」といえど、必要に応じ「改革マインド」もあり積極的姿勢もある。先ほどから話している「優秀者」はこの意味だ。

ただ、世の中は「多様な人材」が求められる時代・社会だ。この点からこの一群について「世間が中身を見る前に、過剰に評価しがち」なので、冷静な判断をするように注意する必要があるのだ。「いたるところに人材アリ」の見地からも冷静な判断が必要だ。

若者　今話した「限り」において「難関とされる大学の評価」は妥当性はあるとは思いますが、別の重要課題として「本来の学力観」との関連でみた場合に問題はないのか、問う必要性はありませんか？

老学者　第三（学力と社会的評価）の話になる。世間の「大学観」にも関連する。教育評論家の尾木直樹氏（尾木ママ）は、毎春メディアが発表する「『東大合格ランキング』は学力観の遅れの象徴だ」とし、時代錯誤であり今後求められる学力はこのようなものではないと言われる（『文藝春秋オピニオン・2018年の論点100』）。

「学力」とは何かについての問いかけだ。「学力」とは明確な定義があるわけではないようだが、一般的には「学習によって得られた能力・知的適応能力」とされる。が、人間観・発達観・教育観・学校観などと関連し、時代・社会の要求により多様だから簡単には決められないと思う。

ただ、基礎学力は洋の東西を問わず「読み・書き・算盤」と「スリーアールズ＝リーディング・ライティング・アリスメティック」は同じだ。学力の評価についても相対評価・到達度評価・形成的評価などがあり、何をどのように適用すべきかの問題もある。今日的にみて「求めるべき真の学力」は何か、従来からの能力観などでよいのか、を問う必要がある。

福沢諭吉は『学問のすゝめ』で、かの有名な「天は人の上に人を造らず人の下に人を造らず」と述べてはいるが、「学問の力」の有無で人間の違い・上下（賢人と愚人、富人と貧人、貴人と下人）はできると論じている。

「門閥は親の敵でござる」と述べた福沢は、「実力の有無」を旧来の封建的制度でなく「学問」に求めた。人材輩出の要因は、学問以外の要素もあろうがこの結果でもある。問われているのはあくまでも「学問」そのものの習得やそのための努力であり、論じるまでもなく「一時的な試験勉強とその結果ではない」ということ、「真の学力」とは何かを問うに重要な視点になる。

これを間違えると「一時的な社会的序列による評価」を前提にしたウスッペラな「学力観・大学観」になる。その結果「あるべき優秀者」を大学での学問をする前に「ムダに疲労させる」ことにもなる。教育上よくよく考える必要がある。

「序列の社会的意義」を問うと、とかく人間は何かしら「序列」をつけたがるものだ。もちろん、何らかの判断に必要とされる「正当で合理的理由のある序列」は、その「目的の範囲内」では認めるべきだし、向上心に基づく「努力目標」とすべき参考資料に使うのは、結構なことだ。

ただ世の中には、何かにつけ軽薄な意味での序列の好きな集団もあるし、組織にこの種の人が散見されることは否めない。傾向として個人の評価に入る前に、必ずしも中身の伴わない「レッテル」で序列的判断をする。それしか判断基準がないのかと思ったりもする。あの人は「何ができる」「どういう能力がある」とは言わない。それが問われない世界にいるのかもしれないが、それでいて「人事は能力主義」などと言うからおかしくなる。もう少し物事の考え方を新鮮・柔軟にしたらと思う集団があるし、人もいるものだ。真の序列ならいざ知らず、外形だけによる判断で「広く人材を世に求める」という発想にならない。特に人材開発の指導的立場にある人は留意しなければいけない。

ところがこの指導者層に外形的序列意識の高い人が結構多いのが現実ではないのか。何でも人に序列をつけたがる「悪い癖」がある。優越感（たいしたことはないのだが）に浸りたい気持ちなのかもしれんが。このような意味において「軽薄な序列（求めるべき能力序列でない）」については社会として問題視する必要がある。そういう古い考えが世の中を左右する時代ではない。

そういう意味において、「真の学力」は「世間的序列」でははかれないということになる。そもそも「多様な人間」を「単純にして包括的な基準」による序列でみること自体が不合理なのだ。

これに関し上山隆大・慶大教授は『中央公論・二〇一四年二月号「大学の悲鳴」』において鋭い指摘をされている。おおよその主旨は、「日本の大学の序列は東大を頂点にする総合的序列で十年一日のごとく不変、米国のように分野別・学科別の内容をベースに毎年変化しうる判断基準でなく、ランキング自体の観念がないに等しい」と述べておられる。同感だ。

『ローマ人の物語』を十五年かけ全十五巻に著した塩野七生さんは、『日本人へ　国家と歴史篇』で、「亡国の悲劇とは、人材が欠乏するから起るのではなく、人材はいてもそれを使いこなすメカニズムが機能しなくなるから起るのだ」と言われる。「人間世界のすべてをやってくれたローマ」の分析を通しての言葉として味わうべきだ。同氏は、同著で、

「もしも外国人の誰かがこの日本の歴史を書くとしたら、個々の分野では才能のある人に恵まれながらそれらを全体として活かすことを知らなかった民族、と書くのではないだろうか」とも言われている。よくよく噛み締めるべき内容であり、人材開発についての傾聴すべき指摘だ。「個別の能力に着眼すべき」ことを問うておられると思う。単純にして不合理な「序列」が先に来るとこれが阻害される。

若者　どの世界にも何らかの「序列」はあり、合理性があれば相当とすべきです。例えば「序列」の上位にある「難関とされる大学」卒に優秀な人材が多く学力も高いとされてきました。これが日本の「大学観」を形成しています。これらの大学は歴史的にも古く、志ある者が集い社会の発展の一角を担ってきたとか（昔は大学数も進学者も少ないという事情もあります）、先輩が後輩を見出し活躍の場を与え、結果人材の系譜をつくり社会的勢

力を形成、結果「序列上比較優位のステータス」を得ることになった、など種々の事情もありましょう。

老学者　歴史的にはそうだろう。が、最終的には大学名でなく「その人個人」だ。先にも話したようにひとくくりの「序列」で「個人」をみるのは問題（偏見を生む）だが、世の中の一般的評価として次のことは言えると思う。

「難関とされる大学」に席を置く・置いた人は「大学入学後も社会に必要な勉強（福沢の意味する『学問』）をそれなりによくしている人や、目的意識の高い人」が「他に比べて相対的に多い」ゆえ、世の中で活躍する人になる確率が高くなり、結果「優秀」と評価されることになるのではないか。

ここで言う「優秀」は先ほど話した取りこぼしがない云々ではなく「いわゆる優秀者」の意味だ。これは偏差値や入試の難易度と言うより「大学入学後の本人の勉学や努力によるもの、あるいはもともとのいろいろな資質による」と思う。偏差値や入試序列などとは別に「優秀な者は、いかなる場合でも優秀」なのであり、「難関とされる大学」にはそういう人が「結果として比較上多い」ということだ。

また、受験技術能力と学門的能力とは違うが「相関性は相応にある」とも思う。その判断はあくまでも「個人ベース」だ。それを「外形（世間的序列）から判断しがち」ゆえ問題が生じうるのだ。

とにもかくにも「有能・優秀人物評価」については慎重さが必要、あくまでも本質的能力は「個々別々」だ。

「入試」や「偏差値」「誤った学力観・序列意識・大学観」がモノを言いすぎ・横行するとこの点が見失われる。

「試験社会」は良い面もあるが問題・弊害も種々ある。今後の社会動向に鑑み真の人材開発をしていくにはこれら諸事項について「認識を新たにする」必要がある。

若者　ところで、大学を選択するのに「偏差値とは違うモノサシ」はないのですか。

老学者　第四（偏差値は偏差値とし、それとは別のモノサシの必要性）の話だ。大学の選択基準として、もっと「大学らしい学問的視野に立ったモノサシ」はないものか。偏差値もさることながら、それとは異なるモノサシとして「建学精神・名物教授・面白講義・大学としての得意分野・現時点のさまざまな分野における卒業者の活躍内容・他の大学とは違う講座内容や取り組み分野などなど」詳細を公開し、その内容を前提に大学が選択できる判断資料を、もっと力強く打ち出すべきではないのか。

関心の高い司法試験・公認会計士試験・社会保険労務士試験・税理士試験・弁理士試験などの資格試験の合格者数・率などのランキングはモノサシとしてよいだろう。これは大学の学問との関連は深いし職業にも結びついているからだ。入試用の偏差値ランキングとは違うと思う。ただし、試験である限り要領・技術がそれなりに影響することを否定はできないゆえ、偏差値との相関性はあるとは言えるが。

とにかく学生が単なる「外形的名声」でなく時代にマッチした、あるいは時代を先取りしている大学を選べるような工夫をしていくべきだ。こうしないと「広い意味での真の有能・優秀者」を生み出せないことになる。最近は私立大学が資料提供の工夫をしている感じはするが、どんどん打ち出していくべきだ。

特に今後は「思考・想像・創造的能力に富む人材」が必要となる社会ゆえ、これらの人材を生み出すような大学であるかどうかの「判断資料の提供」も大学の重要使命になろう。それを大学当局が「個性として明示」するのを期待したい。

若者　大学は「知の広場」、自由に「知」をめぐり考え語り合う崇高な場であるべきです。もともと学問自体を軽々にランクづけすべきとも思えません。世間から見向きもされなかった学問が世界をリードすることもあるでしょうし、一世を風靡した学問が陳腐化・化石化することもあります。評価をするには「よくよく精査した上での学問の質的内容」によるべきです。

それでいくと「大学よりもむしろ『学部・学科・専門分野』の個別的内容の質がどうか、それも最新のもの」になりますね。それには学問内容をもっとオープンにすべきです。日本の大学での実現はどうですかね。データの開示に閉鎖的ではないですか。オープンにすれば方法にもよりますが、他との違いを示すモノサシの提供になりますね。いずれにせよ「偏差値とは別のモノサシ」が必要です。

老学者「学問内容のオープン」も大いによい。もちろんオープンにできないのもあるだろうが。「卒業者の活躍内容、職業分野別紹介」も必要かな。世の中にはいろいろな職業があるわけだから、各分野別にどこの大学（もちろん大学だけに限らないが）が活躍しているのか、そういう「文献」があれば参考になる。偏差値序列よりもこれの方が親しめる。

何も中央官庁・大企業・東京ばかりが良いわけでもあるまい。「多様社会の時代」だ。思考の転換をはからないと国の発展が望めない。この分野でこの大学（大卒に限らないが）出身者は活躍している、「自分はこういうことを人生を賭けてやりたい」、だから「ここで学ぼう」という選択をしていくべきだ。先に話したように、そこで学んだ学問を活かすことができる。「何のための学問か」にも答えられるだろう。

重要なのは大学（限らないが）などで「専門的に身につけた力」なのだから生かすことができるということだ。世の中は華々しい職業だけでなく、地味ではあるが「国民生活を支えている重要で立派な仕事」は一杯ある。地方官庁&企業・中小企業・農林水産業などなど山ほどある。それを世に知らしめるべきだ。

僕はあまり世の中を分類するのは好きではないが、偏差値は偏差値としても、これとは別の「よりよいモノサシ」をアタマを柔軟にし世に出していかないと国・社会は進歩しないし面白くもない。雑誌などで「大学ランキング特集」が時々出されているが、指標の評価得点など「数値中心の序列内容」の傾向が強い。参考にはなろうがこれらに左右されすぎるのはどうかと思う。

やはり重要なのは大学別の「学ぶ学問」の詳しい中身・特色の比較ができる「質的資料」だ。最近はこの類の文献・資料（大学・学部・学科・研究分野等の中身の紹介）も作成されているようだが、大いに活用すべきだし「一般化すべき」だろう。

最近はその成果かどうかはわからぬが「従来の固定的な世間的序列とは異なる大学・学部・学科の評価」がなされつつある。結果、今までの序列の逆転とかの変化もみられる。かくなる傾向は歓迎すべきだ。「その学問をしたい」ことを前提に「そこで学ぼうとする者の優秀性」が序列に多少なりともより反映し変化しているのならば、浅薄な古い世間的評価ではなく「より学問的内容を踏まえてのこと」ゆえ相応の社会的評価をせねばならない。

いずれにせよ、人材の「選択方法」について問題点が種々あるのはわかったと思うが、「人材開発」の前提になる必要事項として話した。これら諸点に思いを致し、改善すべき事項は見直していかないと「真の人材、多様な人材開発」はできないと思う。

4 「全国的統一テスト」なるものは、国家的人材育成プロセス上本当に必要なのか。大学のみの試験でよいのでは、それも簡素化すべきではないか

若者　ところで「選択方法」の一つとして、今問題になっている「全国的統一テスト」について考えてみたいです。これは「国を支える人材」を選抜・育成するのに「本当」に必要なのか。個別大学のテストだけでよいのではと思いますが。

老学者　何らかの選抜制度は必要としても、大前提として「生徒の負担はできる限り軽く」すべきだ。内容は昔

（僕らの時代）のようで充分ではないのか。あるべき人材開発に必要ならいざ知らず、そうでもないことで若き学生を無駄に疲労させることはない。

そこで「全国の統一試験」をどうするかだ。「共通一次」に始まり「センター試験」になり二〇二一年からは内容を見直し「共通テスト」になるわけだが、「この種の試験が本当に必要なのか」も含め根本的にその是非を検討すべきだ。この種の試験導入の前と後で国・社会に貢献する人材にプラスの変化が生じたのか問いたい。

もともとこれらは、受験競争の「激化を少なくするために導入」されたものだが、それに反して「大学間の序列化を促進」させるだけでなく、受験生に「さらなる負担を課す」結果になっているようだ。本末転倒ではないのか。これが「真の人材」の選抜・育成につながるのならいざ知らず、そうでもないのなら不要な制度ではないのか。昔のように「個別の大学だけの、それも素直な試験」でよいのではと思う。現状、統一的試験を実施しても個別大学の試験はあるわけなので、受験生は二重の負担になり疲れるはずだ。

現在、当局が試験内容を変革・見直している姿勢はわかるが、根本的に問題があるのではないのかね。「そんなにしてまで」有為な人材が得られるのか、疑問だな。

仮に是としても、例えば英語に関する試験の民間活用について、高校・大学とも大変不安視している。受験生の経済的格差・地域的格差による不公平さとか、民間のテスト業者の複数活用による試験内容の公平性などについてだ。また、国語・数学に記述試験を導入する案だが、五十万人もの回答内容をさばききれるのか。後で話すように個別大学の試験内容には論述方式を大いに導入すべきとは思うが、多数相手の統一的試験にはどうなのか。種々の問題がある。判断基準が不統一では全国共通・統一の意味がなくなるのではとも思う。受ける生徒はもっと不安だろう。肝心の生徒のためにならんのではないのか。

あれやこれやで結局政府は二〇一九年十二月にこれら方式によるテスト導入を見送った。

この際、このテストの有する意義をよくよく考え、「本当に必要」とされない限り「思い切りなくす」わけにはいかないのか。乱暴なようだが、この方が「本質的解決」になると思うのだが。

統一的試験はなくし「個別大学だけの試験」にする。さらに個別大学の試験内容も見直したらどうか。従来から現在に至るまで、選考学部・学科別のコース類型はあるが、これを含めた「人材開発の観点」からのコース選択とする試験内容に変えたらどうか。この「基本的考えを統一」することにする。一つは今までのような通常コース、次は特別頭脳開発（天才肌の人・偉材&異能の発掘）コース、三つ目は人物重視コースの三コースだ。受験者の選択制にすればよい。

「通常コース」は従来からの選考学部・学科別の選択コースとし、教科書の範囲内で対応可能な素直な試験内容にする。「特別コース」は特別能力を見るわけだから、数理的問題だけとか文系的問題だけとか一部教科だけでよいことにし、試験内容はその道について質的に高度な思考能力・発想力など「知識でなく知能」を試すことにする。なお、小学生・中学生でも受験可能にしてよい。「人物重視コース」は、ＡＯ式入試にみられる高校時代のボランティアとか生徒会活動とかスポーツ・芸術活動などの教科外活動や、誰しもができない特別活動歴・得意芸などの評価に重点を置くことでよい。

また、通常コース・特別コースとも、文科系・理科系問わず「論文（述）試験のみ（理科系は、数式を展開しつつ解析思考過程を論述する）」とする。知識については教科書の範囲以内とし、それ以上の知識については問題の中に表示し、それを使いながら論述するという試験に徹底したらどうか。

さらに試験科目も少数でよい。文科系（特に文学・語学・芸術系など）に非常に秀でている人間に、無理に数学・理科のテストは不要ではないのか（経済系に数学は必要とは思うが）。理科系についても無理に国語・社会の試験は不要ではないかと思う。好きで得意な課目で受験できることにすれば、無理に押しつけた教育など不要になる。現状の国立大のように何科目も「その時だけの知識」として勉強し、人にもよろうがあとはあまり（サッパリに近い）身にもつかずほとんど何の役にも立たない（?）というようなことはやめた方がよい。むしろ私立大方式のように「好きで選んだ少数科目」であれば、その後も身についているだろう。

ただし、試験外科目を高校で「広く教養として勉強」させるのは構わない。「むしろ重要」だ。人間に幅をもたせる意味において、また頭脳の柔軟性を保持するには必要とも言える。教養のすそ野が広いほど専門の深みにも役立つのではと思う。

しかし「入学のための手段にはどうか」ということだ。入試には無関係とすべきだと思う。論述中心になると、採点者の主観が入るとか差がつけにくく黒・白の判断が難しいとか、意見はある。それはわかるが、ボーダーラインの生徒は一応入学させた上で大学入学後の「学問」の出来・不出来で厳しくどんどん振るい落としてゆけばよいのでは、と思う。これが大学の本来の姿ではないのか。

とにかく「発想を転換」しないと改革はできない。こうすれば過剰な受験勉強・偏差値競争はより緩和されるし、各人の個性に応じた学問もできるし、今後時代が求める人材や能力の選抜にもつながるのではと思う。

もちろんそれなりの競争はあろうが、現状の入試制度が「**社会で本当に必要な人材を得るための選抜方法であるかどうか**」真剣に検討することが必要だ。これは試験内容の技術論ではなく、教育の本質論からの重要課題と思う。


若者　方向性は同感です。むしろ、試験についていえば「大学卒業時の試験」を厳しくすることが必要です。大学の「学問」こそ本当の勉学内容ですよ。大学は入れさえすれば出るのは優しい、本末転倒も甚だしいです。

本来「学問」と言われる勉強は大学からでしょう。大学に入れば適当に遊ぶなど、バカもいいかげんにしろと言いたいですね。行政はなぜこういう点にメスを入れないのでしょうか。統一的試験改革よりこの方が「はるかに重要」でしょう。きちんとした問題意識のある人も相応にいるはずです。

現状の大学入試をみる限り、受験関連の勉学は相当高度な内容でも「あくまでも試験技術の習得」にすぎないと思います。試験技術的要領を身につけた人を選抜する、このような人たちも世の中で相応に必要なことは否定しませんが、国に必要な真の人材開発はそれだけで大丈夫なのかということです。入るための試験は極力シンプルでよいのでは。個々の大学が実施する試験についても現状に課題はあるのではないですか。

老学者　個々の大学自身も問題意識は持っており、何らかの改革をせねばとは思っているのではないかと思う。東大も推薦入学を一部取り入れるとか多少の動きが出てきてはいるが、時代も時代だ。「何らかの良き改革」をしてもらいたい。東大が範を示せば、善し悪しは別に影響力が大きい。

日本の大学入試で最難関である東大・理科三類（医学部進学コース）に学ぶ者の一部が「必ずしも医学志望ではない、この一群は最難関試験に挑戦することにのみに意義を見出す」とのこと。これについては、佐藤優著・ニッポン放送「高嶋ひでたけのあさラジ！」編『90分でわかる日本の危機』に、下村博文・元文部科学大臣と佐藤優氏との対談で述べられている。

また、東京芸大に学ぶ学生が全科目優秀で入学したものの「芸術的才能からみてどうか、疑問に思える学生が結構いる」とか言われている。もしも本当ならおかしな話だ。

東大・医学部生には六年間で約四五〇〇万円の国費が投じられているという。国民の血税だ。よくよく自覚してもらわないといけない。同大・同学部卒で、学者や医者として真面目に日々時を忘れ仕事に打ち込んでいる有能な人材が、誤解を受けないようにしてもらいたい。

とにかく「何のための試験制度」か疑問を感じさせるようでは困る。個別の大学試験についても何らかの改革が必要だろう。

ただ、見直しはいいが、それにより発生しうる諸問題をよくよくつめて対応策を充分に考えておかないと混乱を招くことになる。制度内容を変えるということは人手・コスト・時間など手間がかかるものだ、円滑に移行しないと元も子もない。この点が気になるところだが、心配しすぎても何も進まない。

Ⅲ　今後、留意すべき課題は何か

若者「体制」「人材選抜方法」の見直しについてはわかりました。この二課題の他、関連はしますが高等教育の「質的強化」に関し、今後「特に留意すべき課題」は何でしょう。

老学者　**①多様な人材の開発、②研究者の活気の維持・向上、③研究拠点づくりの促進、④ユニークな大学・学部設置や運営方法の推進、⑤地方創生への貢献、⑥大学数の多寡の検討、⑦国際化への取り組み**などだ。

一つ目は「多様な人材の開発」についてだ。今後はますます「多様な人材」が求められる社会になろう。これに関しては、私立大学に大いに期待したい。

というのも、私立大学は「建学の精神」に基づきその特色をいかし、いろいろな人材の育成をなしうるからだ。大学運営は「自主・自立」でよいし、さらに一段と「個性・独自性」を深めていくべきだ。この面からの高等教育の「質的向上強化」に貢献できる。国立は国民の多額の税金で運営されているから社会的留意が必要だが、私立は基本的には「自主的な運営」が原則だ。おのおの「建学の精神・目的」があり個性的に運営されているから、それを一段と伸ばしていけばよい。本来の目的であるはずの「個性豊かで多彩な人材の育成」に努めるべきだ。「改革志向型」人材の輩出は、個性的運営の可能な私立大学の方が馴染むとも言える。今後も「重要供給源」として一段と頑張るべきだ。かく取り組めば「質的向上強化」はそれなりに維持されると思う。あまり干渉しない方がむしろいいと思う。

ただ二つ問題がある。一つは、国の問題。国としては側面からの援助をもっと強化しなければいけない。国立に比し教授一人当たりの学術予算が低すぎる。学部学生数では四分の三、大学院生では三分の一が私立大学生だ。「私立学校振興助成法」では経常経費の二分の一まで補助可能だが、現実の補助率は十パーセントを超える程度だ。低いのではないのか。「多様な人材」を育成し国の発展を望むならば、国の支援も相応に必要になろう。

もう一つは大学自身の問題（国も関連はするが）。大学の数が多すぎる（印象として）のではないか。「多様な人材」を育成する視点からは、おのずから種々の大学があっても不思議ではなかろう。結果、数が多くなるのは必然ではないかとも思うが、やはり質的な限度はあろう。

各大学の個別について詳しく知るところではないゆえ明確には言えないが、もし大学らしからぬのもあるとすれば問題だ。あれば整理するか、役割が明確で社会への貢献度の高い特色のある大学に統合・変身させていく必要があると思う。少子化対応（出生最高人数二六〇万人の時代から将来は六十万人へ減少すると予測されている）にもなるし、またこうしないと「大学インフレ」になり、らしからぬ大学卒で溢れ返ることにもなりかねない。

時代として国の大学設立認可は厳しくあるべきだろう。安易な許可は「大学の大衆化」という美名のもと本末転倒の現象を生み出す。義務教育レベルの算数もわからない大学生がいるなど、本当なら問題だな。

そもそも私立大学は基本的に「建学の精神」があり「崇高な理念」のもとに設立されてしかるべき。次から次へ設置というものでもないのではと思うが。

もちろん未来の「多様な人材を育成する」観点から、個性豊かで先進的な大学ならきちんとしている限り認めてしかるべきだ。国として今後の社会動向を踏まえ、きめ細かい判断が求められる。いずれにせよ「何を目的の大学」か具体的内容を明確にすべきだ。

若者 そうですね。慶應・早稲田両大学の社会的活躍度にみられますように、社会動静は「官から民への時代？」を反映し、私大の比重が一段と増しています。多様性が求められる時代。今後も私大の活躍度は数的にも質的にも増していくと思います。私学の持つ伝統的な個性ある大学運営はこれからの「より自由な時代に、より適応できる人材」、先ほどから触れている「改革志向型人材」を生み出す源泉にもなると思います。それだけに

「質の充実」がますます必要になるのでは。

その意味でも、相応の大学を前提に国としてはバラマキでない「重点的・強化助成策」を強力に推進すべきと思います。現状、相応に推進していることはわかりますが「私学助成（運営交付金の交付）」にもっと腰を入れるべき時代です。国だけでなく大企業も巨額の内部留保をため込むだけでなく、「寄付金」として大学助成のために拠出すべきではないのでしょうか、アメリカなどに比べ少ないと思います。

ところで、少し話がそれますが関連することとして聞きます。もともと教育を官学でいくべきか私学でいくべきかの論争は明治時代初期からあるようです。この点はどうですか。

老学者　近代国家における教育制度はいかにあるべきかの議論において、福沢諭吉は「私学中心に個性を重視した教育」を論じた。これに対し、後に文部大臣になる森有礼は「官学を中心にすべき」と主張した（「明六社の論争」）。

森の論は、西洋列強と伍していくためには国民の全体的レベルアップをはかるべしとの論に立っていた。当時の日本の置かれた状況からすれば森の論の方に現実味があり、結果としても軍配が上がった。相応の選択であったとは思う。

しかし、これは富国強兵・殖産興業の時代の話であり、今日的にはどうか。付言するに、両者間には英語教育についての論争もある。森は英語使用を優先すべきとしたが、福沢はまずは日本語を身につけるべしとした。確かに和歌の心を英語で解説・理解するのは大変だ。福沢の論が正解だと思う。国際人を目指すにしても、まずは日本人たるべしだろう。

いずれにせよ歴史的経緯はさておき、官学も私学も相互にその持ち味を発揮して「その個性を活かしていけばよい」のであり、争うほどのことはない。むしろ競争となれば「世界の優位な大学を意識すべき」だろう。日本の高等教育機関として、官学・私学とも一段と質を高めていかないと若い人材が海外にどんどん流出することになる。現にそのような現象が起きつつあるのではないのか。この方が関係者の認識すべきもっと重要な問題だ。

先に話した安宅教授もその著『シン・ニホン』でこの主旨のことを指摘されている。教育ライターの加藤紀子氏も『文藝春秋オピニオン・2020年の論点100』で「東大よりハーバード、日本のエリート高校生は海外を目指す」と題し、「若い彼らは閉塞感漂う母国を飛び出し、ひるむことなく明るい未来を求め、広い世界を目指し始めている」と指摘されている。文部行政責任者もよくよく状況認識をしないといけない状況になりつつあるのだ。

若者　そう思います。高等教育も今や国際的視野が大変重要です。

ところで、国内の話ではありますが、今や慶大・早大の社会的勢力をみますと、私大のもつ「社会的意味」は非常に大きいと言えますね。この背景には種々の要因がありましょうが、両大学について言いますと「建学の精神」を忘れることなくたゆまない自助努力により今日を築いた結果でもあります。

両大学の活躍は、政界・経済界・法曹界・言論界など種々の分野に及んでおり「多様な人材の活躍」が求められる時代ゆえ、私大世界にとっても望ましい姿です。

こういう流れになっていくことは、つとに識者が予想していたことではあります（江坂彰著『企業は変わる人が変わる』）が、「明治十四年の政変」にて「官界を去り下野」し、「民」を中心に「在野精神」で頑張ってきた大学にとっては因縁とも言えそうです。

老学者　活躍ぶりは「破竹の勢い」（橘木俊詔著『早稲田と慶応』）とも評価されているが、両大学ともさらなる発展を望むならば改革を継続することが重要だ。

「世界大学ランキング（英国高等教育専門紙発表）」において両大学の位置は必ずしも高くない。東大が上位にあるのは、学問上の優秀者が多いうえ、先に話したように年額一兆円以上の国費が投じられている（公的数値としてはもっと少ないとの話もある、よくわからない）ことに鑑みると当然（？）とも思うが、両大学を含めその他の大学はもっと頑張る必要がある。東大とともに上位一〇〇位に入る京大は国費約二五〇〇億円（東大同様、詳細はわからないが）でよく頑張っていると言えるのかも。

それはともかく、私大の「両雄」が上位にいないのは寂しい限りだ。今までも大いに取り組んではきた理科系人材育成を、なお一層強化する必要があるのかどうか。

全体的に言うと、このランキングについては日本は「国際性と引用論文数に弱い」とされるが、英語圏優先・理系優先・企業の評価など判断基準の妥当性について問題ありとも言われており、あまり気にしすぎる必要はないのかもしれない。一橋大学など文系の有力大学が顔を出していないなどおかしい面がある。それにしても上位にランクインするに越したことはなかろう。

若者　今後も「多様な人材育成と大学のさらなる質的強化」を目指し、大いに頑張ってもらいたいですね。

ところで官界についてですが、明治十四年の「政変」がなければ官界図も変わっていたかもしれませんが、現状、東大の官僚志望者数は年々減少しつつあるものの、次官・本省局長などのトップは東大卒が「大半を占めていると指摘される状態」に変わりはないようですね。

「多様性が重視」される二十一世紀の「近代的組織運営」の観点からみてどうなのでしょうか。ちょっと古いのではないでしょうか。東大卒に官僚向きの優秀者が多いのは充分にわかってはいます。が、他の大学卒に人材がいないのならいざ知らず、そのようなことはないはずです。

だとすれば合理性に欠け、一種の特権になります。これは「不条理（合理性に欠ける）な事象（人事格差など）」を生み出しかねません。先進性が求められるこの時代に、国の方向を模索するについては「行政にも柔軟性」が重要です。種々の考えをもって事に臨まないと「世界から取り残されていく」ことにならないでしょうか。そのためには「多様な人材が必要」です。

官僚の任用は「採用試験（国家公務員試験合格者の中から採用当局の『裁量』により選ぶ）」によるので「慣習的」に東大偏重になるのでしょうかね。宮沢政権時代に採用者率を減らしはしたようですが、幹部人事の実態はあまり変わってはいないのでは？

司法試験や公認会計士試験のように「資格試験」だと、合格者がその資格を前提に社会で活躍することになります。司法試験合格者のうち弁護士になる人（裁判官・検事は任用になる）や、公認会計士試験合格による公認会計士は「自由業」ですから、少数の大学に合格者が集中しても国の動静に影響を与えるほどのことにはならないと思われますが、官界はそうはいかないでしょう。とかく「官僚の影響が大きい御国柄（官制国家？）」ゆえ、同一大学の思考行動が種々の分野に影響を及ぼすことになりかねません。官僚各位が意識しなくとも「自然にそうなる」のが人間社会です。

「右むけ右」の同一思考・行動が求められた古き良き（？）時代ならともかく、異なる思考行動が求められる時代です。官界は私大出（もちろん、他の多数の国立大出）の採用をはじめ「幹部登用」についてももっと柔軟であるべきでは、と思います。そうしないと私大や他の国立大出の優秀な国家的人材はこの世界を「不条理な世界」と思いバカバカしくなり、目指そうとしなくなるのではないでしょうか。国として損失です。

「いろいろな人材」がいてこそ「進歩」は生まれます。同質の集まりですと、行政と関連する各界指導層を含み、相互の「かばい合い」が生じやすいですね。情緒的世界としては理解されても、機能的にみると進歩を阻みかねません。ダイバーシティー・多様社会を唱えているのは民間のみならず「政府」でもあることを忘れられては困りますよね。選ばれたる為政者は「自らが範をしめす」責任がありますし「度量」も必要です。「本当のエリート」ならできるはずですね。

老学者　そのとおりだな。本来優秀なはずの一群だから認識次第だと思うが、国民全体が「中央志向で御上に弱く、外形的権威に従順」なところがあるのも問題だ。だから何とはなしに双方とも「それでヨシ」としているところもある。国民全体にもっと「反骨心」が必要と思うが、一種の「風土」かもしれない。

ただ言えることは、国を動かしているさまざまな分野（財界など）が中央行政との有利なつながりを持とうとするので他分野の幹部登用などにも影響が出、結果として「人事などの偏り」を生み出しかねない。それによりさらに影響分野が広がり、似たような思考行動のもと「現状維持・保守（無難な前例主義）」に陥りやすい。自然にそうなる。

このような現象はなくしていく必要がある。保守も内容により重要ではあるが、進歩を生み出す改革はきわめて重要だし、既成のモノゴトでは解決困難な判断を必要とする場合、特に「前例ナキ有事の場合」の対応に問題が生じうる。もっと「柔軟で多様な人材を活用する制度・システムと運用内容」にしなければと思う。「多彩な人材」が活躍するところに活力・進歩は生まれるし、モノゴトを大きく変革しているのは大体は異材とされる人物だ。歴史が示しているではないか。

最近は昔に比し採用、幹部登用とも「柔軟になりつつある」ことは認めるが「まだまだ」と思う。特に幹部登用についてはそう言える。

もともと東大は「官僚の養成機関（東京帝国大学時代から）」としても創設されているので、歴史的経緯からは相応に理解するところだが「限度」はある。慶大の財界、早大の言論界など、それぞれの伝統に基づく象徴的な活躍分野はあるが、各界ともトップが「大半を占めている」と指摘される状態ではない。官界は、今後もっと開かれたものにすべきだ。そうしないと特権的意識（庶民的感性からかけ離れる）によると思われる弊害（最近、特に週刊誌・新聞などを賑わしているような問題も含め）を生み出すことにもなる。

別の話として、第一話で触れたように官僚の「民間からの登用」ももっと促進すべきだ。官僚にも民間人には常時要求される「柔軟な発想」が求められている時代だ。「コロナ問題」でも政府の対応が待てない民間人は柔軟にアイディアを出し「生き残り」にチャレンジしている。

いずれにせよ、これら課題は「多様な人材開発」に関する重要な国民的課題だし、「大学のあり方」にも関係してくる。

若者　そうですね。ところで早慶だけでなく各私大とも特色を出そうと頑張っています。最近動きが顕著な感じがします。多様な人材育成に大いに貢献してもらいたいです。

老学者　大いに良いことだ。先に触れた江坂氏は、やがては早慶から他の私大へ流れが変遷していく旨述べている。良いことだ。いろいろな大学・大学出（もちろん、大卒に限らないが）が活躍する社会が望ましい。それでこそ、国全体の活力が生まれるのだ。

私学の強さは、やはり大学の推進力となる「個性的な建学の精神」にある。この精神こそ平均的でない個性に富んだ「人物を生み出す基本になる」と思う。これに憧憬を抱いて入学する人も多いだろうから、これも世の中の改革・発展のエネルギー・パワーになる。各私大は絶対に「建学の精神を忘れない」でもらいたい。学生の「言行内容で大学がわかるくらいの個性」が欲しい。

大学当局の運営方針やガバナンス力、バイタリティーによっても違ってくる。「金太郎飴」は絶対さけるべきだ。均一じゃ面白くない。時代を読み、私大としての「特色」をどんどん出していってもらいたい。

若者　今の時代に特に注目される課題との関連での話ですが。まず女性の活躍が求められる時代、「女子大」はどうですか。今後の社会、モノゴトを変えていくには「女子のセンス・女子力」は重要だと思います。「改革志向型」の人も結構いると思いますが。

老学者　そのとおりだ。重要だと思う。活躍してもらう機会・環境をつくる必要が大いにある。後でこの点について話はするが。女子については、男子よりもしっかりしている人は何人でもいると思う。今後日本を支える女性の活躍を思うと女子大はもっと前に出ていいのじゃないのか。建学精神との関係で大いに期待したいね。「多様社会」への挑戦にもなる、頑張るべきだな。いずれも大学の指導と学生自身の心構えによる。

例えば、地味ではあるが「教育界をリード」してきた大学（これは国立大だが）、「自立・自律がモットー」でキリスト文化の普及・研究が原点の大学、渡米した創設者による「英語教育普及」が原点の大学、創設者の「信念徹底・自発創生・共同奉仕」という教育綱領が原点の大学、海外にネットワークを持つ「世界的キリスト精神普及」が原点の大学など豊富だ。いずれの大学も現代社会で活躍する女性著名人を輩出してきている。これからは女性の時代、大いに頑張っていただきたいね。

例えば政府の要人をはじめ、いろいろの分野での「リーダーを意識的に生み出す勢い」が期待される。各女子大とも「女性要人育成講座」を作るぐらいの意気込みがあればいい。余計なことを言うかもしれないが。

女子大だけでなく、男子系大学にも逞しい女性が何人もいるね。会社の現役時代、僕の周囲にも「男顔負け」の頼もしい女子社員が何人かいた。一般男子に優る酒豪（？）もいた。僕との酒席でも動じなかったな。経験から言えば、総じてすべての面で資質は男子と変わらない。結構「多彩」だ。もっと表に出てよいのでは。男子学生も頑張らんと、と言われるぐらいにだ。また、そうできる機会を社会はつくるべきだ。

若者「先端技術」「食料問題」など、今を風靡する国の課題に取り組み特色を出している大学や、地域の特色を活かし地味ながら地域社会を支え「地方創生」に貢献している大学もあります。いずれも多様な人材の育成、大学の質的強化を生み出しています。

老学者　先端技術については、例えば「工業大学」と名前のつく私立大学には、ロボット開発とかユニークな研究を実施しているところが結構ある、隠れた人材がいると思うよ。食料問題ではマグロの養殖に成功した大学もある、逞しい限りだな。地方創生との関連では法学部に自治行政学科を置き、県庁・市役所など地方公務員の候補を地道に育成している大学もある、地方創生のベースになる。他にもいろいろ特色のある大学がある。このような特色を大いに出し、社会を前向きに「改革」していただきたい。

何も右向け右で大企業とか中央に「安定志向」で勤務するのがベストではない。それこそ小泉元総理じゃないが「人生いろいろ（歌・島倉千代子さん）」でいいのだ。言いたいことは「自分は将来何をしたいか、それには何を学ぶべきか、その学問をするについてどの大学にどういう講座や教授がいるか」、こういう判断基準を前提に大学は選ぶべきだ。「外形的な有名度（『大学』はもちろん『学部・学科』についてもだ）で選ぶべきではない」。気持ち（世間体や就職の入り口に有利と思うこと、これは採用側にも問題がある）は、わからないではないが。

とにもかくにも「物事の真理を追求する」、あるいは「国・社会をよくする、進歩・発展させる」、そのために物事を「改革していく」など、重要命題への取り組み、これが「大学の社会的役割」でもある。おのずから「多様な人材」が必要とされる。今後の社会にとってこれはますます重要な視点になるだろう。型にはまった旧来のやり方だけではできない。本道をゆくには「外形」にこだわるとなしえない。その点「私大」は自由性に富んでいるのではないかと思う。

一つ目が大変長くなったが、二つ目は「研究者の活気の維持・向上」についてだ。これも質的強化を生み出す要因だ。

イギリスに「キャヴェンディシュ研究所（ケンブリッジ大学付属）」というのがある。ここは一研究所としてノーベル賞受賞者が多いので有名だ。原子物理学者・ラザフォード（原子核崩壊研究でノーベル賞受賞、ニュージーランド移民で開拓心旺盛、豪放磊落《らいらく》でオープン・マインドの人だったようだ）が所長になった時期もある。彼自身ケンブリッジ大出ではなくニュージーランドの大学に学んでいるが所長になっている、良い人事だな。同氏の時代、ノーベル賞受賞が特に顕著であった。

ラザフォードは「人材の育成」でも有名で、常に「研究所の現場」にあって若手に声をかけ励まし「活気づけていた」という。結果、研究者も大いに活気があり研究に燃えていた。ラザフォードはこの点でも天才的だった（小山慶太著『ケンブリッジの天才科学者たち』）。

この点について、日本の関係者は心すべきだと思う。ジメジメした陰湿な環境では素晴らしい成果は生まれない。日本にある各研究所も有能な人材の集団であると思うが、その能力をムダにせずに「いかに引き出すか」が問われる。

古い話になりつつはあるが、先のＳＴＡＰ細胞問題、事の真相はミステリアスでよくわからないが、歴史ある日本のトップ頭脳・理化学研究所が研究内容の真偽を巡り「時間を費やした」などもったいない話だ。今後のノーベル賞候補者も相応にいるはずだ。

この事件はきわめて個人的要素に起因するところ大だとは思うが、これを機会に今後も何か問題があればクリアにし改革していくべきだ。設立功労者の渋沢栄一や同研究所を発展させた大河内正敏元研究所長（大河内賞で有名、僕の友人にも受賞者がいる）の夢と期待に応えなければいけない。この問題は今後の日本の「科学技術教育研究のあり方」を再考するに絶好の機会であった、と前向きにとらえればよいのだ。

いずれにせよ、研究者が「とじこもらずにオープン・マインドで研究」に励めるような活気ある集団運営を心がけることが重要だ。

天文学者で「銀河形成論」で著名、科学評論家でもある池内了《さとる》さんは、先に述べた「科学技術基本法」ができた際、「研究者にとって重要なことは、柔軟なシステムとともに研究しやすい環境の醸成が重要であり、研究者にとってのユトリが必要」という主旨の指摘をされている（同氏著『科学は今どうなっているの』）。

そのとおりだ。先の山中教授の研究所は、欧米に習いオープン空間になっているようだ。日本の大学研究室は教授ごとに仕切られている。どちらが良いかは学問・研究内容にもよろうが、組織で取り組むようなケースは基本的にオープンの方が自由で柔軟な感じがする。

三つ目は「研究拠点づくりの促進」についてだ。現在、国（文部科学省）が取り組んでいる「世界トップレベル研究拠点プログラム（ＷＰＩ）」に関してだが、これは目的からして先に話してきた大学院大学や研究機関のあり方に相応する取り組みといえる。この取り組みは「拠点づくり」を通して質的強化が一段とはかれるからだ。国はこのような「拠点づくり」にもっと予算を投じ、世界の優秀な頭脳が「是非日本で研究したい」というぐらいにしてもらいたい。

国の科学技術関係予算は約五兆四〇〇〇億円になる。この額は、公共事業費とか防衛費とほぼ同額でＧＮＰに占める割合は先進国の中で少なくはないが、もっと強化するに越したことはない。そのためには先にも話したようにムダな予算浪費はなくさなければなるまい。

日本は特許出願件数も多い。年間約五十万件で米国より多く、先進国で最高だ。学術論文も先に話したような問題はあるものの「潜在力」は大いにあると思う。この力を絶やすことがあってはならない。

そのための「拠点づくり」は大いに意味のある「投資」になる。「拠点」をつくり、有能な研究者を投じ「ポスト・報酬」もテーマに応じてきちんと保障していくことだ。今のように、研究者のポストが任期制で短期的にしかテーマのフォローができない、あるいは給与の保障が得られないようでは「長期的な大テーマ」や、何よりも重要な「基礎研究」に取り組む優秀者を確保することは難しい。これではダメだ。科学・技術の衰退を招くことになる。国は研究者をもっと大事にしなければいけない。

特に「基礎研究」を看過してはいけない。何事も基本が重要であることは論をまたない。目先だけの取り組みではダメだ。この点は二〇一八年のノーベル賞受賞者の本庶佑さんをはじめ、受賞者の皆さんが口をそろえて警告されている。そのとおりだ。いずれにせよ有為な「拠点づくり」は人材を集めるシンボルにもなる。

また、国は「グローバル・30」との政策に基づき国際化の拠点事業として、大学の国際化拠点づくりにも取り組んでいる。このような取り組みは大いに歓迎すべきだ。

四つ目は「ユニークな大学・学部設置や運営方法の推進」についてだ。近年設立された秋田県にある「国際教養大学」は、公立だが最近の活動は目覚ましい。時代を見据えた大学運営をしている。このような大学の存在こそ「今後の時代を象徴」している。大いに期待される。

全部英語による授業、一年生は全寮制で外国人留学生とルームシェア、一年間海外留学の義務あり、ギャップ・イヤー（入学を一定の期間（一年とか）遅らせ「社会的見聞」を広めるなどする）制度など国際的見地からの運営に取り組んでいる。それでいて日本文化についても「武士道」の文献を必読にしたり、教授会のあり方も変えたり、素晴らしい取り組みをしている。このような時代を先取りしている特色を持つ大学に対し、国は側面援助に力を入れていくべきだろう。とにかく「時代を読み特異性を出していく」ことが決め手になる。大学当局の「考え方の柔軟度」にもよる。

また、毎年実施されている大学学長の「教育面」注目度のトップをいく金沢工業大学（僕も採用関連で訪問したことがある）は、「学生が主役」をテーマに種々の先進的取り組みをしている。

例えば、三六五日二十四時間、いつでも3Dプリンターなどを自由に利用し「ものづくり」に取り組める「夢工房」の設置、「課題解決型学習法」の取り入れ、個別学生指導の「ポートフォリオシステム」導入、社会人が授業参加可能の「共学制度」などだ。柔軟な発想による大学運営だ。

最近設立された「京都先端科学大学」は、日本電産株式会社創業者・永盛さん肝入りの大学だ。キャップストーン制（企業との連携）などを取り入れた斬新な大学、今後が楽しみだ。

さらに「本当に強い理系大学」（週刊東洋経済）によると、いろいろ特色ある大学が紹介されているが、例えば福島県にある公立の「会津大学」も面白い。第一話で話した「はやぶさ2」プロジェクトに参加するなど「情報通信技術」に特化し「コンピューター理工学部」のみの大学だ。

また、国立の沖縄科学技術大学院大学（文部科学省でなく内閣府所管）も面白い。五年一貫制の博士課程（学際的研究体制で学部・学科なし）を置き、学生の七割が外国人であるのが特色だ。創設七年目だが英国・シュプリンガー・ネイチャー社の世界研究機関格付けで「九位」だ（ちなみに東大は四十位とのこと）。このようなユニークな大学が創設されるのは大いに歓迎してしかるべきだ。

また、人間教育の重要性は先に述べたとおりだが、これを「大学で取り組んでいる」例もある。武庫川女子大学・産業能率大学など「集団の中で生きる力づくり教育」を実施している。『中央公論』（二〇一三年二月号）「大学と人材」で、海老原嗣生氏は「まずは人としての基本を」と題してその重要性を指摘の上、実際の例として出されている。現代に欠落している教育課題への挑戦例として話しておきたい。

新しい分野の大学について言えば、職業の多様化に伴い種々の分野の高度職業人を育成するため「新しい文化創出」のリーダーとなる、例えば現代若者の関心が深い「アニメ専門の大学」を創設するなりして世界に発信できる「職業分野別単科大学」などが期待できる。大学の位置づけを鮮明にして、何を目的にしているのか判然としない大学の再整理はしていかないと少子化時代にも対応できなくなるが、逆に目的の「鮮明」なる大学は大いに歓迎・進歩させねばならない。メリハリをつけることだ。

特に今後の社会を考えると、「右向け右でない、一つでも二つでもよい、何か見どころのある魅力ある人材」を育成するユニークさ溢れる大学の創設・運営を期待したいところだ。

五つ目は「地方創生への貢献」についてだ。地方における高等教育の質的強化は、地方のみならず国全体の活性化も生みだす。

例えば、ノーベル賞受賞は単に国民にとって名誉だけでなく、いろいろな「波及効果」を生み出す。先のLEDについての物理学賞は、受賞者の一人である中村修二教授の出身地・徳島の「中小企業の活性化」にもつながっており、現在、百数十にのぼる企業が生産に関わっているとのことだ。「地方創生の起爆剤」にもなっている。将来は何兆円ものビジネスにもなるようだ。言うまでもなく地元の大学で地味で地道に研究している若い人の大いなる励みにもなっている。この影響力は、先に第一話で話した「クラスター」の有力源泉にもなる。

二〇一五年の日本のノーベル賞受賞者である大村智氏は山梨大学出身だし、梶田隆章氏は埼玉大学出身だ。地元の国立大学で地道に勉強された有能・優秀な人たちだ。この視点からも煌びやかな中央の大学に光をあてるだけでなく「地方にも有能・優秀な人材はたくさんいる」ことに思いを致し、この「知的パワー」を国の発展に活かしていかねばならない。

これら人材の能力を世の中に引き出す環境づくりも国の役割だ。研究水準・世界ランキングの上位入りを目指して文部科学省は、一部の大学をはじめとして強化予算を講じる政策を推進し始めた。「スーパーグローバル大学創成支援事業」という。これはこれで良き政策だとは思うが「全国的な人材発掘・育成」についても強力な政策を展開しないといけない。「いずこにも人材はいる」。これは地方創生をも意味する。

六つ目は「大学数の多寡の検討」についてだ。私立大学については、先に話したとおりだが、国立大学については「数」は今のところ問題とは思わない。将来人口減少で、いつかは統廃合が現実になる？　とは思うが。ただ、数の問題よりも大学の「持ち味」について一言ある。すなわちその昔、開校の伝統・由来がある（高等商業学校・高等工業学校・高等農林学校・高等師範学校・女子高等師範学校・師範学校・医学専門学校・水産講習所のような高等専門学校ないしは専門学校のように）大学はその特質を維持、失われておれば復活すべきだと思う。

大学は絶対に「ミニ東大化せず」、気骨をもって「我が道を行く」運営をすべきだ。各大学とも伝統的特質が薄れてはいないのか、個性的でよいのだ。学生もその特色に憧れてくることになる。大学当局にその「気迫」さえあれば「オレこそ、ワタシこそ『〇〇大』だ」と学生が光り輝く。

国は「世界に冠たる大学」とともに「地域創生に寄与する大学・専門性の高い大学」を個別に選択して支援する方向にある。これはこれでいいが、すでに各大学とも優秀な人材がおり、その特色を自主的に伸ばしている現状を活かしていくべきだ。国として「枠を嵌めるような大学の類別指導」は、学生の自主性を阻害するのでしない方がよい。

先ほどから触れている「改革志向型の人材」は「個性溢れる集団」から生まれる。数の問題もさることながら、各大学ともこれをよく認識し、その「特質を堅持」すべきだ。結果、質的強化も得られよう。

七つ目は「国際化への対応」問題がある。これは、外国からの留学生の枠を大きくすることだ。大学自体が「異文化集団」になることだ。外国人が多ければ多いほど自然に国際感覚が醸成される。

一番重要なことは、前提として「日本のあの大学で是非学びたい」と言われる大学にすることだ。

また、日本人に対する留学奨学資金制度を充実させて、海外への派遣留学生を一段と増やすことだ。この制度は返済不要・紐付きなしで企業などが「専用基金を創設」することで実施できないものか。先に話した大企業の内部留保はこのような目的にも使用すべきだ、人材への投資だ。

また、専攻科目によっては海外留学を「義務化（必修）」するとよい。一部大学の国際関連学部（九大・早大・同志社大など）ではこの取り組みがなされつつある。良い考えだ。


若者　締めくくります。日本の高等教育について「基本的視野」に立ち返り見直しをし、一段と強化していく、ないしは現状を前提にするにしても、問題点を除去し何らかの形で質的向上をしていかないと、研究（基礎も応用開発も）レベルも世界水準から脱落していくことになります。

研究分野、いわゆる学界での活躍は、ノーベル賞、数学のフィールズ賞受賞や世界的科学誌の研究論文掲載などに表れます。日本は欧米以外の国としては（アジアでは特段に）、今のところノーベル賞受賞に見られるように大いに人材は輩出されていると思います。現状、その層は高いし厚いと思います。

優秀者はアチコチに顕在も潜在もしていると信じたいですが、現今の教育のもとで「将来このような頭脳は生まれてくるのか」が問題ということです。

老学者　これらの有能・優秀頭脳は「常時どこかに潜在」しているはずだ。これを中途半端にしてはいけない。
そのためには、人間の有する「本質的頭脳の引き出し」をきちんとする基本的考え・制度・システムが必要だ。その意味でも高等教育の改革はきわめて重要なることを強調したい。

以上、「学校教育」について縷々述べてきたが、「人間が本来有する能力」と「国の将来像」との関連も含め「人材の開発（発掘・育成・活用）」についての話をした。

これをきちんと具現化していくことは「人それぞれの幸福の追求・自己実現」はもとより、「国力の維持・発展」にきわめて重要な要因になると思う次第だ。

三　社会人教育について……「再挑戦の機会」提供を

社会人にも「再挑戦の機会」を増やそう

若者　社会人教育についてはどうですか。これは今まで論じてきた「人材輩出」の教育論と言うより、ケースによりそれも含みつつ後で話になる「あらゆる人材の活性化」に関連する教育（社会人再教育）とみた方がいいかもしれませんね。

老学者　位置づけはそうなるだろう。少しだけ触れてみよう。

この教育は、企業など組織による「組織（企業）内教育」と、大学などの「社会人受け入れ教育」の二つが象徴的だが、国として認識すべきなのは後者だ。「生涯教育」を充実させることにより勉学の意欲高き人にその機会を提供し、人生の「再挑戦」への機会を賦与することは、国民のレベルアップや自己実現にもつながる。全員参加の時代、今後ますます充実させていく必要がある。

「企業内教育」については、優良とされる企業は従前から教育にも力を入れている。それがその企業をさらに優良にする。前提は企業の自主的判断なのでとやかく言うことはないが、企業内人材の育成といえど企業の発展は国・社会の発展につながるので、国全体の人材育成論からすると力を入れて実施してもらいたい。

いずれにせよ社会人教育は、高齢社会化に伴い今後ますます重要になるだろう。

若者「企業内教育」について簡単に教えてください。

老学者　「企業内教育」は教育内容がものをいう。トヨタとか先に話したGEのクロトンビル（リーダー育成の研修所）教育などが著名だ。二社とも素晴らしい企業人を育成してきている実積がある。

いずれもその企業としての「育成哲学」がきちんとある。どういう人間に育成するか、「企業人材像」が明確だ。付け焼き刃的教育ではなく、長年にわたり揺るがぬ信念で教育をしてきているし、予算措置も惜しむことなく講じているようだ。製品をつくる以前に「人をつくる」ことを重視している企業だ。

先にも触れた松下幸之助の「我が社は人をつくる会社です」とか、米国鉄綱王・カーネギーの墓に「ここに人をつくりし者眠れり」とあるのに象徴されるように、優秀企業人を育成している企業は社会にも貢献してきている。

若者　大企業ですね、それも巨大企業です。中小企業はどうですか。教育資金などの余裕があるとは思えませんが。その他何か指摘事項はありますか。

老学者　国はしっかりした中小企業「後継者養成支援の仕組み」をつくり助成すべきだ。これも大きくみれば人材育成・社会人教育の一種だと思う。わけもわからん天下り先をつくるのではなく、このようなことに税金を活かし使うべきだな。

後継者不足で優良な技能・技術を有する中小企業が「廃業」に追い込まれるのは、日本の財産（「匠」人材）の損失になる。中小企業にとっては座学よりも毎日が「オン・ザ・ジョブ・トレーニング」だ、これが本当の教育とも言えるな。

トヨタも「現場での実習」を通して真のトヨタ・マンを育成している。この教育への情熱の効果は第一話でも触れた「技能オリンピック」における多くの成績優秀者を、トヨタおよび系列会社が出していることにも表れている。

さらに強調したいのは、大中小問わずに正規従業員だけでなく「非正規従業員」にも教育の機会を与えるべきということだ。今や日本の重要な人的資源だ。機会を平等にし、能力に応じて「正規への転換」をはかるなど、柔軟な労働施策・教育政策をとるべきだ。

若者「社会人受け入れ教育（再教育）」についてはどうですか。国としてはこれが重要ということですね。

老学者　社会人にいつも門戸を大きく開くという思想が必要だ。勉強したい人がおれば高齢者であろうと全員が学べるという開かれた制度・システムが必要だ。

イギリスには「オープン・ユニバーシティー」という制度があり、全国民の生涯教育に早くから取り組んでいる（一九七一年からミルトンケーンズに開設）。日本の場合は大学により「社会人入学制度」や「大学開放センター」がある。従来からある社会人向けの「公開講座」や「通信教育制度」「夜間講座」などもよい。

このようなシステムも意義は大いにあるが、それらを含め、国全体として「体系的に制度」を整理・推進すべきではないのか。

ＯＥＣＤの「リカレント教育（循環教育……学校から社会、社会から学校）」の考えも参考になろう。この発想はスウェーデンの経済学者Ｇ・レーンの提唱したものだが、ＯＥＣＤの教育政策会議で取り上げられて研究が進められている。若い時期に学習機会がなかった人も、生涯を通じていつでも学習できる制度だ。スウェーデンやフランスの「有給教育制度」とか、アメリカの「コミュニティー・スクール」とかが相当する。日本でも「社会人入学制度夜間大学院」「放送大学」などがそれにあたる。

国が「学び直し」の考えを前提にこのような取り組みをしてきていることは評価しうるが（他にも社会人対象

の教育プログラム修了者に大学などの履修証明書を発行する制度導入)、一九九〇年に制定された「生涯学習振興法」の実効化も含め(実質的に機能しているのか?)、もう少し大きく体系化できないものか。「放送大学」は正規の通信制大学であり、体系的になっているので相応に時間のある人にとっては有り難い。選択・教養講座一コース修了と四年間で一二四単位取得で卒業できるシステムだ。同大学は専門学校とも連携して専門職業人の輩出にも貢献している。

今後、このような教育システムを「より大きく展開し国民に開放」していくと「国全体の活性化につながる」と思われる。もちろん、人生のどの段階でどのような教育をするのか、就業・労働の中断と教育参加条件などをいかにするかなど問題は多々あるが、一歩も二歩も進めてもらいたい。要は国として現状以上に「生涯教育制度」を積極的政策として打ち出せばいいな、ということだ。

日本人は年齢を経ても勉強意欲のある人が多い。政府もこれら就学に補助金を出すなど制度をつくり、国民全体のレベルアップをはかるとよい。今後は特に「AIの進歩」がものすごいものになろう。若い人でもぼんやりしていると年をとるにつれ、世の中の動きについていけなくなる社会になろう。その意味でもAIに負けない能力を身につけるなど、社会に出てからの教育が必要になる時代になる。いずれにせよ人生の「再挑戦」を望む真面目な人間にその機会を提供することが必要だ。

現在は不況で失業した場合に「教育訓練給付金」などの制度はあるが、この種の緊急避難的な仕組みはもちろんのこと、「恒久的な国民再教育の体系的システム」を構築したらどうだろうか。多くの日本人は前向きだから生徒は充足されると思う。企業もこのように学習した者について年齢・男女を問わず能力があれば就業させるという「受け入れ風土」をつくるといい。新人の就業機会を奪ってはいけないが、新人なるがゆえにベストともいえない。

これからは「少子化」が進む。その対応策としても「全国民人材活用策」を前広に考えておく必要がある。外国人に頼る（受け入れ政策導入）前に必要じゃないのか。それでも対応ができないくらいに少子化し労働力不足になれば、外国人にお願いすることになるのでは（後で少し触れる）。まずは「足元」からだよ。

若者　教育全体について概観できました。やはり教育は「国・社会存立の原点」ですね。重要なるがゆえ、「改革」には種々の面についての現状認識と問題点の検証が必要です。

第三章　国・社会全体の人材活用について

社会として「幅広い人材の活用」を推進しよう

若者　今までは今後の日本の教育制度の現状とあり方について、学校教育を中心に話をしてきました。

しかし、いくら教育制度の改革をしても「国・社会全体における人材活用」がきちんとなされていないと、実りあるものは得られないと思います。若い人、女性、高齢者、障害のある人、全員が能力を十分に発揮できるような社会にしてもらいたいです。

社会全体に「活力」が溢れるには何をなすべきか、考える必要があります。教育同様「国を維持・発展」させるには重要です。「着眼すべき事項・課題」について話してください。まずは「若い人」です。

一　やはり「若い人の活躍」が重要、若い人に期待したい

一の一　活躍の場としての「労働環境」に問題はないのか

老学者　今後の日本をより元気にするには、まずは若者の活躍に期待するところ大だ。いつの時代も同じだが、やはりその「可能性にかけてみたい」という気持ちが第一になる。

僕の会社時代には、若手研修会・懇談会などを実施したり、採用には長くかかわり（一時期卒業大学のチーフ・リクルーターもやったりもした）、多くの若手との話し合いや面接などを経て、若い人と随分接することが

できた。将来への夢や活躍の意気込みなどに触れると嬉しくなったものだ。

担当者間の合議にはよるものの、不採用などつらい思い（人数枠上、致し方なし）もしたが、総じて若手には「期待するところ大」だった。

若者　若い人も責任重大です。ところで活躍するには本人の心構え・能力が重要ですが、それがあっても「働く環境」に問題があってはいけません。これは若い人に限らず働く人全体の問題ではありますが、特に「入り口」に立つ若い人にとっては今後の人生に影響しますので重要です。

「働きやすい環境」、特に昨今さまざまな課題が語られる「労働環境」に問題はないのですか。

老学者「労働環境」以前の問題として「働くことの自由性」について少し触れると、最近の若い人は、結構個性的に生きていると思う。一昔前のように決まった職業に均一的に就業する（せざるをえない）という傾向も減少しているようだし、自由度に富んでいるような感じはする。あくまで比較論だが。

その意味での「社会的状況」には、後に話すような「労働環境」上の問題事項はあるものの、一応恵まれているのではと思う。

「働く環境」については、組織運営の問題（上司や職場の人間関係など）、適材適所配置（人事異動・出向）や教育訓練・育成、あるいは安全・衛生・健康に関する問題、物理的環境（空調とか照明とかの設備など）の問題、福利厚生（福利施設、レクリエーションの機会提供など）の充実度の問題など幅広い内容にわたるが、まず重要な「働く環境」とは、冒頭触れたように「その人個人」に着眼し、不条理な社会的判断基準（外形的判断要素）で枠を嵌めてその人を見ないことが第一だ。採用時からこの偏見とも言える判断基準でやられると、優秀な人材を取り逃がすことになる。「意思と能力のある人をいかに活かすか、平等なる機会の提供」が重要だ。

それを前提に、ここでは「働く環境」について全般にわたる話ではなく、「いわゆる労働環境」にしぼって話したい。組織の人事労務管理と労働法制の接点になる事項についてになる。

雇用・賃金・労働時間など、課題は何か

若者　偏見をなくすこと、そのとおりです。さて「労働環境」について課題とすべき事項は何でしょうか。

老学者　①雇用（失業や雇用形態＝雇用契約）、②賃金（額と形態）、③労働時間（残業など）、が特に重要な課題になる。これらは「労働法制」に関係する。

①は失業率や正規・非正規雇用の問題、②は消費・貯蓄等に関わる所得の額（可処分所得）の上昇状況・格差の問題、賃金制度のあり方（年功給・成果給&能力給の良否など）の問題、③は残業・過剰労働問題、休暇取得問題（育児休暇の問題も絡む）等に象徴される。これらは相互に関連する問題でもあるが、詳細は専門的になるのでポイントを話すことにする。

若者　まずは「雇用（失業や形態）」についてです。自由に生きている生き方の人はそれでいいのですが、通常の就業を望んでいる者については、現状特に非正規従業員の問題があります。いかなる形で職に就くか。昔からいろいろと厳しいのはわかりますし世界的にもさまざまな課題アリでしょうが、我が国も「働き方改革」の最重要政策として議論を深めてもらいたいです。

老学者　まず、日本は失業率は低いといわれている。最近は二・五パーセントくらいかな。もっとも今度の「コロナ問題」でこの数値は悪化するだろうが。

良し悪しはその時々の景気いかんにもよるので簡単には論じられないが、率だけでなく若い人にとって「質的」にどうか、職業分類別に見てどうか、ミスマッチはないか、正規・非正規の問題はないのかなど「中身」を判断する必要がある。

それでも最近は良くなってきてはいるようだが、就職すること自体は高度経済成長の時代と違い大変だと思う。あの頃は「金の卵」などと言われた時代もあったし、東京・上野駅到着の集団就職列車に象徴されるように（歌「ああ上野駅」〈井沢八郎〉にもあったな）若手は「引く手数多《あまた》」だった。

それに比べて成熟期の今日は時代としては厳しいと言える。が、最近は少子化・労働力不足で雇用状況は上向いてはいる。我が国の状況は幸いにして他国に比し良い状況にはある。

むしろ失業率の数字上の問題よりも、非正規従業員の増加による「雇用形態」の方が問題だ。

非正規従業員は全労働力人口の三人に一人とも、約四十パーセントに達しているとも言われている。昔では考えられない。進んでこの雇用形態を望む人はいいかもしれないが、正規労働を望む若い人がやむを得ずそうしているならば問題だ。「望む人に対して機会を確保することは国の責任」としてきわめて重要だ。

非正規雇用は、有期労働契約・短時間労働・時給制・福利厚生適用外などを前提にする雇用形態だ。

この「非正規労働現象」について『日本のニート・世界のフリーター』（白川一郎著）によると、おおよそ次のようなことが言えるようだ（少し前の文献ではあるが、基本的考えとして重要で参考になる）。

昔は、といっても高度経済成長期からバブル崩壊期くらいまでではあるが、失業者といえば「自発的失業者」（自分から仕事に就かない人）と言われる者だけであった。それ以外は何らかの職＝正規雇用にありつけた。

ところが現在は「構造的失業の時代」とも言われる。失業率と欠員率の相関性を示す「ベバリッジ曲線」にこれは現れている。

この雇用のミスマッチは年々増大の傾向にあるという。これは一九九五年に日本経営者連盟が出した雇用についての方針が背景にある。「新時代の日本的経営」と題して、今後の日本の雇用の類型を「長期能力活用型、高度能力活用型、雇用柔軟型」に分類、旧来の終身雇用については見直していくという方針を打ち出している。

この結果、各企業もそれをもとに採用を多様化してきている。正規雇用については将来の経営を委託できる者に限定し、非正規雇用者を相応に雇用し柔軟に対応していくことに転換しつつある。この傾向は今後も続くだろう。

この結果、一度非正規従業員になってしまうとなかなか正規への転換が難しくなる。「なかなか抜け出せない傾向が強くなっている」。この現象を「ヒステレシス効果」という。これでは「若年雇用の不安定化、そしてミスマッチによる構造的失業率の上昇はなくならないと考えられる」と指摘しておられる。就業について、率ではなく中身の問題、全体的傾向として傾聴すべき指摘だと思う。

若者　政策的な雇用形態の分類のもとに雇用がなされれば、正規雇用とは別に常時正規以外の雇用が採用方法として存続することになりますね。そうであれば若い人も、それを前提に自分の身をどう処していくか考えなければいけないことになります。

ただ、望んでもいないのに非正規労働に分類されることは問題ですね。会社を意図的に好んで渡り歩く非正規を望む人はいいのでしょうが。

老学者　自己選択で非正規のように、ある意味では拘束性の少ない自由に身を変えられる雇用形態の方がよいとする人も相当いるようだ。これが今までと違うところ、豊かになったことの結果かもしれない。一企業に身を埋めるなんて考えない人もそれなりにいるのだ。再挑戦の繰り返しだ、これはこれでよい。

一方、企業は生き残るためにいろいろ知恵をしぼっている。経営状況に応じて労働量を調整しうる仕組みについては、期間雇用方式を希望する者が相応にいる限りは許容されよう。ケースにもよるが、多様な雇用形態の方が柔軟でよいとも言える。

問題は、その「量的範囲」だ。これが多くの「非自発的失業」を生み出すのではいけない。社会のセーフティーネットいかんによらず、雇用政策自体に社会的問題があるのなら見直しが必要だ。

国は「本当に正規労働を望む若手の人口」がどれくらいかを把握した上で、「必要とされる労働市場を確保する政策」を打ち出す必要がある。多様労働を前提にしつつも企業がその「社会的責任」を果たせないと、若手の活躍の機会を奪うことになりかねないのだ。

非正規労働についてどう考えるのか。日本労働機構は、フリーターを「モラトリアム型」「やむをえず型」「夢追求型」に分類している。

このうち「モラトリアム型」「やむをえず型」について国としてどうとらえるのか。本来は「正規労働を願望する一群」だろう。この点を明確にし「本来回避すべき失業を削減する政策」を展開しなければいけない。今や社会的問題でもある「ロス・ジェネ問題」のようなことが再発しないように、国はきちんとした政策を具体的に展開する必要がある。

「夢追求型」はそれはそれでよい。『人財開国』の著者・南部靖之さんは、この類型の人について「何かはっきりした目的を持ち、それを実現するために、あえてフリーターという自由度の高い就労スタイルを選ぶという生き方ならば共感するし、ぜひ頑張って夢を実現してほしいとエールを送りたい」と言われる、全く同感だ。これはこれで現代人的な素晴らしい生き方だ。

若者　政策とは別に、自分はどれに属するのか明確にしていかなければならないですね。「志」とも関連します。能力を有し「志」もある若い人が、本来望む正規雇用が圧縮され雇用機会の均等性を失うようであれば、またその結果「同一能力・同一労働」に対する正規雇用者と非正規雇用者との「扱いの格差」が生じるとすれば、国として是正していかなければならないと思いますが。

老学者　それはそうだ。そうしないと若い人に「志」を呼びかけても空しいことになる。政策いかんで若い人の「志」が剥奪されてはいけない。

憲法は万民の平等を宣言している。勤労の権利を実質的に担保しないといけない。国は「同一労働・同一賃金」について見直し法制化に取り組んできたが、先の国会で「働き方改革」の一環として「パートタイマー・非正規従業員雇用法」が成立した。格差是正についての法律だ。今後は適正な運用がなされるかどうかによる。また、非正規から正規への転換推進も重要になる。

やはり本来あるべき正規雇用を増やし、非正規雇用（本人が希望する場合は別だが）を減らすことをしなければ、やがて格差が広がり社会の混乱を招くことになる。歴史は「格差が社会的動乱を生み出す」ことを教えている。

僕は、雇用なるものは「正規が基本」だと思っている。そうでないと生活の長期的安定が保証されず「人心も安定」しないし、「所得も安定」せず「相応の消費の確保」もできない。「国の発展」にも関係してくる。「長期安定雇用（終身雇用）」は、従業員の企業間の横断的異動がない、日本の雇用形態の基本でもあり特色でもある。「従業員を大事にする」この良き労働慣習は価値あるものだが、このよき慣習を享受できるのは全就業者の三十パーセントにすぎないのが実情ではある。

経営資源への投資はイノベーション投資だけでなく「人への投資が重要」だ。安定雇用になじもうとしない人までを保護することはないのかもしれないが、そうでない大多数の雇用者については大事にすべきと思うが、国としてよくよく考慮すべき課題ではないのか。

若者　この関連の労働法制として「派遣法」についてどう思いますか。ワーキングプアとかの貧困問題にも関係します。

老学者「派遣」はさまざまな社会的問題を生み出してきている。派遣切り、派遣村、ネットカフェ難民、ワーキングプア、雇い止め、二重派遣等だ。不安定な雇用によるこれらの現象は「働く者の社会的格差拡大」の原因にもなる。

「派遣法」に基づく派遣労働型社員は、契約型社員、アルバイター、パート、嘱託・顧問など先の非正規雇用に分類される。派遣労働を希望する人は相応にいるとは思うが、若手にそれほどいるとは思えない。これからという人だ、将来にわたり生活が安定しないことは望まないだろう。

現象としては、中年の子育てを終了した女性とか、退職後の高齢者とか、一応生活に区切りがついている人になるのではないか。その目的の多くは生活収入の補充目的が多いとは思う。もちろん企業がその能力とか労働力を必要とするから、その要望に相応しい人の派遣が求められ就業する、というケースも相当ある。

ただ「派遣」は、あくまで「短期的な業務のコナシ」の一種であると思う。たとえ経営管理・アドバイザー的労働であっても、特に経営課題解決のための「一定期間対応のため」であるし（役員や管理職経験者の嘱託・顧問はこれに相当するケースがある）、種々の職場における労務確保の場合でも「一時的山場をこなす」ための対応策だ。いずれにせよ何らかの「随時目的」の労働形態だ。

ただ、法として制度上の「枠組み」を予定するのは別にしても、実態上、派遣形態をフリーにし広げすぎるのはどうかと思う。「派遣アリキ」になると、生活上の問題はもちろん「業務の継続性とか技術・ノウハウ・技能などの伝承上の問題や顧客との信頼維持などの問題」にもなってくる。特に若手については留意しないといけない。

また、派遣を前提にしても類型としては、登録型（派遣元企業に登録をしておいて必要な場合に派遣される）よりも、常用型（派遣元企業が常時雇用）を中心に運営すべきだ。

若者　次に、②賃金（額と形態）についてはどうですか。

まず「額」の問題です。仕事の内容にもよりますが、若手でもすごく高額の人もいて格差も大きくなっています。水準について国としてのガイドライン・方向性の明示や、法によるミニマム保障をどうするかとか、一定の目安が必要ではないでしょうか。もちろん、企業など組織の人材管理上の自主的判断内容いかんにもよりますが。

また「賃金の形態」についても「額」と関係してきます。

老学者　議論はいろいろある。最近の傾向として、本来賃金は年齢いかんにかかわらず能力により決定すべきとする考えに基づき、今後欧米との競争からそのような賃金にしないと、特に若手の人材が海外に流れるという危機感も出ている。

それとは別に一般論としては、「額」については個人として日常的生活保障は当然、人生の将来に備え相応に保障（貯え）は必要だろうし、国としても景気政策との関連での消費意欲の刺激や将来の社会保障の負担内容など、総合的な観点から論じる必要のあるものだ。もともとその相当性については難しい性格を有している。

最近は経済対策との関連で政府の意向が示されるケース（企業努力を求める）もあるようだが、まずは組織自体の「労使」の実状に応じた「自主的判断」が重要であり、これを第一にすべきだ。人件費は個別企業の財務体力に大きく左右されるからだ。

企業体力以上のことは回避する必要があるが、従業員を大事にする見地からの努力は企業にとって重要だ。ゆえに「労組の考え」に充分耳を傾け、誠意ある労使交渉が必要だ。

日本の労組（昔に比し組織率がかなり下がってはいるが）は、世界・国・社会などの動向をはじめよく勉強している。最近は「春闘」などの言葉も希薄になってはいるが、賃金額はきわめて重要な労働条件であり、経営側は可能な限りの配慮をしなければいけない。

特に人材の確保には重要な要素だ。ここ何年間か「可処分所得」はあまり上昇していないのが現状のようだが、経営側は従業員の日常生活の保障は当然のことながら、基本的には「人を活かす」投資を惜しんではいけない。

別次元の話だが、組織（企業）は経営不振などいざとなると人件費抑制をしたがる。経営が厳しい場合でも、人件費に手をつけるのは最後の手段だ。合理化についての最高裁の司法的判断もそうなっている。とにもかくにも人への投資を怠ると「将来にツケがまわる」ことを忘れてはいけない。

「賃金形態」については、これも個別組織の自主的判断だろうが、「年功給」ではなく「成果給」「能力給」が本来だと思う。ただ「能力給」については潜在能力の有無、有る場合の尺度、顕在能力の判断要素など合理的・客観的判断基準の相当性について問題が生じる場合がある。難しい場合に往々にして外形的要素（学歴の高低）によることになるが、これは回避すべきだ。「総合印象評価」なるものもあり、存外合理性を有するとはいうものの果たしてどうか。

その点「成果給」は、その多くが「目標管理制度」に基づき遂行業務達成度を顕在的に把握しうるのでより合理的ではあるとされるが、もちろん問題はある。短期的な「成果」に眼が行きやすく（顕在能力的判断のみ）、人を育てる潜在的能力への判断が希薄化しやすいなどの問題とか、現実の職務としてプロセスを重要とする内容の業務も相当あるのでこれをいかに判断するかの問題などがある。

「形態」についてはなかなか理想的にはいかないのが現実だ。最終的には管理者と従業員の相互の納得いかんによる。これを得るシステムを導入し解決を図るべきだろう。これは苦情処理のようなものではなく「業務についての前向きな話し合い」の中でなされるのが理想的だ。

いずれにせよ、制度については労使で充分に話し合い合意形成し、運用の現状実態を把握の上、問題があれば随時見直しをしていく姿勢が重要だ。

これに関し最近は「ジョブ型雇用」を導入する企業が出てきている。ジョブ・ディスクリプション（職務記述書）に記載された仕事をするかしないかで、約束した賃金支払をするか否かで、なされなければ解雇されることになる形態だ（「成果給」とは違う）。厳しい形態だ。

いずれにせよ、憲法の保障する最低限度の文化的生活維持の精神からみれば、賃金の一定額は「生活補償給的（年功給的性格もある）」でないといけないと思う。家族構成が第一になろう。賃金額の構成比率をどうするかも問題になる。

賃金についての国として留意すべき事項は、最低賃金の引き上げ、正規・非正規の均等化（同一労働・同一賃金）、非正規の正規化への転換促進助成などいろいろあり、現場の実状を充分に認識・把握してきめ細やかに取り組む必要がある。検討はされているようだが、若い人の立場も十分配慮する必要がある。

この種の問題こそ経済政策（経済成長）・社会政策（格差是正の労働分配論）にも関連するので、国としての「基本的考え」については「政・労・使一体の呼吸合わせ」が必要だろう。着眼点は最低限度の生活保障・不合理な格差是正・豊かな生活の創出・有為な人材開発などになる。とにもかくにも「働く意欲が出る中身」でないといけない。

なお、今の若手がいずれ迎える老後の「年金問題」については早めの議論が必要。「賃金」との関係でみると「賦課方式」か「積立方式」かなどの議論がなされるだろうが、労働人口が多数で経済成長が高く分配が確保されている時代と、必ずしもそうでない時代を前提にすると「根本的な見直し」をした方がよいと思われる。それも基本的方向については、早期に決めるべきだ。

また「最低賃金」については額の上昇は望まれるが（現状よりもっと引き上げるべきではないのか。賃金全体への波及が大きく消費増大・経済成長にもつながる）、地域差が大きすぎると「地方創生」上問題が生じうる（若手が地方を避けることになりかねない）ので留意が必要だ。

若者　最後に、③労働時間（残業など）についてはどうですか。

老学者　これも難しい問題だ。若い人について特に問題になるのは、「残業時間の妥当性」の問題（仕事の質・方法とも関連はする）と、これとの関連で時間管理に馴染まない業務の位置づけ問題、そして「休暇取得の促進」問題（家庭生活とのバランス〈育児など〉との関連がある）だろう。

これも国の政策だけでなく、各企業の人事労務管理・業務管理の問題にもなる。関連する制度は先進国として整備はされてきてはいるが、これで充分かといえばそうでもない。特に残業については過労死等の問題もあり、明確な規制が重要だ。

労使間には「三六協定《サブロク》」（労働基準法の労働時間規制についての約束）というのがあるが、これが問題（事実上青天井であり規制にならない）とされてきた。ゆえにきちんとした規制値を策定することが求められてきたが、この天井値をどうするかについての議論だ。

また、時間労働に必ずしも馴染まないとされる「見なし労働」「裁量労働」「高度企画・専門職業務」なる概念があるが、これをどう取り扱うかだ。ひとくくりの抽象的定義だけでなく各組織の現実業務に即しきちんと細部を決めないと、かえって長時間労働を生み出しかねない。

また、仮にこれらをよりよく整備しても、これの「遵守」が重要。国として行政指導をどうするかも問題になる。本来、超過時間労働は「上司の指示」による労働であり「一時的に相当理由のある場合」はさておき常態化はおかしいのだ。常態化すれば、本来は適正配置や業務量配分の問題になるはずだ。

また、労働生産性の問題もあるし（日本は先進国の中で低い）、そもそも健康管理上よくない。したがって規制値（天井値）は「生産性向上と健康維持の両面」を充足する理想値とすべきだ（現場の意見を十分に聞く必要があるし、実態を知るための数字は「精確さ」を要する）。

労働生産性については労働先進国であるドイツを見習うべきだ。ドイツは残業などなくしても生産性は日本より高い。日本は労働時間に無駄が多いのではないのかとも指摘されている。

賃金稼ぎのための残業もあるのではとも言われる。これは賃金額の妥当性の問題になる。残業せねば常識的生活ができないような賃金は本来ではない。これは各企業の人事・労務管理上の問題になる。

休暇取得については企業風土・職場管理の問題、上司が率先して取得する環境を醸成すべきだ。休暇を完全取得しても生産性が確保できる状況にしないといけない。欧米は完全取得が普通だ。

若手　働くにしてもいろいろ問題がありますね。なお一層の「労働先進国」にしてもらいたいです。

先の国会で「働き方改革」法案が成立しました。一歩前進ですか。

老学者「残業問題」については前進したと思う。規制値の上限を原則月四十五時間・年三六〇時間とし「三六協定」を締結した場合でも最大月一〇〇時間（二―六月平均で月八十時間）にし、これを超えた企業に「罰則」が課されることになった。これからは個別企業の運用姿勢が問われる。

残業に馴染む云々の議論がある裁量労働制全体については、裁量の意味・解釈についてなかなか難しい面があり、規制をどうするか、導入するには今後審議を十分にする必要がある。

それの一種でもある「高度プロ業務」については、対象人（年収一〇七五万円以上の高度専門職者）・業務が限定され、かつ当事者の合意と労使委員会決議を前提にしている限り、拡大解釈による恣意的運用がなされなければ発想としてはよいとは思うが、新しい試みゆえ運用上のきめ細かいフォローが労使間で必要になる。「有給休暇」については、十日以上の休暇取得権者に対し五日以上の賦与義務を企業に課した点は前進ではあるが、そもそも完全取得でしかるべきだな。

いずれにせよ、国の将来を託す若手にとって「より働きやすい環境をつくる」のは国（法制度構築）、企業などの組織（制度運用）の責任だ。国が今後も「働き方」についての改革を目指すのは大いに歓迎したいが、デスク論だけでなく、「実態を充分に把握」した上でやらないといけない。

今回の「コロナ問題」で働き方に変化が生じた。今はそうせざるをえないからなのだろうが、これを機に一時的な内容でなく「本来あるべき姿」を再考、「本来なすべき仕事」とは何か、その「遂行方法」に多様性・柔軟性はないのかなど、基本的なことを考え直し、改革していく必要がある。

やろうと思えばやれるものだと思うが。「案じるより生むが易し」だ。存外ムダな仕事を非効率な方法で何の疑問もなく慣習的にしているものだ。

一部大企業ではあるが、リモートワーク（テレワーク・在宅勤務など）を制度として導入、定着させようとする動きも出ている。歓迎すべきだ。従来の固定的観念にこだわるのも良し悪しだと思う。

以上、国と雇用する側の重要課題としての話をしたが「働く当事者の課題」もある。いつの時代でも人生にとって重要とされる「職を得ること」について、「世の中はそうは甘くはない」ことだけは認識する必要はある。「自分を磨く」ことも必要だ。次に話そう。

一の二　活躍を期待する「若い人」に一言

「志」を高く持とう

若者　いつの時代も若い人が明日の時代を担うことに変わりはないと思います。若い人が理想や高い志を失い、活力をなくせばその社会は衰亡の一途をたどるだけです。

老学者　そうだ。日本も江戸時代末期から明治時代の初期にかけて、近代国家を造るために「志ある青年」は命をかけて活動した。いかなる時代も若い人に期待するところは大きい。若い人もその自負と気概を持ってもらいたい。今日の厳しい時代、日本はこれからどうなるのか。若い人に「期待するところ大」だ。若い人は黙して手を拱《こまね》いているのではなく「情熱をもって果敢に行動」していかなければならない。

若い人はいろいろの「可能性に富んで」いる。その活用機会を社会的に求めるのも重要だが「自身」をどのように活性化するかも重要だ。女性、高齢者、障害のある人については、その「活力を社会的にどのように引き出すか」について社会として特に意識すべきだが、若い人については自身が「自分として活力を引き出すための心構え」を持たないといけないと思う。古市憲寿さんの「オジサン」の話になるかもしれないが。

若者「オジサン」の話も妥当な範囲ならいいです。ところで、若い人（青年）とは何かですが。爺さんの得意な「そもそも論」です。発達心理学の専門的なことは別にして、一般的には生まれてから成長し「自己の確立、自尊心の樹立、人格の社会的形成、相手の人間に対する尊敬の念の醸成がなされるであろう頃」「後期青年期」ととらえたいですが。学齢年代で言えば高校から大学卒業までですか。大学卒業後の社会人としての若い人も含めた方が現実的ですね。

老学者　インドには、人生を四期に分ける考えがある。学習期、家住期、林住期、遊行期である。青年期はこれでいう学習期に相当する。世の中に出る（家住期）ための準備期間という考えだ。ここでは「学習期」プラス初期の「家住期」の話になるかな。

若者　明治時代、日本の農業の指導と開拓のため札幌農学校（現、北大）に赴任したクラーク博士は、有名な「少年よ大志を抱け＝ボーイズ・ビー・アンビシャス」と言い残し日本を去りました。今の青年にこの「大志」を抱いている人はどれだけいるのでしょうか。日本の若い人に問われるべきことは「志」を持つことではないですか。

老学者　人間として生きていくうえで、心身ともに強くかつ高い志を持つに越したことはない。可能な限りそうあるべきだし努力すべきと思う。

少年老いやすく学成り難し　一寸の光陰軽んずべからず
未だ覚めず池塘春草の夢　階前の梧葉すでに秋声

時の経つのは速い。青年期に「本当の意味」での勉強（机の上の勉強だけではない）をし、きちんと「自己の確立」をしておく必要がある。社会で自分は何をなすべきであるかをこの時期に確立すべきだ。勉強をする意味はそのためにもあると思う。あまり言いたくはないが、受験のための奇問・難問解きだけではない。もちろん「確立」といえど、その後のさまざまな挑戦を阻むものではないが。

昔に比べると進学率も高くなり、人生を考える時間的ユトリは増加しているはずだ（昔のように少年時代すぐに働きに出されることがない、という意味）。経済成長により物質的に生活が豊かになった結果だ。

昔は今でこそ聞かれなくなったが「苦学生」という言葉があった。朝早く新聞や牛乳配達をし、家ではミカン箱を机代わりにしてハダカ電球のもとで勉学に励む、という学生のことだ。今では想像もつかないだろうな。今や子供の時代にでも個室に恵まれ、気ままに生活ができるように激変している。

このことが「過保護」を生み出し、青年はいわゆる「三無主義（無気力・無関心・無責任）」とも言われるようになった。最近あまり聞かないが。これは「無感動・暴発・孤独」など精神的に不安定な青年の増加にも関連する。

若者　一方では昔と違い、結構ドライで人生を楽しむ層をも生み出しており、規制社会に拘束されない自由度に富んだ人間も増えていると思います。これらはむしろプラス面ととらえていいのではないでしょうか。
ＮＰＯに代表される組織での献身的働きなどは、新しい青年の生き方でもあり、新しい力の形態とみるべきと思います。

老学者　ＮＰＯ活動などは大いに歓迎すべきだし素晴らしいと思う。青年が何らかの有為なる「志」を持ち、社会への貢献を介して一歩でも自己実現に近づくよう努力することを期待したい。

特に大学卒の場合「志」もなく勉強もせずに「ただ卒業した」というだけで学卒としての厚遇を得るとしたら（現に学歴により人事運営している大企業は多数ある）、卒業していない者に対し不平等きわまりない。今や大学は楽園と化しているのも多いようだ。

大学の大衆化はある意味ではよい。全員大学卒でもよい（これだけ進学率が増加しても、国際的にみて日本の大学進学率は高い方ではない〈約五十パーセント〉）。しかし卒業に相応しい「気構えと学力」だけは備えてもらわないと問題だ。大学を卒業することを職を得るための手段と位置づけすること自体、全く否定するつもりはないが、大学は本来いかに生きるかの「志」と、それを成し遂げるための「学問と教養」を身につけるところでもある。これを忘れてもらっては困る。

ところで、この「志」との関連で、若い人には「国・社会への関心」を持ってもらいたいと思うし、大いに「社会参加」もしてもらいたい。今度「選挙権年齢」が見直されたがよいことだ。長期的視点でみた場合「国の将来」を握るのは若い人たちだ。若い時から「新鮮な眼で大きな視点から世の中を見、良い意味での改革心」を身につけてもらいたい。

国も若い人にこのような機会がより多く得られるような環境づくりをすべきだ。その意味でも「被選挙権」を若返らせるのも視野に入れるべきだ。いろいろ言われてもしっかりしている若い人はたくさんいる。国を活性化するためにはこのエネルギーを大事にすべきだ。

「人」への関心を持とう

若者　最近の若い人は、人とのコンタクトを嫌う傾向にあるとも言いますが。

老学者　世のあらゆることは人間が動かしている。人間の関与しない物事はないといってよい。若い人全体に「人間に生まれた限り人に関心を持ってもらいたい」と言いたい。

ある意味では人間ほど研究（?）する対象として面白いものはない。確かに煩わしいことも多いし「人間嫌い」がいることもわかる。正直言って「神」ならぬ身、誰でも嫌いな人間はいる。しかし避けては通れない。

福沢諭吉は「人生にとって人と人との交わりは大切なことであり、これは学問なり」と述べた。「学問である」……実に味わうべき言葉だ。

若者　そもそも人間は長い歴史をかけて進歩を遂げてきました。人間とはそも何かという問いは、昔から哲学者を中心にいろいろ語られてきていますが、簡単に定義できるものではありませんね。先にも少し話しましたが。

老学者　講釈じみたことを話すのはどうかと思うが、人間の人間たるところは、歴史的にも現在においてもそれが生み出した結果で実証されてはいる。文学で語られ、演劇や映画・ドラマ、絵画・音楽・歌などにより描かれ歌われ、あらゆる社会的産物に人間は登場する。すべてに登場し語られるのが人間だ。

とはいえ、これほど学問・科学が進んでいても、いまだに体系的な「人間学」なるものはない（？）のではないか。それほど探求する対象として「難しい存在」なのだろうな。カントに代表される「哲学的人間学」や「生理学的な人類学」などの人間学はあるが。人間は「小宇宙＝ミクロ・コスモス」なり、という哲学者もいた。「宇宙のすべての原理原則が人間には内包されている」ということなのだろう。

自然科学の法則により、人間はこの世に出現した「宇宙の産物」だ。宇宙の法則のもとにある。人間の英知により壮大な宇宙の創世（約一三七億年前のビッグバン）から現在に至るまでのことが明らかにされつつある。が、いまだ「無限か有限か」は人間では解けないし、四次元以上は認識できない。十次元とか多次元とか「超ヒモ理論」などの解説本もいろいろ出ているが、何度読んでも僕にはわからん。それほど不可思議な存在が宇宙だ。人間も宇宙の産物、がゆえに、不可思議な存在なのだ。だからこそ関心を持つべきでもある。煩わしさのあることは十分理解できるがね。

若者　あまり難しく考えて「杞憂」と言いますか、天空を仰ぎ見すぎてアタマがおかしくなってもいけません。現実として認識する限り、人間なるものは宇宙の産物として偉大なものなのでしょうが、その姿は毎日電車にゆられて働く姿であり、屋台で酒を飲む姿であり、カラオケで歌い、ジャン荘でゴルフ場でうごめく存在です。買い物をし料理をし、たまには旅行をし温泉につかり、ごろ寝をするのが人間だと思います。

老学者　時に喧嘩し、時に涙し、時に権力争いの渦に巻き込まれて人に陥れられたり、時に悪に染まり犯罪を犯したりする罪深い存在でもある。と同時に、偉大なる芸術、偉大なる発見・発明を成し遂げ、また困窮する人を救済する優しい存在でもある。

　人間を扱う学問としては、人類学・文化人類学、あるいは生物学・動物学もある。先に話したように人類学的、形質的には人間はホモ・サピエンスでもあり、ホモ・ルーデンスともいわれている。生物学的・動物学的には哺乳動物でありサル目・ヒト科に属するのだが、ヒト以外の動物とは決定的に違う存在でもある。

　とはいえ、最近の研究では遺伝子的にはチンパンジーと「僅か一・〇六パーセント違うだけ」らしい。決定的な違いは「言語能力とそれを使用するコミュニケーション能力」だけとも言う。考えれば考えるほど「不可思議な存在」だ。人事・労務の仕事に関係なく自然に関心を持つ事柄だ。

若者　ところで「人間の力」は、どこからいかにして生じてくるのでしょうか。なぜ人間には力の違い・差が出るのか、何が違うのか、いかにして力をつけられるのか、個々人にとって生まれ出ずるときからの課題です。

老学者　本来は「みんな同じ」ではないかと思う。違いは「その後の自覚・努力」によるのではないのか。人間は生まれたときからそれを「試されている」のかもしれない。

　説教じみた話は好きではないが、アダムとイブの原罪論はともかくも、人間は原罪論とは別に、生まれ落ちたときから何らかの「役割」を持たされており、それを「どう自覚・理解し行動に移していくのか」を試されている、と考えるべきかもしれない。「生き抜くこと」によりそれを「実証」していくことになる。ゆえに前提として、命を大切にするということは、他人についても当然そうだが、自分自身に対しても同じ命題だ。「力の源泉」はこの認識自体にあると思う。

社会的に言うと「人間として生きることについての使命感・責任感・義務感・役割認識」ではないか。これを「常に問いかける」ことが力を生じさせる源泉ではないかと思う。

「天は自らたすくる者をたすく＝ヘブン・ヘルプス・ゾウズ・フー・ヘルプ・ゼムセルブス」だな。自助努力が力を生み出す。力の源泉はすべての人間に内在している。「引き出すのは究極は自己自身」だ。

力をつくりあげるのに参考にすべき視点はいろいろあろう。「身近にもたくさんある」。参考にしようという意識の有無による。とにかく、まずはこの不思議な「人」という存在に「大いなる関心を持つべき」だ。

「自分らしさ」を失わず何事にも「チャレンジ」し、何でもよいから「社会に貢献」しよう

若者「志」「人への関心」、大事なことです。他に特に心得ることは何ですか。説教じみた話がお好きでないのはわかりますが、爺さんも七十代半ばです。「オジ（イ）サン的話」でいいですよ。

老学者「自分らしさ」を失わないことかな。最近の青年は均質的で個性がないと言われる。「金太郎飴」とも言う。僕は必ずしもそうとは思わないが、これからは量的拡大の時代から「個別の質」が問われる時代になる。「大量生産・護送船団の時代」には、右向け右で均質的な人間が量の力で物事を左右できたかもしれない。これからは違う「個の時代」だ。そのためには「あの人は」と言われる人が望ましいのでは。

大量生産時代にもかかわらず、昔はその類の人がいた。「型破り」と言おうか「少し外れた人」と言おうか「豪傑」がいたものだ。強烈な個性の持ち主、魅力溢れる人がいた。最近は個性の時代の割にはあまり見かけないな。寂しいね。無理に個性的になることはないが、皆相応に個性が「自然に備わっている」はずだよ。それを大事にすることだな。

それと、協調・協力とは相反しない。むしろ個人の尊重につながり両立する。自由勝手とは異次元の話だ。世のためにも青年時代に「個性を磨き」活躍してもらいたい。

若者　他に何かありますか。

老学者　何事にも「チャレンジ精神」が大事だ。世の中、常に若い人が未来に向かい挑戦し時代を変えていく。何事にも問題意識を持ち、現状に甘んじず前向きの思考をすることが重要だ。

社会でよく使う「3C」という言葉がある。「チャンス（機会）を生かし、チャレンジ（挑戦）し、モノゴトをクリエート＝チェンジ（創造・変革）していく」の頭文字である。これに「コミュニケーション（相互連絡）」を付して「4C」とも言う。進歩を生み出す基本的姿勢のことだ。

「人類社会の発展」は人間にしかない「創造的能力」の産物であると言ってよい。人間として発展（よりよくする）については社会的責任がある、そのような自覚はあるのか。チャレンジの前提になる「創造力」はこれから特に必要とされる能力だ。世界を相手にさらに厳しくなる環境にある。人を頼らずに「自分で創造をしていく能力」が一段と求められる。その姿勢を若い時代に養っておくべきだ。

学生が起業する例はあるが、このような精神は大いに望ましい。欧米では日常的だが日本はきわめて低い。これでは世界のパワフルな国の後塵を拝する。

若者　若いからこそ求められるということですね。

老学者　チャレンジ精神は年齢・老若には関係ないとは思うが、若いうちに身につけておくに越したことはない。また、この精神があると強く生きられるとも思う。「前向きになれる」からだ。生きるということは考えようにもよるが安易なものではない。だから、どれだけ精神的に強い人でも相応に疲れるはずだ。

話は逸れるが、僕は疲れたとき（正直あまり疲れることはないが）、「浮生夢のごとし、歓をなすこと幾何《いくばく》ぞ（李白）」など、何となく気持ちの落ち着く詩・文章・言葉を思い浮かべては呼吸を整えてきた。これは別にしても精神的な強さは何をするにしても必要だ。

人間とはもともとは弱いものなのかもしれないが、強い存在でもある。原始時代から今日に至るまで人類は大いなる進歩を遂げた。単に弱い存在ならこのような進歩はしていない。「万物の霊長として勝者」になれたから、この地球上において繁栄をしてきている。だから本来は強い生命体なのだろう。だが弱い面もある。しかし強くあるに越したことはない。

若者　パスカルは「人間は弱い、だが考える葦である」と言いました。この哲学的な言葉が現在の若者に語られ理解されているのかどうかはわかりませんが、歴史を超えて含蓄ある言葉だと思います。

老学者　われわれ人類が住むこの「地球」は、宇宙からみれば本当に微細なる塵のごとき星にすぎない。ものの本によれば「太陽を一センチの玉」とみたてた場合、太陽から地球は一メートルのところにあり、太陽系の末端である惑星の冥王星（最近は惑星から外されたが）は四十メートル。最も近い恒星でも二四〇キロメートル相当だ。実距離では四・三光年。光の速度で四・三年もかかる。これに比し、我が太陽系が所属する銀河は直径十万光年、光の速度で端から端まで十万年も移動にかかる広さなのだ。

こういう広大な銀河がいくつもこの宇宙には存在するという。最近の科学の発展で宇宙の端と言われる一三〇億光年のかなたまで観測できるらしいが想像を超えている。頭だけで数字でみても、地球の存在はいかに広大な宇宙のなかのきわめて小さい存在であるかということだ。

しかし、この広大な宇宙のなか、地球という一個の星の中で、人間は日々老若男女を問わず生きることに必死だ。なぜにそうも齷齪《あくせく》するのかとも言ってもおれない。とにもかくにも生きなければならない。それも人間模様はさまざま、皆おのおの生き様がある。本当にいろいろな人がいる。十人十色、「人生いろいろ」だ。全部違う。だから面白いとも言える。不思議でしようがない。

そこで人間とは一体何ものであるのか、生きるということは何か。本当に難しい問題ではあるが、永遠の課題として昔から語られてきたわけだ。

思うに、たまたま一生命体としてこの世に貴重な生命を授けられた限り、まずは感謝の気持ちをもって「個として強く生きる」べく「チャレンジ」していくことじゃないか。「高い志」「使命感」「社会的役割認識」があれば、この精神は生み出されるし逆も成り立つ。そこから「活力」も生まれる。生き方の原点と思うが。

若者　最近の若い人は「暖衣飽食」、環境に恵まれすぎている結果なのか、チャレンジ精神が弱くなっていますかね。

老学者　必ずしもそうとは思わない。結構自主性に富みチャレンジしていると思う。この姿勢を大事にすべきだ。その証拠に報道される「勝負の世界」でみてみると、将棋の藤井さん、囲碁の仲邑さん、芝野さん、フィギュアスケートの羽生さん、宇野さん、野球の大谷さん、陸上の桐生さん、卓球の張本さん、水谷さん、伊藤さん、石川さんや平野さん、体操の白井さん、谷川さん、バスケットボールの八村さん、スピード・スケートの小平さん、高木さん姉妹、ジャンプの高梨さん、小林さん他、世界的に著名な人がたくさんいる。頼もしい限りだ。

皆さん「勝負の世界」で活躍されているので我々も知っているが、他のいろいろの分野でもチャレンジ精神旺盛で活躍している若い人は大勢いるのではと思う。例えば「〇〇博士」などと言われる児童がテレビに登場しているなど、夢があり頼もしい限りだな。

若者　他にアドバイスはありますか。

老学者　何らかの形で「社会への貢献」をすることが大事だ。何でもよい。「人のためになる仕事を手にする」ということだ。

それは組織に就職するということだけではない、家の外で活動することだけでもない。「主夫」という言葉もできたが「男の家事」も仕事だ。女性の社会進出との関連でみれば、大いなる社会的意義のあることになる。この意味でなくても家庭は社会の最小単位である。「家事」はイコール社会への貢献でもある。また「修身・斉家・治国・平天下」とも言う。家庭を平穏ならしむるのは国の平和にも貢献することになる。

いずれにせよ、そうすることにより「人が生かされる」ことにつながれば、形は何であれ立派な仕事、社会貢献だ。誰しもがそうできるし、そういう気持ちになれる社会をつくることも重要だ。まずは本人の心構えが第一だろうが、国の大いなる責任でもある。

今述べた他にも「強靭な心身」「滲み出る豊かで幅広い教養」なども大いに期待したいところだ。

「教養」については、「教育の大改革、新時代に必要なスペックとは?」と題して「イノベーションのためには幅広い教養が必要」と佐藤優氏は指摘している（『文藝春秋オピニオン・2018年の論点100』）。これからはイノベーションがますます重要になる時代、全く同感だ。

とにもかくにも若い人に期待するところ大だ。いろいろ話したが、あまり負担ととらえずに「人生を楽しむ（心豊かに生きる）」という観点から取り組んでもらいたい。

二　日本人の「全員」が、元気に活躍できる社会にしよう

各人の「自己実現」を目指そう、国は「場づくり」を

若者　若い人は当然頑張らねばと思います。ただ若い人だけではだめで、日本の全体を活性化せねばと思います。特に「女性・高齢者・障害のある人」についてどう活躍していただくかです。

老学者　高齢者も含め一言で言うと、「全員参加」の良い意味での「共生社会」をつくり、相互に「豊かに生きる」ということに着眼すべきだ。

ここで言う「豊か」ということは、物質的に豊かに生きるだけでなく「心の充足」も必要だ。これは人生いずれ土に還るから楽しく生きようということにもつながる。この楽しさはエピキュリアン的享楽とか快楽ではない。より「自己実現」ができる人生を送ろうということだ。若者も高齢者も女性も障害のある人も「お互いに補完しあい全員で活躍し、達成観を共に味わえる社会」にしようということだ。

社会への参加の仕方は「自由であり任意」だ。接点は自分で見つけ出していくものであろうが「機会の提供」は必要だ。国としては労働力が不足している現状、雇用対策として能力を有する潜在的人材を発掘する課題がある。特に高齢者・女性・障害がある人については、機会の提供について政策的・意識的でなければならない。

そこで一考を要するのは「潜在的労働力」発掘だ。日本には国家資格・公的資格・民間資格合わせて「三〇〇〇種以上の資格」があると言われる。さらには資格の有無ではなく「現場での経験が豊かな人（磨き挙げた腕・ノウハウ・着想力などのある人）」がたくさんいるはずだ。この人たちの「活用」はきちんとできているのか、眠っているケースが結構あるのではないか。これらを発掘することも必要だ。労働形態を「選択的」にすれば

（勤務時間・勤務場所など柔軟対応）、なお有効に活用できるはずだ。マッチングすれば自己実現にもなる。

いずれにせよ、国民全員の社会参加と第一話で話した国力維持・強化とは連動する。このような社会になれば一人一人が社会において相応の働きをなすことができ、本人はもとより国全体が活性化するだろう。

国は一つでも二つでもそういう「場づくり」をし、「雇用の創出」につなげるべきだと思う。

二の一　「女性の活力」の引き出しと、社会的活躍への期待

「大いに歓迎」すべき女性の社会的進出

若者　まずはレディーファーストで女性の活躍についての話です。最近元気なのは男性より女性だと言ってもさしつかえないくらいです。女性の活力の引き出しは重要な政策課題です。老若問わずに、お元気です。二十歳前後の女性、中高年の方、いずれの方も本当に元気です。

老学者　実に元気だ。テレビの映像を通しても街を闊歩する姿をみてもエネルギーが伝わってくる。女子の男子化などという説もあるようだが、エストロゲン（女性ホルモン）とテストステロン（男性ホルモン）の量の関係とも言われている。専門家でないからよくわからないが実に元気だ。

先のピョンチャン冬期オリンピックがその象徴、元気さを実証している。女子選手による金・銀・銅メダルの獲得、実に素晴らしい。

世界遺産に登録された日本最高峰の富士山、最近は若い女性の登山姿が多いようだ。僕も山登りというより山歩きが好きで、若い時には楽しんだ方だ。富士山も新入社員の頃、登頂の経験がある。頂上付近で見た眼下に広がる雲の間からの御来光は素晴らしかったが、とにかく猛烈に頭が痛くなる（高山病）。この富士山の登頂をした最近の若い女性は「達成感がある。地上のことが小さく感じる」など感想を堂々と述べている。逞しい限りだ。世の中も良い意味で変わったものだ。歓迎すべきことだと思う。

亡くなられた登山家の田部井淳子さんも、ガンと闘いながら福島の女子校生徒を率いて登山した、すごい人だったたな。

若い女性、中高年の女性が消費をはじめ日本の一角を大きく支えていると言ってもよい。最近は「〇〇女子」と語られるケースが増えている。社会進出の現れでもある、大いに歓迎すべきだ。最近の雇用状況についても女性は三〇〇〇万人を超え、男子の三七〇〇万人との差は縮まっている。ただ、非正規従業員が男子の二十三パーセントに比し五十五パーセントと多いのが実状ではあるが。

いずれにせよ、政治家は女性の皆さんを「口先だけでなく」本当に大事にしないといけない。

若者　女性の社会進出は、背景としていろいろあると思われます。時代の趨勢、欧米社会の影響、戦後の教育の影響、法の整備、男性の女性化（草食化）、女性の高学歴化、マスメディアにおける女性の活躍、女性寿命の伸長、少子化、結婚観の変化、雇用の多様化、男性の雇用形態の多様化と所得の減少、家庭生活の電化や便利性の増大、共働き観の柔軟化、老後への不安とそれに対する備え、そもそも元気印の女性の増大とその元気ぶりの波及効果、女性の意識変化（我こそはと思う独立心・自立心・個性の強い女性の増加）と社会進出、そのような女性のマスメディアによる紹介などいろいろあると思います。

老学者　現役時代、僕の部門にも多数の女性がいた。女性の進出については現実感をもって見られる機会に恵まれた。大卒・短大卒・高卒の新人からベテランの方まで、面接から始まり教育も含め人事的事項での接点も多かったし、事務系も技術系も問わず、またいわゆる総合職・一般職問わずに幅広く仕事上の接点を持つことができた。インフォーマル（定時後）でも会話の機会を多くもってきたつもりだ。

女性の方々は、皆それぞれ大いに自前の力を発揮し頑張っていた。職務についてはその専門領域においてきちんとアウトプットしていたし、必要に応じて出張・残業も厭《いと》わなかった。幸いにして人材に恵まれていたのであろう。世間でよく言われる男女間の仕事上の問題、女性間の総合職・一般職、若手と中高年の間の軋轢問題など幸いなことに全くなかった。各人、役割認識がちゃんとできていた。定時後の懇親会にも快く付き合いもしてくれた。

この経験を通しても職務遂行について「男女は全く同等である」というのが僕の考えだ。もちろん女性ならではという側面はあるが、これは職責を果たすについて関係ない。

若者　時代は女性重視の時代になりつつありますが、女性の活用・能力開発などについて日本のリーダーの取り組みは「まだまだ遅れている」のではないでしょうか。封建的考えに近い人がまだまだいるようです。時代遅れだと思いませんか。

老学者　そう思う。世界に眼を向けると欧米・中国など女性の活躍は日本の比ではない。

ところで「ダメ会社」かどうかの判断基準に、特定事項の「多い・少ない」がある。多いとダメと判断されるのは管理職数、会議の回数などだ。一方「少ないとダメな会社」の基準に「女性」とある。「女性を大事にしていない会社はダメ会社」ということだ。

欧米、中国などエネルギッシュな国は、女性の会社幹部への登用は日本よりはるかに多い。日本は最近でこそ役員をはじめ登用が実現しはじめたが、これからだ。まだまだ保守的だ。僕は女性の管理職をつくったが例外的だったたと思う。

『おひとりさまの老後』で男性諸君に「かわいげのある男になることね」との参考になるアドバイスをされた上野千鶴子さん（社会学者）は、少し前の話ではあるが、

「日本の男女格差を測るジェンダーギャップ指数（ＧＧＩ）のグローバルランキングは世界の中で圧倒的に低いうえに、この三年間で、一三五～一三六カ国中九十八位、一〇一位、一〇五位と順位をさげています。二〇一四

年は一〇四位と横ばいのまま。その理由はなんといっても意思決定権を持つ場に女性の参加がないことにあります」と指摘されている（『文藝春秋オピニオン・2015年の論点100』）。

少し前の指摘ではあるが、現今においても状況はほとんど変わらない。参加が全くないとは言わないものの本当に少ないと思う。

国連が発表している日本の「ジェンダー・エンパワーメント指数（GEM＝女性の政治的・社会的活動ポスト指数）」もきわめて低い。先進国はもとより他の国と比較しても話にならない。経済大国でありながら五十位くらいだ。しかも年々順位は下がっている。

これは日本以外の国が日本以上にこの問題に、よりスピーディーに取り組んで日本を追い越している証拠でもあろう。雇用均等先進国の米国ですら、上級職を目指す女性にとって「ガラスの（見えない）天井」という言葉があるようだから、日本はよほど心しないといけない。

世界経済フォーラムから「世界男女格差報告書」（ジェンダーギャップ）というのが毎年出されているが、二〇二〇年度日本はなんと一五三カ国中一二一位だ。過去最低だ。いかにも低すぎる、恥ずかしい。政治分野での閣僚・議員数が影響しているようだが、いずれの分野についても元気な女性にもっと活躍してもらわないともったいない。

とにかく「活躍の場をどんどんつくる」のだ。経験から言って能力的に全く問題はない。実現に二の脚を踏むのは、背景に女性は家庭人という「固定観念」があるからだろう。社会の「偏見」の結果でもある。なくさなければいけない。また、女性も遠慮をする必要はない。

「活躍」を担保する体制やいかに

若者　女性の活躍機会の社会的解放について、前提として留意しなければならないことが種々あります。これらについてきちんと整理されていますか。「法の整備」「運用の実態」などですがどうですか。
まず「法の整備」についてはどうですか。

老学者　全体的に「法の整備」はなされてきていると思う。基本となる「差別の撤廃・参画の平等・雇用の均等」については整備されている。今後については「母性保護」について充分か、ジェンダー（生物学的でない社会的性差別のこと）全体について問題がないかなどを検証していくことが求められる。

もう少し年代を追って話をすると、整備の内容は国連における「女性差別撤廃条約」の締結に始まり「男女雇用均等法」の制定、「撤廃条約」の批准、「労働基準法」の改正、「男女共同参画社会基本法」の制定、二度にわたる「男女雇用均等法」の改正になる。

「条約」について、我が国はこれを一九八〇年に締結、一九八五年に批准した。内容としては、締約国の差別撤廃の義務、女性の完全な発展・向上の確保、政治的・公的活動・国際活動への参加、国籍・教育の平等、雇用・保健・経済的&社会活動における差別の撤廃、法の前の男女平等、婚姻・家族関係の差別撤廃などが規定された。

条約の批准を前に男女間の雇用の均等を規定したのが「男女雇用均等法」だ。これは一九八五年に制定され、一九九七年・二〇〇六年に改正。当初規定の努力目標事項（募集・採用・配置・昇進の均等化）を義務化し、是正勧告に従わない企業名公表規定、セクシャル・ハラスメントの禁止規定、妊娠・出産による不利益取り扱いの禁止規定を盛り込んだ。女性はこの「法」に基づき男性と同等に雇用され、人材育成・登用がなされなければならない。

ただ、雇用主が肉体的条件で配慮すべき職務・職業はある。この種の職業についても、最近は女性の意欲もあり、かなりの分野で進出がみられる。大いに結構だ。電車・トラック・ダンプカー・タクシーの運転手さんや車掌さん、大工さん、鳶職の人、自衛隊員、警察官など、一昔前なら男のイメージしかなかった職場への進出だ。

最近は「溶接女子」という言葉もある。溶接作業に挑む女性だ、逞しい限りだな。いろいろの職業にどんどん遠慮せずに進出してもらいたい。大いに期待するところだ。

若者「男女雇用均等法」を受けて「労働基準法の改正」がなされましたが、これはどちらかといいますと、それまでの労働時間、休日などについての女性労働保護規定の緩和が内容（時間外・休日労働、深夜業務、有害危険業務についての緩和）になりますね。

ところで「男女共同参画社会基本法（一九九九年に制定）」について、この法が目指す社会は何になりますか。

老学者　この法の目指すべき社会は、第二条に、

「男女が、社会の対等な構成員として、自らの意思によって社会のあらゆる分野における活動に参画する機会が確保され、もって男女が均等に政治的、経済的、社会的及び文化的利益を享受することができ、かつ、共に責任を負うべき社会を形成すること」と定義されている。

目指す社会の意義については「男女共同参画ビジョン―二一世紀の新たな価値の創造（一九九六年）」で議論された。大沢真理さんはその著『男女共同参画社会をつくる』で、

「男女共同参画―それは、人権尊重の理念を社会に深く根づかせ、真の男女平等の達成を目指すものであり『ジェンダー』からの解放、ジェンダーフリーを志向する」ことだと述べておられる。

このビジョンに基づき「2000年プラン」も策定されているが、当時の橋本龍太郎首相は、

「男女共同社会の形成は、いわば社会改革とでもいうべきものであり、社会のあらゆる分野における『変革』と『創造』の大きな柱になる」と述べている。

いずれにせよ、男女とも「お互いに」本人の人権を尊重し合うことが基本になると思う。憲法で謳われた「個

人の尊重、法の下の平等」理念として当然の規定だろう。この基本の理解がすべての「原点」だ。国として「男女共同参画」を二十一世紀の社会を決定する「最重要課題」と位置づけし、都道府県・市町村に「共同参画計画」策定を義務づけている。これをどう展開していくかは社会全体の課題だと思う。

若者「法の整備」がなされれば、現実にそれを実行するかどうか「運用の実態」が問われます。この点どうですか。現実にはいろいろの問題がマスコミを騒がせていますが。これがきちんとできていなければ「絵に描いた餅」にしかすぎません。

老学者　そうだな。これら成文化された法を前提に、各責任主体がいかにこれを各界で具現化するかどうかが問われる、法の精神の具体化だ。本当の意味で受け入れ先の職業・職場の開放がなされているかだ。

そのためには「女性観の是正」「就業に関連する諸事項の適正運用」「職場環境の整備」が必要だ。「女性観」「就業に関連する諸事項」については、一昔前に比べれば相当進歩してきていると思う。「職場環境」については、現実に職を持続しうるような保育所の完備などの課題があるが、まだまだの観がある。

若者　まずは「女性観」についてです。就職するか専業主婦になるかどうかの選択は個人の自由でしょうが、就職する場合「社会通念」上の問題はありませんか。

老学者　社会通念としては、先にも触れたがいまだに「誤った女性観」があるのではと思う。その代表は「男らしさ・女らしさ」「男は外・女は内という性別分業観、具体的には女は育児と家庭」という日常的言葉に代表される。まず、このような偏見を脳裏から捨て去る必要がある。

「らしさ」については、日本語として「良い意味での使い方」はある（ジェンダーとは次元の違う「女性ならでは」あるいは「男性ならでは」という事柄は世の中にはある）と思うが、これが誤用され差別を固定するものだとまずい。

また、古来の日本の美徳とされた男性優位の家族観も誤用してはいけない。真に平和な家庭は男女平等の家庭から生まれる。

若者　前提をきちんとするとともに、具体的に「就業に関連する諸事項」について問題なきようにしなければいけません。

老学者　まずは「入り口」で全く平等な取り扱いをせねばならない。一昔前は「容姿端麗などの条件つき」とか「二十代までとか、結婚までとかの期限付き採用」などを採用条件とした企業もあった（念のため、僕の勤務した会社じゃないよ）。「誤った社会通念の産物」だろうが、今からすれば信じられない話だ。

また、募集業務・仕事の種類について、女性用として受付・庶務・秘書・事務一般などと種類を限定してはいけない。就業形態についても、女性のみを派遣・パートなどに限定するのはダメだ。期間についてもそれとの連動になる。

仕事の種類については今話した事項の遵守は当然だが、さらに進歩的取り組みとしてポジティブアクションというのがある。女性を積極的に活用する「指標を導入」していく制度で、例えばクオータ制度＝イギリス・フランスなどにある議員数特定化制度がある。これは女性進出率三十パーセント以上が目標数値とされている。こういう進んだ時代になっている。大いに参考にすべきだ。

話は逸れるが、僕は退職してから家事全般に首を突っ込んでいる。専業？「主夫」だ。この家事についてその昔「男子厨房に入らず」などと言われたようだが、考えるに厨房を含め、家事は社会に存在する「種々の仕事の集約」ではないかとも思う。

少し大袈裟になるかもしれないが、料理は飲食業、洗濯はクリーニング業、掃除は清掃業、室内整理整頓はインテリア&デザイン業、ショッピングは調達業・運送業・配達業、日曜大工は建築業、家庭園芸は農業・造園業に相当する。なかでも、厨房における料理、室内の整理整頓などは、取り組み次第では毎日工夫ができる楽しい創造的職業であると思うのだが。主婦業は「年収五〇〇万円に相当する」との説もある。立派な職業なのだ。

僕は退職後、少し前までほぼ毎日夕食の料理をしてきた。レシピをどうのこうのと言うほどの腕はなくシンプルな和食中心主義だが、内容はともかく指先を使うし健康にもよい。言いたいことは「仕事を手にする」について、男女の区分は基本的には無用だということだ。

若者　爺さんが専業「主夫」とは、見かけによらず柔軟ですね。確かに区分は意味がありません。今まで「慣習的」にそうやってきたにすぎません。

ところで「就業に関連する諸事項」の「運用実態」の話として「採用後」の話があります。「入り口」はもちろん、これも男女平等でないといけません。担当する「仕事の内容」、その「評価・賃金」などは当然のことながら、先ほどの「幹部登用」についても同等です。なかんずく「登用」は「運用の実態」で差がつけられる象徴的問題です。

老学者　人は「見かけ」によらんよ……。それはさておき、重要なことは受け入れ先において女性労働に対する「真の平等」が必要ということだ。

「仕事の内容」については特に職種についての問題がある。女性だから「補助職でよいとか、どうせ結婚のための腰掛けだから仕事に責任をもたせない」という類のものだ。自らそのような位置づけをする女性もいるかもしれないが（ただし周りの環境がそうだから致し方なくそうする女性もいることに留意が必要）、職業意識もあり能力も有する女性に対しては甚だ失礼な話だ。このような個人の意識能力を遮断するような、偏見に基づく女性観は廃棄しなければならない。

これとの関連で「女性ならではの仕事」という見方があるが、これは注意を要する。職種の限定につながるとまずい。良い意味での「女性ならでは」というか、無骨な男性よりは女性の方がいいと誰しもが期待する職種はあるだろう。これは差別ではなく美的感覚・雰囲気醸成などに基づく機能的判断だとは思う。本人が自ら不合理とはせずヨシとすれば、この場合は善良なる判断と解釈したいが、そうでない実質的な差別をするためにこの言葉が使用されるとしたら問題だ。この場合、別問題として逆差別になることも留意が必要だ。

いずれにせよ突き詰めて考えるならば、絶対的に男性あるいは女性でなければならない職種はないと言える。最近看護婦が看護師、保健婦が保健師などに改められているのはこの意味でもある。

若者　次に「労働条件（これは就業規則に規定されるあらゆる条件、労働時間をはじめ人事考課・職能等級・賃金・登用などなど）」についても「平等」でなければなりません。このためには人事考課&職能等級&業績評価制度を明確にし、能力や業績に応じて処遇することにし（能力給・成果給）、また昇進も職能や業績を判断基準にするなど、男性社員に適用している制度を同様に適用しなければいけません。前提として仕事について男女平等の「与え方」が必要です。

老学者「仕事の与え方」について、結果として考課などに差が出るような運用はしてはならない。その種の仕事を故意に与えておきながら、この仕事はそもそも評価が低いのだというのは正当ではない。

もちろん仕事には難易度・重要度はある。難易度・重要度の高い仕事を担当するについて、当然のことながら男性同様に女性にも「完全開放」しなければならない。その上で仕事に関する「能力水準と成果」の評価をすることになる。

また、差別を受けた場合の「苦情処理」についても制度として保障すべきだ。理念を実効あらしめるためにだ。とにかくこの辺がきちんとできているかだ。これらは「幹部登用」の基本的条件になる。

若者「職場環境の整備」については、企業努力だけではできない事項もあるでしょうね。保育所問題とかです。最近は企業内に保育所を設置するなどの動きもみられるようですが、理想どおりいかない場合もあろうかと思います。

老学者　この問題は「行政とのタイアップ」も必要だし「イクメンの促進」も必要。総合的に取り組まないと解決しない。いずれにせよ真の「ジェンダー・エクイティー（フリー）〈社会的性差別からの脱却〉」と男女共同参画社会を早急に実現することが、国の「活力を飛躍させる」にはきわめて重要だ。

若者　期待が大きくなればなるほど女性もしっかりしなければなりません。

老学者　女性個人の意識次第だ。働く・働かない、働くにしてもどのように働くか、などの判断は本人の選択の自由であり、とやかく言うものではないが、例えば就業している女性の能力を評価した結果、男性の就くような仕事を依頼しても合理的理由なしに拒絶したり、責任を問われるような仕事を根拠なく回避したりする（それは男性の仕事です、とか言う）など、自ら平等に与えられた機会を放棄しながら機会の不平等を問う女性がいるとすれば、本人の問題になると思う。ただし、本人の「真の思い」をきちんと確認する必要はある、見極めが重要になる。

平等なる機会の自らの放棄についてだが、本人の不合理な恣意的理由ではなく、その原因が社会の趨勢がそうだからとの「諦観」によるものとか、勤務先の「制度の欠陥」などによる場合は、本人自身の姿勢としては社会や勤務先に安易に妥協してはならないし、また勤務先の制度の問題で法の精神に抵触するような運用がなされているなら、問題提起をしなければならない。

このような外的要因に起因しない場合、自分の選択としての産物ならば意思の自由とはいえ、その女性自身の問題にもなりうる。扱いの平等を求める限り、自身も機会に対するチャレンジを懈怠してはいけないと思う。

これは、男性同様「取り組み姿勢」の問題だろう。せっかくの機会、自らその可能性をクローズしないような姿勢をもった方がいいと思う。

最近は、このような機会を放棄する女性は少なくなってきていると思う。大いに歓迎してしかるべきだし、期待に応えて活躍していただきたい。

若者　最近は大臣・政治家・官僚・大学教授・弁護士・検事・裁判官・公認会計士・政治経済評論家・会社役員・ベンチャー企業起業家・漫画家などなど、女性がどんどん進出してきています。テレビでもしばしば見かけますが、女性自身の意識の高まりの結果だと思います。もっと遠慮なく高めていただきたいですね。

老学者　比率はまだまだだと思うが喜ばしいことだ。いずれにせよこの問題は「政府の姿勢」も大きくものをいう。この問題の解決には国をあげて「国民的課題」として「意識的に取り組む」ことが求められる。

我が国は内閣として「女性活躍担当大臣」を置いたり内閣府に横断的調整機能を有する「男女共同参画会議」

を常設したりなど、まずは「形をつくる」ことから取り組んできた姿勢は一応評価できるが、現実的課題解決はまだまだだ。現実がそれを示している。今後どんどん前向きに取り組み、女性が社会的に重要な地位を相応に占める時代が到来することが望まれる。そうなればおのずからこの問題は解決されていこう。

これに関し、このたび「選挙」について「候補者男女均等法」が成立したことは喜ばしいことだ。ただ、これは理念法であり努力義務規程で法的強制はない。世界には「ペア法」なるものもあるようだ。これは「男女一組」でないと立候補を認めない法律だが、ここまでいかないにしても今回の国の取り組み姿勢はよい。

ただ、実状は厳しい。女性の議会進出比率は「列国議会同盟（各国議員の交流団体）」国一九一カ国中、一六三位と低位にあり、それも年々低下している。大いに問題アリだ。ゆえにこの法の精神を今後いかに実行していくかが真剣に問われることになる。

こういう社会情勢にあるから、今後の活躍は女性の「意識」も重要要素になる。その意味で自身の「意識改革」が必要な人もいるだろう。

とにもかくにも**「世の中の半分」は女性だ。この「一大社会勢力」が活性化しない社会は衰退すると思う。国を挙げて取り組まねばならない課題だ。この点、日本社会は「まだまだ古い」感じがぬぐえない。**

二の二　「高齢者のパワー」も活用しよう

「高齢者」とは

若者　高齢者の社会的活動については、「何を今さらどう生きようと自分の自由である」と言われれば「そのとおりです」と答えることになるかもしれませんが、今後は人員の増大に伴い国の「社会政策的課題」としても考慮が必要です。元気に活躍してもらえれば国の財政にも寄与できます。医療費問題は今後大変ですから。

老学者　高齢者との関連で言えば、いまや「団塊の世代」が定年退職者として職を離れている。この世代は多数の同世代の人（昭和二十二年・二十三年・二十四年生まれで、令和二年で七十三・七十二・七十一歳になり、総数で約八〇〇万人いる）で構成され、貧しい戦後の時代を乗り越え、数々の競争にまみれながらも高度経済成長期を支え、かつ謳歌（？）し、今日の生活を獲得してきた。会社では「猛烈社員」として朝のラッシュアワーから残業に次ぐ残業で深夜まで汗水滴らして働き、家庭を犠牲にしてきた人も多い。決してビューティフルな時代ではなかった。

この一群を象徴として、高齢者（六十五歳以上の人）と分類される人たちは、今何を思い何を今後のよりどころにするのか。人にもよるが自分発見、自己回帰、自己実現をしようとする人も多いのではと思う。大袈裟に言えば生きることの意義を「問い直す」ということにもなる。これはこの世代を例にとるとわかりやすいが、いつの時代でも老若男女を問わずに人間に求められる「人生の課題」ではある。

そこで問いかけたい。「どう生き、有終の美をいかに飾るのか」と。これは今まで話した「人間力」の話にも通じる。また「人材開発の話」でもある。さらにつきつめて考えると、「いかに充足した最高の満足感で『死』

を迎えうるか」の問題にもなる。

若者　最新の日本人の平均寿命は女性が約八十七・三歳、男性が約八十一・三歳になり、男女とも世界のトップクラスです。三大疾患といわれる癌・心臓・脳の病気による死亡を減らせれば七―八歳まだ伸びるとのことらしいですね。まさに「人生一〇〇年時代」です。現在の高齢者率（六十五歳以上の人口に占める比率）も三十パーセント近くになり、二〇三五年にはなんと「三人の一人」が高齢者との話です。大変な数ですね。

老学者　すごい数だ。それに、今の日本の高齢者は元気な人が多い。健康についての医療文化水準が高いことの現れでもある。科学が発展し、ますます元気な高齢者が増えていくだろう。いま急速に進歩しつつある再生医療が、さらに拍車をかけることになる。

現に僕の周りの高齢者も皆元気だ。学生時代・会社時代のOB会・同窓会なども相当数あるが、参加している人は皆元気そのもので、ほとんどの人がボーッと過ごしているのでなく何かをやっている。仕事・スポーツ・地域自治会活動・ボランティア・趣味などだ。もっとも、これらの会に参加している人は元気だから参加できるのであり、一般化はできないのかもしれないが。

生き方は人それぞれなのでとやかく言えないが、一般的傾向として、かくなれば**高齢者はますます重要視すべき「一大社会勢力」**になる。二〇一四年の人口統計では、六十五歳以上の高齢者は二十六パーセント（約三三〇〇万人）だった。四人に一人が高齢者だったのが、十年も先になるとなんと「三分の一」になるようだ。この勢力・層を今後**どのように「社会的に位置づけるか」、大きな政治的・社会的課題だ。単に年金とか医療の問題だけでなく「社会的活用」をどうするかという「積極論」の問題でもある。**

もともと人間の生命力は大したものらしい。『老後の真実』（文藝春秋編）によると「人はどう老いてきたのか」と題して柴田博氏は人間の「限界寿命は一〇〇歳より少し上」くらいとのことと言われる（モノの本によると、一二〇歳くらいらしい）。また「人類の生存曲線は時代とともに次第に直角化していく」のであり、限界寿命の近くで一斉に朽ち果てるという考えがあって、時代とともにだんだんと老化度が低下してこの曲線に近づいているようだ。また「人間の能力は加齢とともに坂道を転げ落ちるように劣化するわけではなく、比較的死の間際まで保たれる」し、さらには「英知を伴った動作性能力は生涯発達する」とのことだ。これらの考えを前提にすると、ますます元気な高齢者の「活用をいかにするか」が問題になってくる。

最近脚光を浴びている「フレイル」なる考えがある。老いてゆく人間が健康状態から要介護状態になるまでの「一定の期間」に、栄養不足とか筋肉の衰えなどにより「虚弱状態になる」ことを意味するようだ。

この期間を「よりよく過ごす」ことが健康につながるとし、そのためには「栄養・運動・社会的活動」の三つのアプローチが必要とのこと。高齢者健康学の一つだ。なかでも「社会的活動」が一番重要とのことだ（東大・飯島教授の話）。この意味からも高齢者のパワーを「社会的見地から上手に活用」することは、本人のみならず社会的にみても、医療問題をはじめ労働力不足問題などへの対応策にもなり、よい話だ。

付言するに、「社会的活動」の一つとして同窓が自主的・積極的に集まり、会食したり「カラオケ」などを楽しんだりインフォーマルに交流することは望ましいと言えるだろう。

動物である人間は、自然と群れる本能を有している。人と交わることはその本能を刺激するとともに相互研鑽にもなるし、心身ともに健康を増進させる。会話は脳を必要とするから認知症予防にも役立つだろう。結果、健康の維持がなされれば医療費削減にもつながる。国に貢献することにもなろう。

僕も大学時代の運動クラブの一部メンバーと定期的（一カ月に一度）に会食・懇談しカラオケを楽しんでいる（現在は「コロナ問題」で休止中だが）。皆元気だ。

若者　健康学的な見方もさることながら、高齢者自身の「活躍をしたいという意識」の問題も重要です。

老学者　そうなんだ。個々の高齢者の皆さん自身の生き方の問題がある。ゲーテいわく、「少年の頃はうちとけず反抗的で、青年の頃は高慢で御し難く、大人になっては実行にはげみ、老人になっては気軽で気まぐれ。君の墓石にはこうしるされるであろう。確かにそれは人間であったのだ」と。

社会的活動をしてきた人間にとっては職を辞するまでは苦労の連続だ。だから高齢者を個人としてみた場合、この言葉のように気軽・気まぐれは多少許されてもいいとは思う。だが、このような考えで悠々自適な生活を選択でき、ないしはする人は別として、「何かをなしたい人、何かをせねばならぬ人」をどうするかの課題がある。

若者　元気な人で、自身「何かをやりたい」と思っている人には「活動してもらわないともったいない」ですよね。もちろん、他に迷惑をかけるようでは困りますが。

老学者　そう思う。六十五歳くらいじゃまだまだ元気なのだ。今の六十歳は肉体的には五十年前の四十二歳に相応するとの研究もあるらしい。「老化」についてはテロメア（分裂時計といわれ、細胞の分裂回数を決める量的因子）による「遺伝子プログラム・細胞老化説」とか、ストレスによる「細胞破壊説」「擦り切れ説」などあるようだが、学説はさておき個体差があるものの、大体皆さん元気な人が多いのが実状だ。

高久文麿編『医の現在』によると、米国のフルマラソンについての調査では、七十歳まではそれほど記録は悪くならないが、七十歳を過ぎれば急速に記録は低下する。このことから七十歳までは心肺機能と筋骨格系の能力は修復能力が充分にあるが、七十歳を過ぎればもはやそれ以前の肉体的機能を維持することは不可能とみなされるようだ。

僕もそうなりつつあるのか、確かに歩行速度は随分落ちてきているな。このような研究は高齢者にとって大いに参考になるが、いずれにせよ七十歳（古希）はもちろん、それを越えて寿命が大きくのびていることに違いはない（これは日本だけでなく、途上国も含め世界的現象のようでもある）。しかも、元気に過ごしている人が多いのも事実だ。本人が希望すればの話ではあるが、何らかの活動をしてもらうに越したことはない。

若者　一昔前は、高齢者というと一般的に、盆栽いじりとか、キセル片手に縁側での日向ボッコという老人スタイルがイメージされたようですが、そういうイメージは今は薄れていると思います。むしろ、そういう見方は偏見になるかもしれません。

見方を一八〇度転換し「生涯現役」ということも、単に個人レベルの話ではなく「社会的次元の課題、国家的レベルの課題」にしなければならない時代になりつつあるのではないかとも思います。社会制度・社会の仕組みをどうするかの問題にもなりましょう。もちろん自分自身の問題として、自分が社会とどう向き合うかという問題でもあります。

ここで考えられますのが「高齢者ならではの仕事の発見・機会の提供」です。これが多数者でなせるようであれば「高齢者専門職」とでも言いますか、社会として考慮されてしかるべき「職業群」になりうるのではと思います。

とにかく昔とは随分違ってきています。それの方が人生にとってエネルギッシュでよりよいのかもしれないですしね。

老学者　そうだな。曽野綾子さんはその著『風通しのいい生き方』で「老いても知恵と感覚を張り巡らして生きる」と題して、

「最近の老人の中には甘えの構造が目立つ場合も多い。当人が甘えている場合もあるが、社会が……高齢者を過剰に甘やかす」と指摘されている。

確かに甘やかしがあると、せっかくの天与の能力も生きない。同氏は、「人間の基本は何歳になっても、働いて自分の糧を得る、自分で餌を作り体の経営をするという原則に従うことだ、と私は思う」と言われる。

そのとおりだと思うな。可能な限り「自立心を維持」することが必要だ。なお、曽野さんは、「ぼけないで若くいたかったら、自分で料理をすることは手近で一番いい。いかなる薬よりも食べ物と、それを作る過程が動物的で体に効くはずと私は信じている」とも言われる。

先に話したように、退職後少し前までほとんど毎日家族の夕食を料理してきた経験のある僕にとっては有り難い言葉であり、主旨は全く同感だ。要するに可能な限り「自分で事をなす」ということだ。この延長線上に「高齢者職業の確保」の問題アリだと思う。高齢者への機会の提供の話はこの意識アリを前提にする。

高齢者は「生涯現役ないしはそれに準じる群」と「引退群、それも元気な人と元気でない人」に分かれる。前者は社会制度としてあるいは政策として活用をいかにはかるか、定年制の問題などの整理が必要になる。後者については「公助・共助・自助」のうち、特に公助内容をどうするかの問題がある。年金支給を含め、どう対応するかだ。今後の高齢者問題は、元気でない引退者をどう国・社会としてプロテクトするかと、「自立」意識旺盛の元気者をどう活性化するかの二つが重要になる。

とにもかくにも、まずは心身の健康を維持するための「生活環境づくり」が必要だ。

まずは「生活環境づくり」を……「家族や地域」でどうするのか

若者　「生活環境」をどうつくるか、ですか。フォーマルな課題でもありますし、インフォーマルな取り組みにもなりますね。

老学者「高齢者の活用いかん」は、当人の生活環境をきちんとし「元気さを維持」した上での話になると思う。「生活環境」について「家族、地域」がどう取り組むかだが、同時に高齢者自身が「家族・地域への何らかの貢献・奉仕」をするという面からとらえるのもよい。役割認識ができ、心身の健康にもプラスになろう。

まずは「家族」についてだ。この点については「非・核家族化運動を推進」したらどうかと思う。昔の日本の懐かしい姿だ。

例えばの話ではあるが、可能であれば「三世代住まい」の促進はどうか。これは、家屋の構造が問題になろうが、日本の建築物の寿命は欧米に比べきわめて短いとされる。英国など築一〇〇年など珍しくないらしい。これは国レベルでいえばストックになる。長期建築物を前提に、建設についての種々の優遇措置を導入し促進するとか、田舎の古い大きな建造物で空き家になっているものを地方自治体が買い上げ、高齢者に供与・貸与し、子息である若い都会人の移住（Uターン）を促す（何らかの特典を賦与する）など再利用するとか、日本古来の「大(?)家族」再構築促進など考えられないものか。

これは地方創生にもつながる。そこに住まう爺さん・婆さんが孫の面倒をみるなど家族サービスの一端を担うことにすれば、現状、課題の多い幼児教育・保育の問題も一部対応はできるかも。そもそも家庭において「有り難がられる高齢者」でなければいけないが、これを実現する環境づくりにもなる。

今のままだと「独居老人」がどんどん増加し、社会的対応がものすごく大変な状況になることは自明だ。本来は本人として自由であるべき「家族のあり方」を、国として考えざるをえない時代が来るのではないか。

もちろん、この問題は取り組むには難しい点があるとは思う。言うまでもなく個々人の「家族観が違う」だろうし、また、家庭事情も個別に異なるだろうから「一律にはいかない」からだ。ただ、何らかの手を打たないと

「独居老人」問題は大変になる。大いなる国民的課題だよ。

若者「地域」についてはどうなりますか。家族での対応が難しいなら、「地域」で「家族に準じる考え方」の話になります。もちろん、難しくなくても地域による積極的な取り組み・高齢者自身の活動は歓迎されてしかるべきでしょう。

老学者「高齢者共同生活ライフスタイル」の考えが必要だ。地域としての取り組みで考えられるのは「モデル高齢者町・村づくり」だ。高齢者により運営される「共同生活の街づくり」とし、特区にするなど考えられないか。運営は三助による。「自分の力でも自立」し、かつ「公からの支援」もあり「共助」もある。均衡のとれた街づくりだ。

活動は、例えば課題として「健康増進活動」などとする。年間の目標として「アルツハイマー・脳血管障害・パーキンソン病などなどの撲滅運動」を目標として取り組むなど、どのような課題でもよい。地域の実状に即して実施するなどが考えられる。地方自治体主体で「地域活性化政策」として導入し、国からの助成も促進させる。今話した家族単位についての取り組みと並行してこの種の動きを促進していかないと、ソコカシコに「活力なき老人が溢れ返る」ことになりかねない。大変な社会問題になろう。

これに関連し「健康長寿社会」について記された水野肇著の『医療・保険・福祉改革のヒント』は、調査時点は前のことではあるが「モデル町・モデル村つくり」、高齢者の「生活スタイル」の参考になる。例えば健康について、同著では「健康で安らかな老年を生きる」と題しての紹介がなされているが、要約すると次のようになる。

長野県は「老人医療費が低くて平均寿命が長い」「『健康で長生き』という理想的な状態にかなり近い」いわゆ

る健康長寿県だ。同県は「人間が健康的に暮らしていくのに、地理・気候、人口構成、あるいは・保健・医療・福祉環境のすべてにおいて、他の県と比較して格別に恵まれているわけでもない」のに何か秘訣でもあるのか。「豊かさの指標」と通称される政府の出す「新国民生活指標」があるが、それによると長野県は活動領域別では「働く・遊ぶ・交わる・学ぶ」の指標がきわめて高いし、生活評価軸別では「快適・公正」の指標もきわめて高いようだ。

老人医療費が低い理由は、「在宅治療を可能とする条件が整っており、その結果、平均在院日数が他県より短い。自宅での死亡割合が高く、終末医療の入院費が安い。活発な保健活動と生き甲斐を持っていて（主として農作業）、これが老後の生活を充実させている」。また「保健師数が多く、保健所が積極的に機能している」との指摘もある。

特に同県の佐久市（島崎藤村の詩『千曲川旅情の歌』で有名な小諸市の隣）に関する調査によると、「生活スタイル」としての健康の秘訣は「食生活」にあるとみているようだ。「食べられる物は何でも食べたのがよかったのではないか」とみている。それも自然に手に入る物すべての感じだ。「ウサギ・コイ・フナ・キジ・ハヤ・カジカ・イナゴ・タニシ・サナギ・コオロギ・カマキリ・セミ・ゲンゴロウ・ヤギの乳……」などなどだ。

都会の人間なら「へー」と思うものまでもが食べ物になっている。健康に生きる地域社会づくりの参考になるだけでなく、個人として生きるのにも参考になると思う。まあ、ちょっと抵抗はあるが、そのつもりになれば何でも（?）食べられるのかも。可能な限り「自然を受け入れる」ということか。

中国の食文化はそのようだ。僕も北京に出張した時「サソリのから揚げ」なるものを食べた。長野県について言えば、辰野に出張時「ハチの子・イナゴ・ザザムシ?（と言ったな）」など、酒の肴として佃煮で食べたが結構美味しかった。

もちろん「何でも」といえど、ウイルス感染症との関連もあろうから、医学・衛生学的な用心はきわめて重要だろうがね。場合により新しい感染症を引き起こし、時によりパンデミック（世界的規模の感染）になることもあるから注意する必要は大いにあるとは思うが。いずれにせよ、この調査は参考になるな。

若者「生活スタイル」となりますと、高齢者本人の意識が第一ですね。そのような意識を持つようにとの自治体などの働きかけも必要ではありますが。

老学者 そうだな。まずは自身が「周りの人に迷惑をかけないようにすること（自助努力）」が高齢者の生き方の重要要件だと思う。それを前提に「健康地域づくり」を町・村として立ち上げ、さらにその地域ならではの付加価値を生み出す「市・町・村おこし」をすれば、第一話でも話した「地域創生」にもつながるだろう。高齢者の「経験能力」はここでも活かせることになる。

最近男性長寿第一位の県になった滋賀県は、食べ物でいえば琵琶湖の淡水小魚や発酵食品の鮒寿司が健康に良いらしいが、グラウンドゴルフが盛んなのも貢献しているようだな。地域の人たちがお互いにコミュニケーションを高める努力をしている結果でもあろう。参考になる。要は住民全体の「地域に対する意識（思い）」次第、何にどう取り組むか、の姿勢次第だと思う。

若者「地域医療システム」を構築しているところもあるようですね。

老学者 そもそも病気にならない「予防的仕組みづくり」が先行すべきなのだろう。この仕組みづくりは今後国・自治体・当事者同士がタイアップして本腰を入れて取り組む必要がある。

ただ、そうも言っておれない事情も多くある。病院・診療所・役所・自治会などが連携して、すでに健康を害している高齢者を協力して助け合う仕組みが求められる。もちろん「予防的機能」も合わせ持つことになる。かくなるところに「ＡＩ・電子システム（即対応）」を導入・構築し大いに活用すべきだ。

究極は「高齢者個々人別の健康フォローシステム（その地域住民であればどこにいても即時に医療対応が可能になる仕組み）の構築」になろうが、今後「急増していく高齢者」対策に、本気になって今から取り組まないと大変なことになりそうだ。

医者も不足している（約三十万いるが、十万人強足りないらしい）。一都道府県一医大でなく、高齢者人口の多いところに医学部定員を増やすとか医大を増設するとかできないものか。

ただ、これを充実させすぎると、それを頼りに自己管理が遠のくおそれもある。線引きが難しい。が、まずは、地域の高齢者住人が「健康管理について共通認識を有する」ことから始める必要がある。

当事者による任意の活動で健康を維持しようと活動している事例は、全国にいろいろあるようだ。自治体は自治体として「地域の高齢者を元気に活かす」という思いに基づき、そのような活動を国とともに促進する政策が重要になってくる。

「企業など組織」による活用の促進……「生涯現役」も視野に入れるべきでは

若者　生活環境がよりよく維持されるとともに、「企業など組織の取り組み」も重要になります。どうあるべきでしょうか。

企業の中には先行して定年制度なし、または定年の延長で取り組んでいるところもありますが、若い人の活用、人件費との関連もあり、簡単にはいかないでしょうね。一企業でなく社会的課題として制度・仕組みをどうするかです。

老学者　元気でやる気も能力も十分ある高齢者を大事にし、活用をはかろうということだが、二〇〇三年に「高齢者雇用促進法」ができた。これは年金の支給開始と連動した法律だ。支給年齢六十五歳を前提に、それまで働く意思と能力のある者を積極的に雇用するとの法律である。本人が望む場合、企業は雇用する義務がある。高齢者の能力を社会としてうまく活用するということだ。

前にも話したように、アメリカのロマン派詩人・サムエル・ウルマンは言う。年齢は「心の様相」であると。今の高齢者は昔より十歳は若いといっても過言ではない。やる気も能力も十分にあるし経験も多い。これを活かさなくてはもったいない。これこそ国が考えるべき課題だ。当人も六十五歳を越えて「なお仕事を続けたいと希望」している人は結構多いのが実情だ。調査によると、該当者の「七十パーセント」にものぼるようだ。

少子化で生産年齢人口もますます減少する。外国人受け入れも重要課題だが、まずは足元にいる高齢者（日本人として言葉も心情もわかる）を活用した方が、国全体の活性化につながるのではと思う。

六十五歳という区切りもなくすような制度はできないのか。もともと「定年」なる制度は何を前提に導入されているのか、単なる「慣習」ではないのか。仮に七十五歳に延長しても法的問題にはならない。むしろ憲法で保障されている「勤労権」との関連で前向きにとらえるべきではないのか。国として生涯現役促進運動（本人にその意向があることを前提だが）も検討すべきだ。

若者　経営者も国の制度いかんに拘わらず自らの施策を打ち出すべきでしょうね。「高齢者・有効活用人事」です。「働けるまで働いてもらう」が方針の企業もあります。逞しい中小企業に見られます。もちろん、後継者や人手の問題もあるのでしょう。

老学者　惰性で給料のため働かれるのは困るが、「使命感」に溢れた人を雇用すれば企業にとってもためになると思う。「処遇に工夫」（賃金・労働時間と日数・立場など）をこらせばよいのだ。「生きがい」を第一にする人は「贅沢を言わない」。「自分の得意とする分野について経験をいかした仕事をすることができれば無償でもいい」という精神的充足を優先するのが今の高齢者層じゃないか（人にもよるが）。

これは慣例とも言える官僚の「天下り人事（先輩から後輩へ何らかの形で七十歳くらいまで仕事を保障し、相応の賃金を支給することを続けていく）」とは全く違う世界の話だ。

いずれにせよ高齢者活用をなすには、従来の発想を転換し、企業は企業として国の動きを待たずに主体的に、また国は国策として今までと違う「積極的活用策」の考え方の樹立と具体的政策を「加速させる必要」がある。「従来の人事観を転換すべき時代」に来ているのではないのか。促進法についても実施状況を把握し、積極推進企業については何らかの優遇策を設けるなども必要かもしれない。

ただ「若い人の活動を奪わないようにすべき」であり、「両者の労働内容の峻別と所得配分のあり方」をきちんと整理しておく必要がある（ガイドラインが重要）。

これについて「高齢者向け仕事マップ」を全国版・地域版別に職種ごとにつくるのはどうか。「長い経験に基づく能力と腕を有効活用する」時代でもある。対象となる仕事は「山とある」はずだ。

いますが。

二の三　「障害のある人」の活躍について

「活躍の場」づくりを

若者　「障害のある人」の雇用も推進すべきですね。法的には一九七〇年に「障害者基本法（障害のある人の自立・社会参加の支援）」、一九八七年に「障害者雇用促進法（障害者雇用率の設定）」などが制定・整備はされていますが。

老学者　法はそのとおりだが、現実の対応がどうかだ。障害のある人の社会的活動については、僕も現役時代に雇用促進について行政当局とコンタクトし、積極的に推進したことがある。随分前のことではあるが、当時はまだこの問題について企業もこれからという時代であった。現在においてもこの課題は「まだまだの感」が強い。社会的課題としての認識度の差の問題だと思う。

障害者雇用率は法で定められている二・五パーセントだ。企業はその努力をしても雇用率を充足しなければ、その乖離の程度に応じて罰金を払う必要がある。だが中央官庁はそれがないにもかかわらず数値の水増しをした、という話が二〇一八年にあった。指導的立場にあるにもかかわらずだ。大いに問題だ、ケシカランね。

いずれにせよ、障害はあるが働く意思も能力もある人に、績極的に手をあてていく必要が大いにある。障害があるがゆえ、それだけに「それを克服し、やる気や意思も強い人が結構いる」のではと思う。パラリンピックの選手の活躍にも見られるように、もともと人間は「すごい力・底力」を持っているのだ。

テレビでも報道されていたが、両腕のないアーチェリーの選手が足でアーチェリー競技に挑み、その放つ矢の弾道たるや上下・左右とも健常者の選手よりも安定し正確に的を射ることができるとか、全盲のサッカー選手がボールや他の選手の動きの音を捉え、すばやく動きゴールを決めるとか（その場合の脳は、なんと聴覚ではなく視覚分野の脳が活動しているとのこと）、片足のないサッカー選手が二本のクラッチを使い健常者の走りと同じ姿勢で動きまわり、メッシやマラドーナかと思うような活躍をしているとか、両足のないアイスホッケー選手が両腕でスティックを上手にさばき、すごい速さと安定した姿勢でスケーティングし動き回りゴールを決めるとか、ものすごいのだ。本人の日頃の厳しい練習もさることながら、人間の有する能力のすごさに感動するばかりだ。

これに対し、このような人は「特別だ」と言う人もいるだろう。そうかもしれないが、仮にそうだとしても、今まで繰り返して話しているように「人間は無限の能力を天与のものとして有していること、努力は実ること（違いは個別にあるにしても）」の証ではないのか。

もちろん、その活躍を得るには当事者自身もその気にならねばならないが、その有する「能力を認め、活かそう」とする周りの「引き出し」も重要になる。国として「機会の提供」について積極的政策を打ち出し「活躍の場づくり」をすべきだ。例えば「視覚」に障害のある人が鋭い「聴覚能力・嗅覚能力・触覚能力」に恵まれている場合、その能力をどう活かすかということ、要は前向きに考えるかどうかが問われているのだ。

以前のテレビ報道によると、タオルの品質を確認する場合「手触りの良さ」を視覚障害のある人に判断してもらうことにより、より感触のよい製品を生み出せることになったという。また、先ほどのスポーツに限らず、手の不自由な人が足を手の代わりに使いさまざまな仕事をこなし、それも健常者顔負けの器用さでやってのけるなどの例は多いのだ。

若者　その持つ良さを「前向きにとらえる」かが問われているのですね。

老学者　そういうことだ。障害と見るより「その人の特性・特技・個性」とした方がよい。「それを活かす」という考えに立つのだ。

また、別の視点からであるが、障害のある人が働くためには環境の整備も必要だ。勤務場所のバリアフリー化を推進するとか、通勤が無理な場合には自宅で業務機器を提供して仕事をしてもらうとか（在宅勤務）いろいろある。僕も現にそういう勤務提供をしてきた（パソコンを使用する在宅業務を依頼）。今回の「コロナ問題」でリモートワーク、テレワークの導入が進んでいるが、障害のある人への職業提供拡大には良い機会になる。促進すべきだ。

これとは別に、通勤する場合、あるいは職場で補助・手伝いをする盲導犬や介助犬などの飼育も重要だ。現在、盲導犬は一〇〇〇頭くらいいるようだが聴導犬・介助犬は少ないようだ。もっと充実させるべきでは。

いずれにせよ、まだまだ取り組むべき課題は山積している。これからだろうが、国全体として真剣に取り組まねばならない。

この前の参議院議員選挙で、新党の「れいわ新選組」から障害のある方が当選された。令和・新時代の幕開けの象徴とも言え、大いに歓迎すべきだ。頑張っていただきたい。また「コロナ問題」で一年延期された東京パラリンピックでは、ピョンチャン・パラリンピックにおける日本人選手の活躍が素晴らしかったが、それを上回る活躍を期待したい。

「あらゆる人が活躍できる社会」を目指そう

若者　これからは「あらゆる人が活躍できる世の中」をつくっていくということです。

老学者　そうだ。そうすることにより「国全体が活性化する」ことになる。人間の能力には素晴らしいものがある。その**「可能性を充分に引き出す」ことが「共存・共栄の全員参加社会の原則」**だ。**「一部の者だけの幸福享**

受はいきすぎると『社会の分極化と混乱』を招き、結果全体を失う」ことになりかねない。

これには「活力の前提」を社会区分によらず、あくまでも「全ての個人をベースに活性化し、全体のレベルアップをはかる」ことが重要になる。そうしないと「真の（多様な）人材開発」はできない。前段の「教育」も後段の「人材活用」も同根。このことを指導者は心すべきだ。いつの世もそうだが、特に今後はそうなる。「高邁な人間哲学」がますますリーダーに求められる。究極は「個人の尊重」ということだ。

若者　この関連で「外国人の受け入れ」について触れてください。

老学者　人材の活用という観点からは、今後は「国際的視野」に立つこともますます重要になろう。外国人人材をどのように受け入れていくかだ。

人口減少に対応するため「まずは日本人対象にあらゆる人材を活用する。また、ＡＩやロボットの最大限の活用もする」ということにはなるが、いずれそれでも不足という時代は来る。極端な少子化も予想される。これこそ「国難」だ。そのためには心を広く外に開いて「人材であれば受け入れ」ていくという心構えが必要だし、確固たる理念に基づく長期的視点に立つ政策も樹立しておくことが求められる。

日本は欧米諸国と比較して外国人の受け入れが少ない（労働人口比率は全体の一・九パーセント）。受け入れ体制を確立し（教育も含め）実行していかないと国際社会から取り残される。日本で働きたいと思う外国人は潜在的には多くいるはず。「受け入れシステム」が完備していないがゆえにできないとなれば、国の怠慢ということになる。

ただし、受け入れについては「移民政策」いかんなどの論議が出てくる。前提として何をもって「移民」とするか明確にせねばならない。ゆえに受け入れについての「基本的な考えを樹立する必要」がある。多民族と共生していくのか、特定目的のために一時的あるいは長期的に支援を仰ぐのか、など前提を充分に論議する必要があろう。

特に現実に受け入れる公共機関・企業などの組織の考え・意見を大事にすべきだ。雇用するにあたり現実的課題の発生が予想されるからだ。また、国として「長期にわたる必要労働人口予測も重要」になる。合理的・目標限度数も必要だ。また、外国人の有する「労働能力マップ」の作成も必要になろう。これと我が国が必要とする業務とのマッチングをさせるためにだ。いずれにせよ「国際協調」の時代、前向きの取り組みが望まれる。

ただ、国際協調も重要だが国益も重要。国民の就業を奪うことは回避すべきだ。悩ましい課題ではある。これらについて失敗例も含め、先進的であるドイツなどの実状把握も必要だ。

今の話は日本全体についての話だが、地方自治体別に見れば、産業分野によりすでに国全体の動きに先行して就業者の受け入れが進んでいる例はあるようだ。水産業について広島県、農業について茨城県などだ。

一連の動きに関連し、下地ローレンス吉孝氏は、受け入れ側の議論や言及が少ないことを指摘、「受け入れ側の多様性に着目しよう」とし、「受け入れ側がすでに多様であるという現実への理解」の必要性と「すでに日本各地で蓄積されてきた運動や広がりのなかにこそ『共生』のヒントが隠されている」「議論の場を確保」すべしと主張されている（『文藝春秋オピニオン・２０１９年の論点１００』）。

個別の現状は相応に進んでいる。国は全体として遅れをとらないようにせねばならない。拙速は無用な混乱を招きかねないので回避すべきだが、可能な限り早めの対応が求められる。

今度入国管理法が改正されて外国人の受け入れが増える。新設の在留資格「特定技能」十四業種について、今後五年間に最大約三十四万人を受け入れることになった。急速な外国人労働者の増加により現場が混乱しないように、円滑で実のある受け入れになるよう努力が必要。現場の人事・労務管理は大変だ。今後については、先に話した「基本的考え」を早急に確立せねばなるまい。

いずれにせよ、この問題（国民全員活性化・その背景にある人口減少など）はきわめて重大課題だ。

象徴的な例として、政府見解によれば「二〇二五年に中小企業の半分が倒産しかねない」とのこと。労働人口不足による（後継者なしによる「廃業」を含む）。先にも述べたように、日本を支えているこれら中小の企業（事業社数の九十九・七パーセント、従業員数の七十パーセント）がこのようなことになれば国・社会はどうなるのか。外国人も含め「あらゆる人材を活性化」していかないと、国自身が倒産する憂き目をみることになる。

それに繰り返すが、**もともと「意思と能力のある人を活かす」ことは「時代時代の現象」いかんにかかわらず、それ以前の「国としての常なる重要課題」**だと思うのだが。

終わりに

若者「日本の基本的課題」（「今後の国の姿〈その基盤〉」と、「人材の開発」にどう取り組むのか）、勉強になりました。最後にまとめてください。

老学者　いろいろ思いを述べてきたが、総じて言えば広い意味での「**活人論**」だ。中身としては、国全体の課題として国（政府）・企業・教育機関などの「社会的組織」の「あるべき姿論」でもあり、「今後各課題をどう展開するのか」は為政者をはじめ、関連する組織の取り組みいかんによると思う。

もちろん、各課題に何らかの形で関与する「**国民全体の個々人が有する『活力』いかん」（すべてのモノゴトは「人」に帰する）によるとは思うが、国・社会・組織はこれを引き出す「理念・方針・政策・機会提供」に**ついて**責任を有する。「全体と個」の「同時活性化」が重要だ。**

繰り返すが、「個」については「人は『無限の可能性』を有した存在」、この「天与の力」を引き出すのは、まずは「一人一人の自覚と役割認識」ということになろう。

人は「多様性」を前提に、皆「何らかの役割」を持っていると思う。役割を遂行するには「強く生きること」が求められよう。この「認識」が「力の源泉」になるのでは。これを常に「自分に問いかけること」が重要。「力の源泉」は「すべての人間に内在している」、天与のものとして全員に「平等に賦与」されている。引き出すのは「自己自身」、「天は自ら助くる者を助く」ことになる。

人には「脳について言えば千数百億個の神経細胞とそれをつなぐ数百兆個のシナプス」があるという。だが一生でほとんど使わないらしい、もったいない。「活力」を発揮すべく「存分に活用していく」べきだ。何事をするにもこの基本的認識に立ち、各課題別に各分野において関連する人たちが「前向きに協力してフォロー」してゆけば、国・社会の明日はある。

「国」としては「全体（より多数）の益」を前提に、国家・社会的次元の各課題にこれら「すべての皆さんが個々に有する多様な能力」を「有用化（個の能力の有効活用……活性化）」させていくことが重要だ。引き出すのは個人にせよ**「引き出しのよりよき環境を醸成する（制度・システムの改革・構築、前向きの良き政策の展開、ムダ・不要な規制の排除など）のは国の重要な責任」**だ。**このためには「国・社会の方向づけ」と「それに資するあらゆる人材の育成・活用方法」が「国民にとって、より理想的で納得のゆく内容」でなければならない。**

この「基本」認識のもとに現状、問題はないか、を問いつつ課題を共有、解決していくべきだ。これが「活力ある平和国家・日本」の維持・発展につながる。国を「劣化・弱体化」させてはならない。第一話、第二話いずれもこの基本的考えに立っている。

政府は「一億総活躍社会」を目標として掲げているが、これは「理想とする国家像」のもと「関係する各組織と個々人が役割認識・責任意識を明確にし、相互に尊重・理解・協力しながら、その有する能力を思う存分発揮しうる社会」が構築されれば実現可能だろう。今回の「コロナ問題」、短期間で終息することを願うところだが、国としてこの命題をためすには一つの良い機会として「前向きにとらえるべき」と思う。「日本ならでは」の気概で取り組めば可能だ。

……あれこれと世の中課題は多けれど　明日を夢みて筆を擱くかな……

あとがき

人間、歳をとるのはまことに早いものです。「露の世は露の世ながらさりながら」と吟じたのは一茶。セネカ（古代ローマの哲人）はその著『人生の短さについて』で、「人生は短いのではなく……我々がそれを短くしている」と説き、「怠惰な多忙」ではなく「真に充実した人生を送るべしよく生きるべし」と諭しています。「より良く生きる」ことについては、ソクラテスもプラトンも説いているところです。筆者も七十代の半ばを数える年齢、この時期をインド哲学では「家住期」を終えた「林住期」といい、「思索」をする時期としています。この歳まで「生」を得られたことに感謝の日々ではありますが、セネカの諭す「生き方」を参考に、浅学の身ではありますが、今まで自己の「人生のテーマ」としてきた「国家と人材」についての思いを「第一話……国家のあり方」「第二話……人材の開発」としてまとめた次第です。

我が国は現状も今後も国家的重要課題が山積しています。国として「危機意識」を持ち「いかなる基本事項に着眼し、解決していくべきか」が問われる時代にあると思います。本著は『日本活性化論』と題していますが、今後重要になるものは「国家のあり方」「人材の開発」を論じるにつき、「政治・科学・人のあるべき姿」の「個別ないし複合的実現」についての問いかけです。これらが適正であればある程、素晴らしい社会が生まれるのでは、と思います。

「政治」に関しては「国の姿（国家像）と国を動かす組織指導者について」、「科学」に関しては「高度・科学技術と国の姿について」、「人」に関しては「人材の発掘・育成と活発化について」などなど、それぞれ課題別に思いを述べました。いずれにせよ「政治についてはその重要性」「科学についてはその凄さ」「人についてはその素晴らしさ」が人生で抱いてきたイメージ、それを各課題につき語ったつもりです。

筆者はリタイアして今年で十一年。会社時代には、若い人や中堅どころや現場の人と一緒に「梁山泊」ならず「赤提灯」で談論風発、自分の考えを大いに論じてきたつもりですが、そのような機会も極端に減りました。そこで会話ではなく「文筆」で語ることにした次第。「ペンは剣よりも強し」に思いを馳せつつ考えの「大筋」は述べることができたと思っております。項目によってはもっと深く論じたい気持ちもありますが……。

内容は自己の抱く「考え」の域を出ていないものもあるでしょうが、現実社会の経験も踏まえてのことゆえ、それほど地についていない話ではないと自負しています。ただ筆者はその道の権威でも学者でもありません。ゆえにあくまでも「善良なる一市民としての素朴な目線に立った考え」を述べた次第です。

「国家」は国内外の複雑な要因も影響し、思い通りに動くものではありません。国の指導者は大変だと思います。ただ、この指導者を生み出しているのは「国民の一人一人」、したがって何事も「国民全体」に責任は帰すことになります。このことに留意し、誰しもが「大きな視点」で物事を考えていく必要があるのではとの思いを前提に「一国民」として諸課題を論じたつもりです。

冒頭述べましたように、我が国にとって今は節目の時代。また、たまたまですが「新型コロナウイルス感染症」が世界を揺るがしており、我が国を始め、各国とも「国のあり方」が改めて問われている状況にあります。国に対する「問いかけ」は本拙著のテーマにも通じるところありと思います。構想を抱き、筆を執ってから数年を経ましたが、この年に本著を完成することができました。戦後の復興とその後の高度成長期を経て成熟期にあるとされる今日、「国」の平和を維持すべく何をなすべきかを考え、今後を展望するには良い機会ではないでしょうか。本著は我が一度の人生において培ってきた「考え方のまとめ」ではありますが、これを目にされた方々にとって、少しでも参考になり得れば幸甚です。

拙著の出版にあたりましては、できるだけ多くの方々に読みやすく親しんでいただけるようにと、文芸社出版企画部の山田宏嗣様、編集部の吉澤茂様ほか多くの方々にご尽力いただきました。ここに心から御礼を申し上げる次第です。

令和三年（二〇二一年）一月吉日

大山　哲人

主要参考文献（あいうえお順）

アインシュタインの教育観（寺田寅彦著）ＣＡＣＩＯ電子辞書
ＩｏＴとは何か（坂村健著）角川新書
アジア経済発展のアキレス腱（林華生・浜勝彦・渋谷祐編著）文真堂
新しい「教育格差」（増田ユリア著）講談社現代新書
天下りの真実（市村浩一郎著）ＰＨＰ研究所
アメリカ外交の魂（中西輝政著）文春学藝ライブラリー
怒りのブレークスルー（中村修二著）集英社
生命《いのち》の暗号（村上和雄著）サンマーク出版
イノベーションはなぜ途絶えたか（山口栄一著）ちくま新書
医の現在（高久文麿編）岩波新書
医療・保険・福祉改革のヒント（水野肇著）中公新書
ＡＩ時代の新・ベーシックインカム論（井上智洋著）光文社新書
老いの整理学（外山滋比古著）扶桑社新書
面白いほどよくわかる世界の紛争地図（世界情勢を読む会編）日本文芸社
会社員が消える（大内伸哉著）文春新書
科学技術白書・平成25年版（文部科学省）
科学は今どうなっているの（池内了著）晶文社

科学論入門（佐々木力著）岩波新書
科学と自由と平和（オールダス・ハックスレー著・上野景福訳註）金星堂
学問のすゝめ（福沢諭吉著）ＣＡＣＩＯ電子辞書
革新する保守（寺崎友芳著）扶桑社新書
霞ヶ関の正体（稲葉清毅著）昌文社
風通しのいい生き方（曽野綾子著）新潮新書
カント・永遠平和のために…１００分de名著…（萱野稔人著）ＮＨＫ出版
官僚国家の崩壊（中川秀直著）講談社
官僚×東京大学法律勉強会（東京大学法律勉強会26期有志著）ブックマン社
企業は変わる人が変わる（江坂彰著）文藝春秋
危険不可視社会（畑村洋太郎著）講談社
９０分でわかる日本の危機（佐藤優著・ニッポン放送「高嶋ひでたけのあさラジ！」編）扶桑社新書
技術官僚（新藤宗幸著）岩波新書
技術の街道をゆく（畑村洋太郎著）岩波新書
教育クライシス（吉間正利著）文芸社
教育の原理（沼野一男・松本憲・田中克佳・白石克己・米山光儀著）学文社
教育の目的（福沢諭吉）ＣＡＣＩＯ電子辞書
教育の品格（鵜川昇著）文芸社
近代財政学総論（木村元一著）春秋社
近代日本の教育と政治（村井実著）東洋舘出版社

経営の行動指針（土光敏夫著）産業能率大学出版部
経済学入門（千種義人著）同文舘出版
経済政策原理（熊谷尚夫著）岩波書店
経済政策の理論（館龍一郎・小宮隆太郎著）勁草書房
検証　財界（読売新聞経済部著）中央公論新社
決断できない日本（ケビン・メア著）文春新書
現代用語の基礎知識　自由国民社
現場力（光山博敏・中沢孝夫著）ちくま新書
ケンブリッジの天才科学者たち（小山慶太著）新潮選書
広辞苑（新村出編）岩波書店
強欲資本主義　ウォール街の自爆（神谷秀樹著）文春新書
心の中の価値から、経済学（蒲生暁与著）文芸社
国際政治（上・中・下）（ハンス・J・モーゲンソー著・原彬久監訳）岩波文庫
国家の品格（藤原正彦著）新潮新書
国家の徳（曽野綾子著）扶桑社新書
国家論（佐藤優著）ＮＨＫブックス
国家の論理と企業の論理（寺島実郎著）中公新書
これから30年　日本の課題を解決する先進技術（小宮山宏、三菱総合研究所編著）日本経済新聞出版
財政学（井藤半弥著）千倉書房
財政破綻が招く日本の危機（鷹谷栄一郎・鷹谷智子著）文芸社

最強国家ニッポンの設計図（大前研一著）小学館
里山資本主義（藻谷浩介・NHK広島取材班著）KADOKAWA
産業空洞化幻想論（唐津一著）PHP研究所
「GE」強さのしくみ（佐々木裕彦著）中経出版
下町ロケット（池井戸潤著）小学館文庫
渋沢栄一翁、経済人を叱る（村山孚編）日本文芸社
自由と規律（池田潔著）岩波新書
自由国家（藤原守胤著）有斐閣
人財開国（南部靖之著）財界研究所
シン・ニホン（安宅和人著）ニューズピックスパブリッシング
図解いちばんやさしい地政学の本　2019－2020年度版（沢辺有司著）彩図社
図解雑学・脳のしくみ（岩田誠監修）ナツメ社
スタンフォード大学で一番人気の経済学入門（ティモシー・テイラー著、髙橋璃子訳、池上彰監訳）かんき出版
政治学（田畑忍著）ミネルヴァ書房
政治学（矢部貞治著）勁草書房
政治の精神（佐々木毅著）岩波新書
成長戦略論（ハーバード・ビジネス・レビュー編）ダイヤモンド社
世界を制した中小企業（黒崎誠著）講談社現代新書
世界が目をみはる日本の底力（ロムインターナショナル著）河出書房新社
世界がうらやむ日本の超・底力（ロムインターナショナル著）河出書房新社

世界がわかる理系の名著（鎌田浩毅著）文春新書
戦後日本の光と影（森下正勝著）文芸社
全予測２０３０年のニッポン（三菱総合研究所　産業・市場戦略研究本部編）日本経済新聞出版
体育とはなにか（宮下充正著）大修館書店
第四次産業革命　ダボス会議が予測する未来（クラウス・シュワブ著）日本経済新聞出版
大変な時代　常識破壊と大競争（堺屋太一著）講談社
だから、あなたの会社は若い社員が辞めるのです！（三橋幸夫著）文芸社
だから日本はズレている（古市憲寿著）新潮新書
男女共同参画社会をつくる（大沢真理著）ＮＨＫブックス
地域創世への挑戦（清成忠男著）有斐閣
地球温暖化・人類滅亡のシナリオは回避できるか（田中優著）扶桑社新書
地球持続学のすすめ（武内和彦著）岩波ジュニア新書
地方大学再生（小川洋著）朝日新書
中央公論（２０１３年２月号・大学の悲鳴）中央公論社
中央公論（２０１４年２月号・大学と人材）中央公論社
超職人（桐山秀樹著）ＰＨＰ研究所
超東大脳（茂木健一郎著）ＰＨＰ研究所
通商白書（経済産業省編）
天才はなぜ生まれるか（正高信雄著）ちくま書房
日経業界地図　２０２１年版（日本経済新聞社編）日本経済新聞出版

日経大予測２０１５これからの日本の論点（日本経済新聞社編）日本経済新聞出版
日経大予測２０１８これからの日本の論点（日本経済新聞社編）日本経済新聞出版
日経大予測２０１９これからの日本の論点（日本経済新聞社編）日本経済新聞出版
日本経済の勝ち方　太陽エネルギー革命（村沢義久著）文春新書
日本がわかる経済学（飯田泰之著）ＮＨＫ出版
日本国勢図会（矢野恒太記念会）
日本再生の基軸（寺島実郎著）岩波書店
日本人へ　リーダー篇（塩野七生著）文春新書
日本人へ　国家と歴史篇（塩野七生著）文春新書
日本人の性格（宮城音弥著）朝日新聞社
日本人はなぜ世界で存在感を失っているのか（山田順著）ＳＢ新書
日本の思想（丸山真男著）岩波新書
日本の成長戦略と商社（戸堂康之監修、日本貿易会「日本の成長戦略と商社特別研究会」著）東洋経済新報社
日本のニート　世界のフリーター（白川一郎著）中公新書
日本の論点・２００９（文藝春秋編）文藝春秋
日本の論点・２０１２（文藝春秋編）文藝春秋
日本は没落する（榊原英資著）朝日新聞社
日本は世界1位の政府資産大国（高橋洋一著）講談社＋α新書
日本未来図２０３０（自由民主党国家戦略本部編）日経ＢＰ
２０３０年世界はこう変わる（米国国家情報会議編、谷町真珠訳）講談社

２０３０年の第４次産業革命（尾木蔵人著）東洋経済新報社
２０１３メイドインジャパンの大逆襲（真壁昭夫著）光文社
21世紀の国富論（原丈人著）平凡社
脳には妙なクセがある（池谷祐二著）扶桑社新書
はやぶさ　そうまでして君は（川口純一郎著）宝島社
「はやぶさ２」の大挑戦（山根一眞著）講談社
氷川清話（勝海舟著）角川文庫
Ｐ・Ｆ・ドラッガー経営論集（Ｐ・Ｆ・ドラッガー著）ダイヤモンド社
フィンランドの教育力（リッカ・パッカラ著）学研新書
フィンランド　豊かさのメソッド（堀内都喜子著）集英社新書
福沢諭吉の「科学のススメ」（桜井邦朋著）祥伝社
武道の科学（高橋華王著）講談社
文藝春秋オピニオン・２０１５年の論点１００（文藝春秋編）文藝春秋
文藝春秋オピニオン・２０１７年の論点１００（文藝春秋編）文藝春秋
文藝春秋オピニオン・２０１８年の論点１００（文藝春秋編）文藝春秋
文藝春秋オピニオン・２０１９年の論点１００（文藝春秋編）文藝春秋
文藝春秋オピニオン・２０２０年の論点１００（文藝春秋編）文藝春秋
「文明論の概略」を読む（丸山真男著）岩波新書
変革の哲学（ドラッガー著、上田惇生編訳）ダイヤモンド社
亡国のメガロポリス　日本を滅ぼす東京一極集中と復活への道（三橋貴明著）彩図社

暴走する国家、恐慌化する世界（副島隆彦著・佐藤勝著）日本文芸社
暴走天国　ニッポン（横木誠著）文芸社
保守の心得（倉田満著）扶桑社新書
本当に強い理系大学（週刊東洋経済）東洋経済新報社
松下幸之助の人づかいの真髄（遊津孟著）日本実業出版社
未来企業（P・F・ドラッガー著、上田惇生・佐々木美智男・田代正美訳）ダイヤモンド社
未来の年表（河合雅司著）講談社現代新書
明治の技術官僚（柏原宏紀著）中公新書
メタルカラーの時代（山根一眞著）小学館
メイド・イン・ジャパン消滅！（財部誠一著）朝日新聞出版社
ものづくり白書（経済産業省、厚生労働省、文部科学省編）
文部科学白書（文部科学省編）
理科系冷遇社会（林幸英著）中公新書
令和日本の大問題（丹羽宇一郎）東洋経済新報社
老後の真実（文藝春秋編）文春文庫
ロボットとシンギュラリティ　ロボットが人間を超える時代は来るか（木野仁著）彩図社
若者はなぜ3年で辞めるのか（城繁幸著）光文社新書
早稲田と慶応（橘木俊詔著）講談社現代新書

著者プロフィール

大山 哲人（おおやま あきひと）

昭和19年生まれ。42年慶大卒・44年慶大大学院修了、同年大手重工業会社に入社、労働部長（人事部部長を兼任）、人事部長（事業所担当）、労働福祉部長（人事部部長、同社健保組合・常務理事を兼任）、国際本部管理部長、上場関係会社·取締役（人事部長·総務人事部長）など、「現地・現場主義」をモットーに、船舶・海洋、陸上機械・プラント、航空宇宙の事業本部・事業所・工場及び研究所、輸出営業部門ならびに関係会社の「人事・労務管理業務」に長く従事した。なお、労働課長時代に金属産業団として社会主義国家から資本主義国家へ体制移行時の「東欧諸国」を視察（海外渡航歴、21カ国）。

日本活性化論 「令和」新時代への提言。日本ならではの国づくりを！

2021年 4 月15日　初版第 1 刷発行

著　者　大山 哲人
発行者　瓜谷 綱延
発行所　株式会社文芸社
〒160-0022 東京都新宿区新宿1－10－1
電話 03-5369-3060（代表）
03-5369-2299（販売）

印刷所　株式会社平河工業社

ISBN978-4-286-22548-7